C0-AKA-911

Collection macabre

DU MÊME AUTEUR CHEZ MIRA

Rapt
Black Rose
Le venin
La griffe du mal
Trahison
Cauchemar
Pulsion meurtrière
Le silence du mal
Jeux macabres
Le tueur d'anges

ERICA SPINDLER

Collection macabre

Roman

Titre original :
LAST KNOWN VICTIM
publié par MIRA®

Traduction de l'américain par BARBARA VERSINI

Photos de couverture
Conception graphique : VIVIANE ROCH

83-85 boulevard Vincent-Auriol 75646 PARIS CEDEX 13.
ISBN 978-2-2808-4297-6 — ISSN 1765-7792

Ce livre est dédié à La Nouvelle-Orléans.
A sa beauté et à son charme.
A son histoire, à sa diversité, à ses couleurs.
A la force et à la joie de vivre de ses habitants.
Laissez les bons temps rouler.

PREMIÈRE PARTIE

1.

La Nouvelle-Orléans, Louisiane
Dimanche 28 août 2005
16 heures

Seule une intervention divine avait pu sauver des eaux La Nouvelle-Orléans, ce joyau édifié sur un marais, en dessous du niveau de la mer. A croire que les dieux veillaient sur cette ville.

Et elle ?

Est-ce qu'elle s'en était sortie ? Etait-elle, elle aussi, de la race des survivants ?

Va jusqu'à la porte. Ouvre-la.

Oui, elle était là, allongée sur son lit, endormie. Salope ! Putain !

Elle le mérite. Elle t'a trahi. Elle t'a brisé le cœur.

Elle remua doucement en gémissant.

Vite. Marche jusqu'au lit, maintenant. Referme tes mains autour de son cou et serre.

Elle ouvrit les paupières sur deux bassins bleus remplis de terreur, rua, tenta de le griffer.

Serre. Serre. C'est sa faute. La faute de cette pute. Elle l'a bien cherché.

Sa peau laiteuse devint marbrée, puis violette. Ses yeux enflèrent. Il crut qu'ils allaient jaillir de leurs orbites, comme ceux des personnages de dessins animés.

Pas de pitié. Ne doute pas. Reste calme. Va jusqu'au bout…

Un cri déchira le silence, suivi d'un craquement assourdissant, aussi violent qu'un coup de feu, qui secoua le bâtiment.

Ce n'est que le vent. La colère du cyclone Katrina. Dépêche-toi ! Vérifie ton équipement, à présent.

Des sacs-poubelle. Des gants et des bottes en caoutchouc. Une cape de pluie. Une scie. Une scie toute neuve. Rutilante.

Un grand sac à fermeture Eclair.

On ne risque pas de t'entendre. Ni de te déranger. Ils sont tous partis.

En laissant derrière eux une ville déserte.

2.

La Nouvelle-Orléans, Louisiane
Mercredi 31 août 2005
15 heures

Le capitaine Patti O'Shay patrouillait avec l'impression d'errer dans une ville fantôme ou dans un décor de film catastrophe. Pas de voitures, pas de bus. Pas de passants. Personne sur les porches. Rien d'autre qu'un étrange et inquiétant silence.

Elle roulait lentement le long de Tchoupitoulas Street, en direction du centre-ville, en zigzaguant entre les piliers des lignes à haute tension et les troncs d'arbres qui lui barraient la route et l'obligeaient parfois à grimper sur les trottoirs. Elle se concentra sur cette délicate manœuvre en tâchant d'oublier sa fatigue et son désespoir.

Le cyclone Katrina avait frappé très fort et les pires prédictions s'étaient réalisées : les digues n'avaient pas résisté et l'eau du lac Pontchartrain s'était déversée dans La Nouvelle-Orléans, cette cuvette surnommée *Big Easy*, en inondant quatre-vingt-dix pour cent de la zone urbaine, dont les quartiers généraux de la police. Seule la partie haute de la ville avait été épargnée : le quartier français, le quartier des affaires, une partie de Garden District et du centre-ville. Et cette rue qui longeait le fleuve Mississippi dans laquelle le capitaine Patti O'Shay avançait tant bien que mal.

La ville était privée d'électricité et d'eau courante. Privée de l'intervention des secours. Un quart des véhicules de la police départementale de La Nouvelle-Orléans étaient sous l'eau, inutilisables.

Les habitants qui n'avaient pas fui à temps se trouvaient pris au piège. Ils s'étaient réfugiés dans les greniers, sur les toits, sur les routes inter-Etats, sur les ponts. Ils mouraient de chaud, de faim, de soif, d'absence de soins appropriés.

Les rues étaient aux mains des pillards, des voyous, des junkies.

La police de La Nouvelle-Orléans s'était provisoirement installée au *Harrah's Casino*, sur les hauteurs, au sec, au pied de Canal Street. Le *Royal Sonesta*, l'un des plus luxueux hôtels du quartier français, leur servait de quartier général.

Le capitaine Patti O'Shay crispa ses doigts sur le volant. Toutes les communications étaient coupées. La police en était réduite à utiliser une poignée de talkies-walkies et un canal radio qu'elle partageait avec les équipes de secours de la commune et de la police d'Etat.

Mais la portée de ce canal ne dépassait pas huit kilomètres et les unités fonctionnaient sans véritable coordination. Pour arranger le tout, les différents intervenants ne cessaient de s'interrompre les uns les autres, créant la cacophonie que le capitaine O'Shay écoutait en ce moment — un fleuve ininterrompu d'alertes, de nouvelles, de conversations, et de demandes de renforts.

Mais c'était déjà quelque chose. La preuve qu'il y avait des survivants, des gens qui se battaient et s'organisaient pour rétablir l'ordre. Le signe que ce n'était pas encore la fin du monde.

Même si elle craignait que ce soit la fin du sien.

Son mari, le capitaine Sammy O'Shay, avait disparu.

Elle n'avait plus de nouvelles de lui depuis dimanche. Avant l'arrivée de Katrina, quand ils avaient appris que la police était réquisitionnée, ils avaient décidé d'assister à une messe à la cathédrale St. Louis, puis ils s'étaient séparés pour patrouiller.

Elle se souvenait nettement de cette terrifiante sensation de vide qui lui avait donné le vertige au sortir de la cathédrale.

Sammy l'avait contemplée fixement.

— Qu'est-ce qui t'arrive, mon amour ?

Elle avait secoué la tête.

— Rien.

Mais il ne l'avait pas crue et il avait entrelacé ses doigts avec les siens. Sammy… Solide comme un roc… Son abri dans la tempête.

— Ça va aller, Patti, avait-il assuré. D'ici mercredi, ce sera terminé et on reprendra notre routine.

Il l'avait serrée dans ses bras et ils étaient partis chacun de son côté, sans se douter qu'ils allaient bientôt connaître l'enfer.

On était aujourd'hui mercredi et c'était loin d'être terminé.

Et Sammy n'avait plus donné de nouvelles.

En dépit de l'air humide et chaud qui entrait par les fenêtres ouvertes de la voiture, Patti eut soudain froid. Elle secoua la tête pour chasser ses idées noires.

Sammy était sain et sauf. Il avait probablement tenté de la rejoindre, ou bien d'aller chez eux pour voir dans quel état était leur maison, et il s'était trouvé coincé dans l'inondation.

Sammy avait de la ressource. Même s'il était blessé, il était capable de se mettre à l'abri en attendant les secours.

Mais il y avait tant de disparus, tant de morts… Comment être sûre qu'il n'en faisait pas partie ?

Le talkie-walkie grésilla, puis émit un sifflement aigu. De nombreux incendies ravageaient les immeubles. On parlait de centaines de réfugiés qui convergeaient vers le congrès, de coups de feu tirés au Superdome, de milices privées qui débarquaient par hélicoptères.

Des on-dit. Des rumeurs. Et aucun moyen de vérifier.

Sammy, où es-tu ?

Le brouhaha du talkie-walkie s'arrêta, noyé par un long cri que Patti reçut comme un coup. Elle appuya sur le bouton urgence et maintint la pression quelques secondes — la procédure pour nettoyer le canal et recevoir une communication prioritaire.

— Officier blessé. Je répète, officier blessé. A Audubon Place.

Patti dégrafa son talkie-walkie et l'approcha de sa bouche.

— Ici capitaine Patti O'Shay. Suis sur Tchoupitoulas, me dirige vers Jackson Avenue. Prête à me rendre à Audubon Place. Demande conseil pour itinéraire.

Elle fut aussitôt submergée de renseignements sur les rues praticables. On avait dégagé une voie d'accès sur Jackson et Louisiana Avenue. Une fois sur St. Charles Avenue, il lui faudrait avancer parallèlement aux rails du tramway, hors de la chaussée, là où la voie avait été nettoyée par les Bobcats.

Audubon Place était le quartier le plus cher de La Nouvelle-Orléans. Elle abritait une résidence clôturée et surveillée constituée d'une trentaine d'immenses demeures habitées par de vieilles familles riches de la ville, par des magnats de l'industrie et par le président de l'université de Tulane.

Située sur les hauteurs, bordée par le parc Audubon et le campus universitaire, Audubon Place avait été pratiquement épargnée par les inondations.

Elle représentait donc une proie facile et très attirante pour les pillards.

L'angoisse au ventre, Patti prit la direction d'Audubon Place. On signalait tout et n'importe quoi ces derniers jours et elle avait encore le vague espoir qu'il s'agissait d'une erreur. Mais si ce n'était pas le cas ? Elle se demandait qui était l'officier, dans quel état elle le trouverait, comment elle s'y prendrait pour lui prodiguer les soins nécessaires.

En arrivant à destination, elle vit qu'une autre voiture de patrouille l'avait précédée. Et que la rumeur concernant les milices privées n'avait rien d'exagéré.

Quatre hommes armés jusqu'aux dents montaient la garde devant les grilles de l'élégante voûte d'entrée, près de leurs Hummer, des véhicules roulants multi-usages.

Au moment où elle sortait de sa voiture, la porte du conducteur de l'autre voiture de patrouille s'ouvrit. Patti reconnut l'un de ses hommes, l'inspecteur Tony Sciame, un vétéran qui travaillait dans la police depuis une trentaine d'années et avait déjà tout vu.

Il vint vers elle. Elle eut l'impression qu'il avait vieilli de dix ans.

Elle ne le lui fit pas remarquer. Elle aussi devait lui paraître vieillie et ils savaient tous deux pourquoi.

— Quelle est la situation ? demanda-t-elle.

— Je n'en sais trop rien. Je ne suis arrivé que quelques minutes avant vous. Ils n'ont pas voulu me laisser entrer.

— Pardon ?

— Ils ont dit qu'ils contrôlaient la zone. Ils appartiennent à une société privée. Les résidents les ont engagés pour protéger leurs biens.

L'argent n'achetait pas l'amour, mais tout le reste était à vendre, pas de doute...

Ils s'approchèrent des quatre hommes. Patti aperçut une troisième voiture de patrouille, à l'intérieur de la propriété, un peu plus loin. Son cœur fit un bond dans sa poitrine.

— Qui est le chef ? demanda-t-elle aux hommes.

— Moi, répondit l'un d'eux. Je suis le major Stephens, de *Blackwater USA*.

— Capitaine Patti O'Shay, de la police de La Nouvelle-Orléans, répondit-elle en montrant son badge. On nous a transmis une information concernant un officier blessé.

Il examina soigneusement le badge, puis leur fit signe d'entrer.

— Suivez-moi, dit-il en ouvrant les portes.

Tout en le suivant vers la voiture de patrouille, Patti remarqua le ronronnement des générateurs qui alimentaient les maisons en électricité. Le monde était ainsi fait... La catastrophe touchait moins les riches que les pauvres.

Quant aux très riches... Ils s'arrangeaient pour ne pas avoir à supporter les plus minimes inconvénients.

La victime était étendue devant le véhicule. Face contre terre. Dans la boue.

— Il n'a plus son badge ni ses armes, commenta l'homme de la milice.

Ils s'approchaient du corps et l'odeur de la mort se faisait plus envahissante.

En dépit de la chaleur, Patti eut vaguement conscience d'avoir les mains gelées.

— On l'a frappé à l'arrière du crâne avec un objet lourd, poursuivit le major. Et ensuite on lui a tiré deux balles dans le dos.

Ils étaient maintenant tout près. Patti baissa les yeux vers la victime. Elle ne se sentait pas très bien, le sang battait dans son crâne.

— La décomposition est trop avancée pour qu'il soit mort après le cyclone, commenta Tony.

Elle ouvrit la bouche pour répondre, mais les mots restèrent coincés dans sa gorge. Elle venait de reconnaître l'homme qui gisait à terre. Parce qu'elle avait partagé avec lui ses épreuves, ses espoirs, ses rêves. Parce qu'elle avait vécu trente ans avec lui.

Ce n'était pas possible et pourtant c'était vrai.

Sammy était mort.

3.

Jeudi 20 octobre 2005
11 heures

Patti contemplait fixement l'écran de l'ordinateur sur lequel s'affichait un article de Nola.com datant du 1er septembre 2005 et publié à 8 h 10 du matin.

Remise de décoration posthume à un capitaine de la police de La Nouvelle-Orléans assassiné par des pillards.

Après trente ans de bons et loyaux services dans les forces de police, le capitaine Sammy O'Shay a été abattu de deux balles dans le dos à Audubon Place. Son corps a été découvert mercredi par ses collègues. Le chef de la police de La Nouvelle-Orléans, Eddie Compass, pense que les assassins seraient des pillards que l'officier aurait surpris alors qu'ils cherchaient à s'introduire dans la riche résidence. Une enquête est en cours.

Une enquête !

Il n'y avait pas eu d'enquête. Au moment du meurtre, la ville et les forces de l'ordre étaient en plein désarroi, débordés par les secours à apporter aux survivants. Comment mener une enquête sans indices, sans équipement, sans hommes ? Sans même un commissariat digne de ce nom. Une enquête sur un meurtre, quand une grande partie de la ville était encore sans eau potable…

Patti fronça les sourcils. Elle voulait des réponses. Des certitudes.

Elle ne savait même pas si Sammy était mort avant ou après la catastrophe.

Le chef avait décrété que Sammy avait été abattu par des pillards. C'était plausible. Mais ça n'expliquait pas qu'elle n'ait pas eu de nouvelles de lui entre le moment où ils s'étaient séparés, sur les marches de la cathédrale, et celui où les moyens de communication avaient été coupés.

Il pouvait y avoir un nombre infini de raisons à ce silence. Dont certaines qu'elle n'imaginait même pas. C'était frustrant. Insupportable.

Elle se massa doucement les tempes, à l'endroit où il lui semblait que ses tensions se cristallisaient, tout en passant en revue ce qu'elle savait de la mort de Sammy. Il présentait à l'arrière du crâne un traumatisme causé par un coup porté violemment, ce qui laissait supposer qu'on l'avait attaqué par surprise. Ensuite son assassin l'avait désarmé et s'était servi de son revolver de service pour lui tirer deux balles dans le dos, à bout portant.

On avait retrouvé sa voiture de patrouille ouverte, avec les clés sur le tableau de bord. L'intérieur du véhicule était propre. Mais Sammy n'avait plus son badge ni son arme. Les experts du labo judiciaire n'avaient pas pu intervenir sur les lieux du crime et à présent il était trop tard. S'il y avait eu des indices, ils avaient disparu depuis longtemps.

— Capitaine ? Ça va ?

Patti battit des paupières et détourna lentement le regard de l'écran. L'inspecteur Spencer Malone se tenait sur le seuil de la pièce qui lui servait de bureau improvisé. Spencer Malone n'était pas simplement un de ses hommes, il était aussi son neveu et son filleul. Il la dévisageait, les sourcils froncés.

— Je vais bien. Qu'est-ce que tu voulais ?

Il ignora la question.

— Tu te frottais la tempe.

— Vraiment ? fit-elle d'un ton agacé en laissant retomber ses mains sur ses genoux.

Cela faisait deux mois que Sammy était mort et elle commençait à en avoir assez de cette étouffante sollicitude. Elle n'avait pas besoin qu'on lui rappelle ce qu'elle avait perdu en la traitant comme si on craignait qu'elle se brise en morceaux d'un instant à l'autre.

Patti appartenait à une dynastie de flics. Dans sa famille, son père et son grand-père avaient servi dans la police, trois de ses neveux et une nièce y étaient entrés à leur tour, l'une de ses sœurs avait épousé un officier. Mais le fait de côtoyer tous les jours tant de proches signifiait aussi être en permanence surveillée par leurs regards inquiets.

— Une petite migraine, ce n'est rien, murmura-t-elle.

— Tu en es sûre ? Il me semble qu'avant ta crise cardiaque…

— Il te semble quoi ? coupa-t-elle. Que j'étais fatiguée ? Que je me frottais les tempes ?

— Oui.

Elle avait eu au printemps précédent une crise cardiaque sans gravité dont elle n'avait pas gardé de séquelles.

— Je vais bien, insista-t-elle. Tu avais besoin de quelque chose ?

— Nous avons une complication, annonça-t-il. Dans l'un des cimetières de réfrigérateurs.

Les habitants de La Nouvelle-Orléans avaient fui en laissant derrière eux des réfrigérateurs et des congélateurs pleins. Ces appareils avaient été privés d'électricité pendant des semaines et leur contenu avait pourri. A présent, les gens qui rentraient chez eux les sortaient sur les trottoirs sans même les ouvrir. L'Agence de Protection de l'Environnement, l'APE, se chargeait de les collecter et de les rassembler sur des sites de déchets où on les nettoyait. Ces sites avaient été surnommés « Cimetières de réfrigérateurs ».

— Une complication ? répéta-t-elle.

— Oui. Et de taille. L'APE a fait une intéressante découverte dans un congélateur.

Il marqua un temps de pause.

— Une demi-douzaine de mains humaines.

*
* *

Patti avait décidé d'accompagner Spencer. Le responsable local de l'APE, un homme répondant au nom de Jim Douglas, vint les accueillir sur le parking.

— J'ai jamais vu un truc aussi incroyable, annonça-t-il. J'ai d'abord cru que Paul, celui qui nettoyait l'appareil, me faisait marcher. Quand on passe ses journées là-dedans…

Il désigna d'un large geste le site derrière lui.

— Une bonne blague de temps en temps, ça fait du bien. Vous voyez ce que je veux dire ?

— Tout à fait, murmura Spencer. Je dirais même que ça confère une tout autre dimension à ce boulot puant.

— Exactement. Et ne vous en faites pas pour l'odeur, vous allez vous y habituer.

Patti ne prit pas la peine de lui expliquer qu'un des premiers « trucs » que l'on apprenait à un flic était de respirer une bonne bouffée de Vicks avant de se présenter sur les lieux d'un crime où il savait trouver ce qu'on appelait dans leur jargon un « puant ».

Mais l'odeur pestilentielle qui flottait ici aurait pu rivaliser avec ce qu'elle avait connu de pire, et ce n'était pas peu dire : ils n'étaient encore qu'à la lisière du site et elle avait déjà les yeux larmoyants.

L'homme les conduisit jusqu'à une caravane.

— J'ai préparé des masques et des combinaisons isolantes. Je crois que vous en aurez besoin.

Il leur fit signe d'entrer, puis tendit à chacun d'eux une combinaison blanche en papier tissé munie d'un capuchon, des bottines, et un masque respiratoire.

Après avoir enfilé leur équipement, ils prirent la direction de l'unité concernée. Patti trouva le décor surréaliste : ils traversaient des rangées interminables de réfrigérateurs et de congélateurs transformés en tombeaux de nourriture, en cercueils nauséabonds. Elle comprenait maintenant le pourquoi du surnom « Cimetières de réfrigérateurs ».

Il n'y manquait rien. Pas même les épitaphes. Les habitants de La Nouvelle-Orléans s'étaient servis de leurs appareils domestiques pour exprimer leur désarroi en y inscrivant à la bombe des messages de frustration, de colère, de désespoir. L'un d'eux proclamait en lettres orange : « Un super boulot, Brownie », une allusion au commentaire ironique de George Bush au directeur de la FEMA[1] qui avait si mal géré les inondations. Un autre disait : « Adieu, monsieur puant », un autre encore : « Ci-gît oncle Pourriture. Merci pour tout, Katrina. »

De nombreux appareils étaient encore décorés de calendriers, de dessins d'enfants, de photographies, autant d'instantanés de ces vies brusquement interrompues.

— Les éléments que vous voyez ici sont considérés comme contenant des déchets susceptibles d'être dangereux, expliqua Douglas. C'est pourquoi l'APE s'en charge. Nous commençons par les vider de leur contenu. C'est à ce stade que nous avons découvert les mains, soit dit en passant. Nous les nettoyons ensuite avec un jet d'eau sous-pression, puis nous débarrassons les bobines de leur gaz fréon et les compresseurs de leur huile.

— Vous en avez combien, environ ? demanda Spencer.

Au ton de sa voix, Patti comprit qu'il était sensible autant qu'elle à l'étrangeté du paysage. Comme si tout n'était pas étrange depuis le 29 août.

— Dix mille, répondit Douglas. Et c'est seulement un début. Nous pensons avoir à traiter un bon quart de million.

Spencer émit un petit sifflement.

— Ça fait un sacré lot de frigos malodorants !

Douglas laissa échapper un petit rire ressemblant vaguement à un hennissement. Malodorants, c'était peu dire…

— La bonne nouvelle, c'est qu'on les recycle, poursuivit-il. Une fois compactés par nos soins, ils sont acheminés vers un complexe

1. FEMA : agence fédérale des situations d'urgence (Note de l'Editeur).

industriel qui se charge de les déchiqueter et de les broyer. Une idée rafraîchissante, si vous me permettez le calembour.

Ils le suivirent quelques minutes en silence.

— Nous y sommes, fit soudain Douglas.

Il aurait pu se passer de l'annonce, l'appareil était entouré du cordon jaune et on ne pouvait pas se tromper. Deux hommes, harnachés eux aussi de l'équipement complet de protection, montaient la garde.

Ils avaient étalé les sacs de congélation contenant les mains — ou ce qu'il en restait —, sur une bâche en plastique posée par terre, devant le réfrigérateur. Patti se demanda si l'espèce de « gombo » que contenaient les sacs permettrait une analyse ADN.

De la purée d'ADN. Super.

Elle s'intéressa au réfrigérateur. Il était blanc, d'un modèle bas de gamme, sans distributeur d'eau ni de glaçons. Il ne venait pas de l'hôtel *Taj Mahal*, pas de doute.

Le plus grand des deux hommes fit un pas en avant.

— Premier officier Connelly, capitaine, dit-il. C'est moi qui ai répondu à l'appel de l'APE.

— C'est vous qui avez protégé le périmètre ?

— Oui. Et c'est moi aussi qui ai isolé les éléments découverts.

— Très bien. Contactez le département de police et voyez s'ils peuvent envoyer sur place une équipe d'experts.

Elle se tourna vers le deuxième homme.

— Paul, je suis le capitaine O'Shay, et voici l'inspecteur Malone. D'après ce que j'ai compris, vous avez trouvé les mains en nettoyant cet appareil.

Il hocha la tête en signe d'assentiment.

— J'aurais dû appeler Jim tout de suite, mais je n'arrivais pas à croire à ce que je voyais. Ça m'a fait une drôle de surprise, ça oui, on peut le dire.

— C'est tout naturel. N'importe qui aurait été surpris. Racontez-nous comment c'est arrivé.

— Je suivais la procédure habituelle. D'abord, nous vidons l'appareil et nous jetons tout ce que nous pouvons dans les poubelles.

A la main, ou en s'aidant d'un grappin. Quand c'est fait, nous nettoyons au Karcher.

Il soupira.

— La plupart du temps, on sort des réfrigérateurs une sorte de bouillie. Ça fait longtemps qu'ils ne sont plus branchés, vous comprenez. C'est vraiment écœurant, vous pouvez me croire.

Patti le croyait volontiers.

— Comment avez-vous découvert les mains ?

— Elles étaient là, fit-il en désignant le compartiment congélateur. Je ne me serais aperçu de rien si l'un des sacs ne s'était pas déchiré. Il m'a échappé des mains et il a éclaté au sol. Une intervention divine, moi je dis.

Sans doute, mais Patti s'intéressait surtout à l'intervention maligne qui avait mis les mains dans ces sacs, puis dans ce congélateur.

— Vous avez aussitôt prévenu M. Douglas, je suppose.

— Ben non. J'étais sonné. Et puis je me suis dit que c'était pas des vrais. Qu'un copain m'avait fait une blague.

Sa voix tremblait légèrement, mais Patti n'aurait pas su dire si c'était d'excitation ou d'angoisse.

— J'ai sorti celle qui était tombée, pour la regarder de plus près. Et là je me suis rendu compte qu'elle n'était pas en plastique, ça non. Alors j'ai regardé à l'intérieur du compartiment et j'en ai vu une deuxième.

Il regarda Douglas.

— Et j'ai filé prévenir Jim.

— Vous avez sorti les quatre autres ensemble ?

Il acquiesça de nouveau d'un signe de tête.

— Quand on a compris de quoi il s'agissait, on a fait très attention en les manipulant.

— Je vous en remercie, approuva Patti en jetant un coup d'œil à Douglas. Vous savez d'où vient cet appareil ?

— De La Nouvelle-Orléans.

— Mais la rue ? Le quartier ?

— Non. La Nouvelle-Orléans, la commune, on ne peut pas être plus précis.

C'était frustrant, mais Patti n'en fut pas surprise. L'effort de nettoyage de la ville représentait un travail colossal. Elle avait entendu dire que les dégâts causés par le cyclone avaient produit une quantité de débris équivalant à trente-cinq ans du poids d'ordures rejetées par La Nouvelle-Orléans. Quelque chose comme cent millions de mètres cubes. De quoi remplir vingt-deux fois le Superdome.

Elle se tourna de nouveau vers Paul.

— Vous n'avez rien remarqué d'autre, à propos de cet appareil ?

Il prit le temps de réfléchir avant de répondre.

— Non, dit-il enfin. Désolé.

— Si quelque chose vous vient à l'esprit, n'hésitez pas à nous contacter.

Elle tendit la main à Jim Douglas.

— On va vous enlever ça, dit-elle. Quand l'équipe des experts sera là, vous nous les envoyez.

Il assura que oui et s'éloigna avec Paul. Patti se tourna vers Spencer. Il avait franchi le cordon pour s'approcher de la bâche et s'était déjà accroupi.

— Il n'y a que des mains droites, fit-il remarquer. Elles appartiennent donc à six personnes différentes. Six victimes.

Elle fronça les sourcils.

— Pourquoi des mains droites ?

— Pourquoi des mains ? rétorqua-t-il.

— Ce sont des trophées. Visiblement.

— Ce taré a perdu sa collection à cause du cyclone Katrina.

Il enfila une paire de gants en latex et étendit sa main au-dessus des squelettes.

— Des mains de femmes. Trop petites pour un homme.

Elle mit elle aussi des gants et le rejoignit. Les mains étalées sur la bâche étaient à peu près de la taille des siennes.

— Elles peuvent avoir appartenu à de jeunes garçons. A des adolescents.

— Peut-être, convint Spencer en inclinant la tête d'un air pensif. Regarde ça. Ces quatre-là sont sectionnées très proprement.

— Mais les deux autres, c'est du sale boulot, murmura Patti.

Avec le temps, il avait dû s'améliorer.

— Eh oui... Quand on pratique régulièrement, on progresse.

— Je te trouve bien macabre, commenta Spencer. Mais je reconnais que c'est la triste réalité.

— J'en ai une autre de remarque à propos de la triste réalité, annonça-t-elle en se relevant. Ces mains étaient congelées. Donc elles ont entamé en même temps le processus de décomposition. Quand l'électricité a été coupée.

Spencer comprit aussitôt.

— On ne pourra pas dater la mutilation. Ça a pu se produire juste avant le cyclone.

— Ou des années plus tôt, compléta-t-elle.

— Exactement.

— J'ajouterai que pas mal de gens ont pu toucher ce réfrigérateur qui est dehors depuis un certain temps, exposé aux intempéries.

— Ce sera un miracle si on trouve des indices.

Il pensait à des cheveux ou des fibres de vêtements.

— Pareil pour les empreintes, insista-t-elle. On ne sait pas d'où provient l'appareil, donc on ne sait pas par où commencer notre enquête.

— Triste réalité numéro trois, proposa-t-il.

— Tu l'as dit. Quant aux profils ADN, si on parvient à en établir, ils ne nous mèneront pas bien loin puisqu'on n'a rien à quoi les comparer.

— Triste réalité numéro quatre, conclut Spencer qui avait décidé de faire de l'humour pour détendre l'atmosphère. Je te remercie de cette réjouissante précision.

L'équipe des experts arriva sur ses entrefaites. Elle se réduisait à un technicien, mais Patti le reconnut sans hésiter au matériel qu'il transportait. Il s'apprêtait visiblement à se charger de tout, des photographies au relevé d'empreintes, en passant par la récolte des indices.

Patti se demanda où et comment ils avaient pu le dénicher si vite. Beaucoup de gens avaient perdu leur maison et n'avaient nulle part où habiter. La ville était pleine de travailleurs sans-abri. Des centaines de policiers vivaient en ce moment dans un bateau de croisière, l'Ecstasy, amarré non loin du centre-ville, sur le fleuve Mississippi.

— Salut, fit le technicien en déposant son matériel. Qu'est-ce qu'on a ?

— Une collection, répondit Spencer en montrant la bâche du doigt.

Le type fit la grimace et secoua la tête.

— C'est un sacré merdier, tout ça… Le point de basculement pour moi, ça a été le requin qui nageait en plein Veterans Boulevard. Comment voulez-vous qu'on se remette d'un truc pareil ?

Il chargea sa caméra.

— Ma mère vit à St. Tammany et j'ai pu me réfugier chez elle, poursuivit-il. Le cyclone a déraciné quarante arbres dans sa propriété, mais aucun n'a heurté sa maison. C'est pas croyable, non ?

Il n'attendit pas de réponse et se mit au travail. Son histoire n'avait rien d'exceptionnel. Patti en entendait de semblables tous les jours. Tous les gens que l'on abordait commençaient par vous raconter une anecdote à propos de Katrina.

Elle se tourna vers l'officier qui avait placé le ruban.

— Connelly, vous restez ici pour le seconder. Quand vous en aurez terminé, faites-le-moi savoir.

Elle s'éloigna avec Spencer. Ils n'échangèrent pas un mot et allèrent d'abord se débarrasser de leur équipement. Puis ils rejoignirent la vieille Camaro de Spencer.

— On commence par chercher les victimes, dit-elle une fois installée sur son siège. Il faudra vérifier sur l'ordinateur si on a signalé des cadavres auxquels il manquait une main. Demande à Tony de te donner un…

Elle allait dire coup de main, mais s'arrêta à temps. Spencer lui jeta un drôle de regard en haussant un sourcil. Il avait compris.

Elle lui adressa un sourire las.

— Demande à l'inspecteur Sciame de faire équipe avec toi, reprit-elle. Et tenez-moi au courant.

Il acquiesça d'un hochement de tête et ils se turent de nouveau. Pendant le trajet, Patti contempla le paysage dévasté. La Nouvelle-Orléans avait tout à reconstruire et, comme si ça ne suffisait pas, eux, ils avaient un tueur en série sur les bras.

DEUXIÈME PARTIE

4.

Vendredi 20 avril 2007
12 heures

City Park, l'immense parc situé au cœur de La Nouvelle-Orléans, s'étendait sur treize mille acres. Avant Katrina, il possédait plusieurs parcours de golf pour un total de trois cent dix-huit trous, des courts de tennis, une lagune que l'on traversait sur des bateaux à aubes ou une barge, un Pays des contes, des Jardins aux manèges, et le *New Orleans Museum of Art*. City Park demeurait l'un des plus vieux parcs d'attractions urbains des Etats-Unis et il avait été un modèle du genre, mais il peinait à retrouver sa splendeur d'autrefois.

Ce jour-là, il se distinguait surtout par l'affreuse découverte qu'on venait d'y faire, à savoir des restes humains.

Spencer gara sa Camaro de 1977 devant Bayou Oaks, le terrain d'entraînement de golf à deux niveaux. Il ouvrit sa portière et sortit. Le *dispatcher* avait parlé d'un corps à l'état de squelette. Ce n'était pas le premier de la carrière de Spencer, mais ça n'avait tout de même rien de réjouissant. La terre acide de Louisiane et son climat subtropical — avec ses pluies abondantes et ses longs étés torrides — accéléraient le processus de décomposition. Ici, un corps pouvait se trouver réduit à quelques os et tendons en l'espace de deux semaines.

La Ford Taurus de l'inspecteur Tony Sciame — une voiture qui avait connu des jours meilleurs — freina en vrombissant sur le parking de gravier. Spencer se dirigea vers elle et l'atteignit au moment où la porte du conducteur s'ouvrait à la volée. Tony sortit lentement.

Il sentait l'huile de friture. L'appel avait dû interrompre une orgie de frites.

— Salut, Pasta Man, s'écria Spencer. Betty sait que tu te gaves de cette merde pour le déjeuner ?

Betty était la femme de Tony depuis trente-quatre ans et elle supervisait le régime alimentaire de son mari avec l'intransigeance que Tony n'arrivait pas à s'imposer tout seul. C'était devenu un sujet permanent de conflit entre eux.

— Oui, petit malin. Ma Betty n'a pas une épine dans le cerveau. Elle se doute de ce que je fais quand elle a le dos tourné.

Spencer gloussa et leva le nez vers le ciel.

— Belle journée pour un parcours de golf, commenta-t-il.

Tony siffla en ricanant.

— Petit futé, la seule fois où tu as failli swinguer avec un club de golf, c'est quand tu es intervenu pour séparer deux types en snickers à carreaux.

— Et alors ? J'ai tout de même le droit de tenter un parcours si ça me chante.

Ils marchaient déjà côte à côte.

— A ta place, je ne ferais pas de commentaires sur la tenue vestimentaire des gens, ajouta Spencer en jetant un regard amusé à son partenaire.

— Pourquoi ? fit Tony en baissant les yeux vers ses vêtements. Je ne vois pas ce qui cloche dans ma tenue.

Il portait une chemise imprimée à grands motifs orange et un pantalon trop foncé, d'une couleur indéfinissable, qui hésitait entre le vert kaki et le marron — d'un ton dégueulis aurait été le qualificatif le plus approprié.

— Tu es parfait, ironisa Spencer. Tu ne choquerais pas un daltonien.

— Tu es jaloux parce que j'ose porter des couleurs vives, grommela Tony.

— Si ça te fait plaisir de le croire…, rétorqua Spencer.

Spencer surnommait Tony « Pasta Man » pour railler son petit ventre de quinquagénaire et Tony lui rendait la monnaie de sa pièce en l'affublant de divers sobriquets faisant allusion à son jeune âge. Ils échangeaient quantité d'insultes et de boutades aigres-douces, mais ils s'appréciaient, se respectaient, et surtout, ils se faisaient confiance pour se couvrir l'un l'autre.

Dans la police de La Nouvelle-Orléans, on n'avait pas de partenaire attitré. Quand une affaire se présentait, on l'attribuait à l'inspecteur qui se trouvait en tête de liste de service et il choisissait quelqu'un pour le seconder.

Mais Spencer et Tony formaient un tandem régulier depuis pas mal de temps. Spencer avait trente-trois ans et il était célibataire ; Tony s'était marié avant la naissance de Spencer et il avait trois enfants. Spencer était encore un bleu dans la *Investigative Support Division* — on disait ISD pour faire plus court —, la division chargée des enquêtes pour homicides, tandis que Tony y travaillait depuis vingt-sept ans. Spencer traînait avec lui une réputation de tête brûlée et Tony passait pour prudent et réfléchi.

Le lièvre et la tortue. Ils formaient un couple mal assorti, mais d'une redoutable efficacité.

— Salut, Mikey, lança Spencer au premier agent.

Mikey avait fait l'académie de police dans la même promotion que Percy, le frère de Spencer. Il avait aussi écumé les bars avec lui avant de se marier. Spencer le connaissait bien.

— Qu'est-ce que ça donne ? demanda-t-il.

Mickey sourit.

— Salut, Spencer, salut, inspecteur Sciame, répondit-il. Premier tee, parcours ouest, un squelette, pratiquement intact.

— Un homme ou une femme ?

— Je ne sais pas. C'est pas mon rayon.

— Le bureau du coroner nous a envoyé qui ?

— L'expert en anthropologie. Elizabeth Walker.

— Des papiers d'identité ?

— Non. Pas d'effets personnels non plus, en tout cas pas pour l'instant. On n'a pas bougé le corps, il y a peut-être des trucs dessous. On a appelé la DIU du troisième district. C'est Landry qui est chargé de l'affaire.

Depuis près de dix ans, les chefs de la police de La Nouvelle-Orléans avaient décidé que la meilleure façon de combattre le crime était de décentraliser le département et d'affecter des inspecteurs aux huit districts de la ville. Ils appelaient ça les *Detective Investigative Units*, les unités chargées des enquêtes sur le terrain. Ces inspecteurs n'étaient pas spécialisés, ils se chargeaient de tout, excepté des viols, des sévices sexuels sur mineurs et des meurtres avec préméditation qui étaient réservés aux hommes de la criminelle.

— Pas trop mal, tu finiras par devenir un flic décent, au bout du compte.

— C'est ça, mon pote, t'as raison.

— On pourrait garder les problèmes personnels pour plus tard ? intervint sèchement Tony. Les gars sont déjà au boulot, j'aimerais faire une apparition avant que la victime soit emballée et étiquetée.

— Ce sont les ingénieurs et les paysagistes chargés de la restauration des parcours de golf qui ont trouvé la tombe, poursuivit le jeune officier d'un ton imperturbable. Ils sont littéralement tombés dessus.

Spencer fronça les sourcils.

— Ça veut dire quoi, tombés dessus ?

— Exactement ce que je dis, rien de plus. L'ingénieur a trébuché et il est tombé dessus. Le pauvre bougre en est encore tout retourné. S'il n'avait pas été si maladroit, personne n'aurait rien vu.

— Tu as relevé les noms et les coordonnées de l'ingénieur et du paysagiste ?

Il le rassura, oui, il les avait, et ajouta :

— Je les ai prévenus que quelqu'un de la police passerait probablement dans l'après-midi pour les interroger.

Il montra la rangée de chariots de golf.

— Choisissez votre véhicule. Les clés sont dessus. Vous n'aurez qu'à suivre les pancartes.

Ils grimpèrent sur un chariot. Tony prit le volant.

Spencer lui jeta un regard en coin.

— Quand je pense qu'on vient de déterrer un cadavre dans ce parc. C'est tout de même un comble.

Avant de réintégrer le commissariat général de Broad Street, leur division avait passé des mois dans le parc, installée dans des caravanes.

— Tu peux le dire, marmonna Tony.

Spencer profita de ce que Tony conduisait pour observer les alentours. Le cyclone Katrina avait fait de terribles dégâts en noyant quatre-vingt-dix pour cent du parc sous trente centimètres à trois mètres d'eau. Le pire, c'était qu'il s'agissait d'une eau salée venant du golfe de Mexico. Le sel avait brûlé toutes les pelouses ainsi qu'un nombre impressionnant de plantes fragiles.

Depuis, le parc revenait tant bien que mal à la vie, mais il n'avait pas retrouvé sa splendeur d'autrefois.

Ils arrivaient sur le site. Tony se gara tout contre le cordon jaune que le premier officier et son partenaire avaient placé de façon à tracer un large périmètre englobant le premier tee. Ils l'enjambèrent et se dirigèrent vers l'homme chargé de surveiller la scène du crime. Spencer ne le reconnut pas. Il en conclut qu'on avait dû l'engager après Katrina.

C'était ainsi à La Nouvelle-Orléans. Il y avait l'avant et l'après Katrina. Le cyclone servait de point de référence, de jalon à l'histoire de ses habitants.

Et aussi à celle de Spencer.

Avant Katrina — avant « La chose », comme l'avait surnommée un journaliste local —, Spencer croyait avoir trouvé un certain équilibre dans la vie. Il se sentait bien dans sa peau, en sécurité dans son petit univers.

Mais depuis le meurtre de Sammy et le chaos qui avait suivi le passage de Katrina, sa confiance s'était émoussée. A présent, il lui arrivait de douter, de craindre pour l'avenir. Il avait appris que la vie ne tenait qu'à un fil. Que tout pouvait basculer d'un instant à l'autre.

Il ne cessait d'y penser. Un jour, tout allait bien et le lendemain votre existence était bouleversée. Bien sûr, un flic prenait toujours des risques, mais circonscrits, calculés. Katrina avait donné à Spencer le sentiment qu'il planait au-dessus des êtres humains un danger plus flou, plus général.

Il signa le registre avec Tony, se baissa pour passer sous le cordon, et rejoignit à grands pas le groupe agglutiné autour de la tombe.

A quelques centimètres au-delà de la zone de départ du parcours, sous un grand arbre feuillu, les experts du labo avaient déjà pris leurs photos et commencé le travail d'excavation. Elizabeth Walker était accroupie près d'eux et surveillait attentivement leurs gestes.

Il ne restait qu'un squelette, comme il fallait s'y attendre. On l'avait allongé sur le dos. Des fragments de ce qui avait dû être ses vêtements restaient collés aux os marbrés.

— Hello, Terry, lança Spencer en s'adressant à l'inspecteur de la DIU. Comment ça va ?

— Je ne me plains pas, même si je devrais.

Il sourit et serra la main de Spencer.

— Et toi ? ajouta-t-il en lui serrant la main.

— Exactement comme toi, répondit Spencer. Je dirai à Quentin que je t'ai vu.

— Ouais, ben dis surtout à ce mauvais joueur qu'il me doit une bière.

Spencer rit. Quentin avait été le partenaire de Terry Landry avant que celui-ci ne décide de se lancer dans des études de droit. Il était maintenant assistant du procureur. On ne pouvait décidément pas faire un pas dans cette ville sans tomber sur quelqu'un qui avait travaillé avec un membre de la famille Malone.

Elizabeth Walker se tourna pour regarder Spencer par-dessus son épaule. Elisabeth était une Afro-Américaine qui avait connu dans son enfance La Nouvelle-Orléans des ghettos noirs. Elle possédait un sens aigu du détail, un grand sens de l'humour et la détermination de ceux qui gravissent les échelons de la hiérarchie sociale à la force du poignet.

— Un Malone, commenta-t-elle. Que Dieu ait pitié de nous…

— Ravi de vous voir, moi aussi, dit-il en venant se planter près d'elle. Alors, qu'est-ce que tu penses de ça ?

— Une femme, sans le moindre doute : os pelvien court, cavité pelvienne large.

— Son âge ?

— Moins de vingt-cinq ans. Elle n'avait pas terminé sa maturation osseuse. J'en saurai un peu plus quand j'aurai vu sa colonne vertébrale aux rayons X.

Elle se tut, puis reprit.

— D'après la couleur, je dirais qu'elle était là depuis un certain temps. Plusieurs années.

Elle montra le squelette du doigt.

— Vous avez remarqué l'aspect desséché des os ? Ils ont perdu leur teinte ivoire et sont mouchetés de gris et blanc. L'os est poreux. Si elle était restée dans la terre, elle en aurait pris la couleur.

— Mais on l'a pourtant enterrée, non ?

— Je suppose que oui, mais pas très profondément. La pluie et le vent ont éliminé progressivement la mince couche qui la recouvrait. A moins que ça ne soit l'inondation, au moment du cyclone.

Spencer contempla la victime.

— Elle pourrait être là depuis avant le cyclone ?

— Sans aucun doute.

Spencer leva les yeux vers Tony.

— Si l'assassin ne s'est pas donné la peine de creuser une vraie tombe, c'est qu'il était pressé.

Tony acquiesça.

— Possible. Ou bien qu'il s'en fichait qu'on la trouve.

Spencer enfila des gants de latex et balaya soigneusement du plat de la main les feuilles et les débris qui recouvraient le squelette. Quelques fils de tissu restèrent collés à l'os du pubis. Probablement ce qui restait de la culotte. Il se demanda si la femme avait été enterrée en sous-vêtements.

L'expert parut lire dans ses pensées.

— Du synthétique, expliqua-t-elle. Du Nylon, sûrement. Les éléments viennent facilement à bout des matières naturelles comme le coton et la soie, mais les synthétiques durent des années. Elle était habillée. Regardez.

Elle désigna une fermeture Eclair à moitié enfouie sous les feuilles et les aiguilles de pins. Le vêtement auquel elle avait appartenu avait disparu depuis longtemps.

— Autre chose ? demanda Patti.

— Elle avait des implants mammaires. Ils ne se décomposent pas.

— « Augmentation éternelle du volume de vos seins », murmura Tony d'un ton pince-sans-rire. Voilà qui ferait un sacré argument de vente.

Elizabeth pouffa.

— C'est le moins qu'on puisse dire.

— C'est tout ? demanda Spencer.

— J'en saurai un peu plus quand je l'aurai étudiée au labo. Pour l'instant, c'est à peu près tout. Pas de traumatismes apparents au niveau des os. Il lui manque la main droite, mais ça n'a pas pu causer sa mort.

Il lui manquait la main droite ?

Spencer crut un instant qu'il avait mal entendu. Son regard glissa le long du bras droit de la victime, puis plus bas, là où aurait dû se trouver sa main.

Aurait dû.

Le tueur en série qu'ils avaient surnommé « le Collectionneur de mains » n'avait jamais été retrouvé. En l'absence d'indices et dans la pagaille consécutive au cyclone Katrina, ils n'avaient abouti à rien et s'étaient résignés à clore le dossier.

Cette femme était une victime du Collectionneur ?

Son regard croisa celui de Tony. Ils pensaient la même chose.

— Ce sont peut-être des charognards qui l'ont attaquée, hasarda Tony.

Elizabeth secoua la tête.

— Certainement pas, inspecteur. Regardez bien. Les os sont coupés proprement. Ça ressemble plutôt à une amputation.

De nouveau, ils échangèrent un regard entendu.

— Ce serait tout de même un sacré coup de bol que ces restes appartiennent à une des victimes du collectionneur, fit Tony.

— Tu en doutes encore ? s'étonna Spencer

L'expert anthropologue avait déjà compris.

— Je suppose que vous allez me demander de les comparer de toute urgence avec les mains trouvées dans le congélateur.

— Ça va vous prendre combien de temps ?

— On l'embarque tout de suite au labo. Les os sont uniques et ils ne mentent pas. Si l'une des mains lui appartient, on le saura très vite.

— Il faudrait aussi déterminer son identité. Ça nous permettrait de démarrer l'enquête sur des bases solides.

— Je vais rechercher les traumatismes osseux. Ça devrait aider. Sa dentition aussi.

— Vous pensez pouvoir déterminer le moment de la mort avec quel degré de précision ?

— Malheureusement, je ne peux pas être plus précise que ce que je vous ai déjà dit. Désolée. En tout cas, je m'occupe d'elle en priorité et je vous fais signe dès que je sais quelque chose.

Spencer la remercia, puis il repartit avec Tony vers le chariot de golf.

— Si cette femme a été tuée après Katrina, le Collectionneur est probablement en vie et dans les parages, commenta-t-il.

— Inspecteurs ! appela soudain Elizabeth. Nous avons trouvé quelque chose.

Ils revinrent sur leurs pas. Elle tenait un petit objet dans sa main gantée.

Spencer le contempla fixement, le cœur battant.

Un badge de la police de La Nouvelle-Orléans. Le numéro 364.

Il poussa un cri étouffé. Quelques secondes passèrent dans le plus grand silence.

Spencer connaissait ce numéro.

— Qu'est-ce qui t'arrive ? s'étonna Tony.

Spencer se tourna lentement vers lui.

— Cette femme a été assassinée avant le cyclone, murmura-t-il. Juste avant.

Comme ses collègues le fixaient avec des regards abasourdis, il ajouta :

— Ce badge appartenait au capitaine Sammy O'Shay.

La nouvelle fit l'effet d'une bombe. Il y eut de nouveau un long silence.

Tony fut le premier à le rompre.

— Tu es sûr ? Absolum…

— Merde ! coupa Spencer. Absolument sûr, oui.

Elizabeth se racla la gorge.

— Que comptez-vous faire, inspecteur ? demanda-t-elle.

— Je vais immédiatement appeler le capitaine O'Shay. Je pense qu'elle va vouloir constater ça elle-même sur place. A partir de maintenant, vous pouvez considérer que c'est elle qui dirige les opérations.

5.

Vendredi 20 avril 2007
15 heures

Patti tenait le badge au creux de ses mains gantées qui tremblaient légèrement. Elle avait une douleur sourde au niveau de la cache thoracique, comme si on lui avait donné un coup. Le vent faisait frissonner les feuilles du grand érable sous lequel elle se tenait. Un des techniciens se dandinait d'un pied sur l'autre, d'un air gêné. Tout le monde se taisait. Ils attendaient. Ils lui laissaient du temps.

Elle leva les yeux et balaya du regard le groupe qui l'entourait. Les visages de ses collègues exprimaient de la compassion. De la consternation. De la tristesse.

Et de la colère.

On avait tué un flic. Un des leurs.

— Je suis désolé, tante Patti, murmura doucement Spencer en posant une main sur son épaule.

— Pas moi, dit-elle d'une voix claire et forte. Il est déjà parti depuis longtemps. Cette découverte me donne une chance de coincer le salaud qui l'a tué.

— Tu as l'intention de rouvrir le dossier ? demanda-t-il.

— La théorie des pillards ne tient plus debout.

— Peut-être.

— Pas « peut-être ». C'est sûr. Le tueur a été surpris par Sammy en pleine action et il s'est défendu.

— C'est une explication plausible.

— Tu en as une autre ?

— Et si c'était cette fille qui avait tué Sammy ?

— Peu probable.

— Mais à considérer tout de même.

Elle poussa un soupir de frustration.

— Tout est possible, gémit-elle. C'est bien là le problème.

— Le badge, poursuivit Spencer, a pu atterrir dans cette tombe par…

— Par accident ? Je t'en prie, inspecteur… On l'a trouvé sous le squelette, pas mêlé aux débris et à la terre qui le recouvraient. Ce salaud a jeté le badge dans le trou, avant de balancer le corps dessus.

— Je reconnais que ça tient debout. Mais nous ne devons pas écarter pour autant les autres hypothèses.

— Les autres hypothèses…, répéta-t-elle d'un ton soudainement agacé.

Un silence de mort se fit autour d'elle.

— De quelles autres hypothèses parles-tu ? Pour l'instant, je vais m'en tenir à celle que je viens de t'exposer.

6.

Vendredi 20 avril 2007
19 h 10

Quelques heures plus tard, Patti était assise devant son bureau. De l'autre côté de la porte, c'était plutôt calme. La plupart des inspecteurs rentraient chez eux à 17 heures — tout en restant joignables via leurs portables ou leurs Pagers —, mais on sentait que la journée de travail était terminée.

Mais ce soir-là Patti avait décidé de ne pas bouger tant qu'elle n'aurait pas fini d'étudier les documents étalés devant elle. Elle tenait enfin une piste. Elle ne pouvait penser à rien d'autre.

Les deux années qui s'étaient écoulées n'avaient pas émoussé son chagrin. On ne cessait de lui répéter que « ça irait mieux » et qu'elle « reprendrait le dessus ».

Mais ce n'était pas si simple. Elle refusait d'oublier tant que Sammy n'était pas vengé.

Son couple et le département de police de La Nouvelle-Orléans avaient autrefois représenté tout son univers et elle avait l'impression d'avoir perdu les deux. Sammy avait consacré sa vie à son métier et il était tombé en accomplissant son devoir. Pourtant il n'avait eu droit qu'à un ersatz d'enquête. On l'avait oublié. Parce qu'il y avait le cyclone et la ville à remettre en état. En l'absence d'indices, on avait fermé le dossier et on était passé à autre chose.

On. Mais pas elle. Elle n'avait jamais eu l'intention de lâcher prise.

Et maintenant qu'elle tenait une piste, elle était plus déterminée que jamais.

On avait trouvé le badge de Sammy enfoui sous le squelette d'une jeune fille enterrée dans City Park.

Une jeune fille à qui il manquait la main droite.

Ça ne la menait pas bien loin.

Elle avait réclamé le dossier du Collectionneur et elle constatait à quel point il était pauvre. Surtout quand on savait que ce malade avait tué six femmes.

Et un flic. Son mari.

Elle s'était juré de traîner le Collectionneur devant les tribunaux. Jusque-là, cette promesse paraissait impossible à tenir. La donne venait de changer.

Le plus simple était de démarrer l'enquête à partir d'un individu. Il fallait donc se concentrer sur l'identité de l'inconnue du parc.

— Tante Patti ?

Spencer s'encadrait dans l'embrasure de la porte. Elle lui fit signe d'approcher en se forçant à sourire.

— Prêt à partir en week-end ? demanda-t-elle.

— Toujours, répondit-il en traversant la pièce pour aller s'asseoir dans le fauteuil en face de son bureau.

Lui aussi souriait, mais elle vit qu'il était préoccupé.

— C'était une drôle de journée, dit-il.

— Oui. Plutôt.

— Tu tiens le coup ?

— Oui.

— Tu as mangé ?

Tant de sollicitude arracha de nouveau un sourire à Patti.

— Je n'oublierai pas de manger. Je te le promets.

Il fronça les sourcils et contempla les chemises sur son bureau.

— Je vois que tu es plongée dans le dossier du Collectionneur, mais tant que nous n'avons pas les rapports du coro…

— Je sais, coupa-t-elle. Mais je tiens à superviser l'affaire, et à m'assurer qu'on n'oublie rien d'important.

— Ne t'en fais pas. On ne laissera rien passer.

Il demeura un moment silencieux, puis se pencha en avant.

— Tu ne trouveras pas la solution ce soir, insista-t-il. Ça ne servira à rien que tu passes la nuit ici.

Elle jeta un coup d'œil à la pendule murale.

— Il est à peine plus de 19 heures. C'est un peu tôt pour dire que j'y passe la nuit.

— Je me fais du souci pour toi, c'est tout.

— C'est une perte de temps et d'énergie, je t'assure. Rentre chez toi et emmène Stacy dîner dehors dans un endroit chouette.

Elle le menaça du doigt.

— Ceci est un ordre de ton capitaine et de ta marraine.

Il ne put s'empêcher de sourire, se leva, et contourna le bureau pour aller déposer un baiser sur sa joue.

— J'obéirai, marraine.

Il retourna vers la porte, mais s'arrêta sur le seuil.

— Tu ne restes pas longtemps, promis ?

— Promis, assura-t-elle d'un air enjoué.

Dès qu'il eut disparu, son visage redevint grave.

Elle ne bougerait pas de son fauteuil tant qu'elle ne connaîtrait pas ce dossier par cœur.

7.

Vendredi 20 avril 2007
19 h 55

Spencer se gara dans l'allée de sa petite maison de Riverbend. Il avait racheté sa Camaro à John Jr. — son frère numéro un, le plus âgé — quand celui-ci s'était marié ; et sa maison de Riverbend à Quentin — numéro deux — quand celui-ci avait emménagé avec sa copine. Etant lui-même le numéro trois de la lignée Malone, il supposait que ce serait bientôt son tour de se marier et de laisser la maison à son jeune frère.

Il gara la Camaro dans l'allée, tout en songeant qu'il regretterait cet endroit.

Situé sur la rive nord du Mississippi au-dessus d'un méandre du fleuve, le quartier Riverbend avait fait partie des vingt pour cent de la ville épargnés par la catastrophe.

Spencer avait hébergé une douzaine de membres de la famille après le désastre, ainsi que Stacy Killian, sa petite amie et collègue de la police de La Nouvelle-Orléans qui habitait à l'époque près de City Park un logement qui s'était retrouvé envahi par quinze centimètres d'eau.

La famille était repartie, mais Stacy était restée.

— Je suis là, annonça-t-il en entrant.

— Moi aussi, répondit-elle.

Il se laissa guider par sa voix et la trouva devant le miroir de la salle de bains, en train de se maquiller. Elle portait un confortable jean taille basse et un top en stretch qui exposait son ventre plat de manière presque indécente.

— Ça te va bien, cette tenue, dit-il.

Elle chercha son regard dans le miroir et il remarqua le trait d'eye-liner marron qui soulignait ses yeux.

— Je suis contente que ça te plaise, minauda-t-elle.

— Ça me plaît oui. Rien à voir avec ton style habituel, mais je crois que je pourrais m'y habituer.

Il lui fit signe d'approcher en remuant son index.

— Viens ici, je vais te montrer à quel point j'apprécie.

Elle s'approcha d'un pas chaloupé et l'enlaça. Il enfouit son nez dans son cou.

— Bien entendu, il n'est pas question que je te laisse sortir de la chambre dans cet accoutrement, mais bon sang, je dois reconnaître que…

— Désolée, mon chou, mais je vais sortir, murmura-t-elle en se frottant contre lui. Cet accoutrement, comme tu dis, c'est pour mon nouveau job.

Il leva un sourcil amusé.

— Ton nouveau job ? Tu as quitté la DIU ? Tu ne travailles plus dans la police ?

Quand il l'avait rencontrée, elle venait de quitter la police de Dallas pour étudier à La Nouvelle-Orléans.

Mais elle n'avait pas tenu un semestre.

Quand on était flic, on n'abandonnait pas comme ça. Ce boulot vous collait à la peau. Comme une addiction. Comme l'alcool ou la cigarette. Sauf qu'il n'existait pas de programme de désintoxication en douze étapes pour vous aider à lâcher.

Pourtant, Stacy songeait parfois qu'elle aurait mieux fait de choisir autre chose.

— Mmm, marmonna-t-elle. Je suis en mission au *Hustle* de Bourbon Street. En civil.

Le *Hustle* se définissait comme un club pour messieurs, mais il s'agissait d'un bar à strip-tease attirant plutôt une clientèle de touristes et de motards — et aussi ceux qui n'avaient pas les moyens de se payer des endroits huppés comme *Rick's Cabaret* et *Temptation.*

Bourbon Street avait été une rue chaude, jalonnée d'établissements comme le *Hustle,* mais ils étaient depuis peu remplacés par des clubs chics. Quand on n'avait pas envie de se faire trouer la peau au *Hustle,* on fréquentait plutôt la nouvelle génération d'endroits à la mode.

En résumé, le *Hustle* n'était pas un bouge infâme, mais pas loin.

Elle l'embrassa et s'écarta de lui.

— J'y vais incognito, fit-elle d'un ton sérieux. A partir de ce soir et jusqu'à nouvel ordre.

On l'envoyait en mission et il la savait capable de se débrouiller sans lui, mais à l'idée qu'elle allait passer ses soirées dans ce bar mal famé, habillée comme une pute, au milieu d'une bande d'excités qui baveraient de convoitise en la reluquant… il ne fut pas ravi. Pas ravi du tout.

Il contempla son décolleté. Ses seins pigeonnants débordaient du T-shirt moulant.

Elle rit devant sa mine déconfite.

— J'ai dû mettre un Wonderbra de chez *Victoria's Secret.* Ce n'est pas agréable à porter, tu peux me croire.

Elle revint vers le miroir pour admirer l'effet.

— Mais pas de doute, ça me fait une belle poitrine.

Ce n'était pas vraiment ce qu'il avait envie d'entendre.

— J'ai besoin d'une bière, dit-il sèchement.

— Sors-moi un Coca Light. J'arrive dans une minute.

Elle fit son apparition dans la cuisine au moment où il buvait une gorgée de bière et il faillit s'étrangler. Ses cheveux blonds s'étaient transformés en une longue crinière auburn. Entre le maquillage et la perruque, il ne l'aurait pas reconnue s'il l'avait croisée dans la rue.

Bien sûr… C'était exactement l'effet recherché. Incognito.

— J'ai toujours voulu être rousse, expliqua-t-elle. Je me suis dit que c'était l'occasion d'en profiter.

Elle sourit et attrapa la canette qu'il lui lançait.

— Je sens que je vais bien m'amuser.

Un peu trop, oui.

Spencer fit un effort pour se maîtriser. Il ne voulait pas qu'elle s'aperçoive à quel point il était mécontent. Pour ne pas dire jaloux. Elle ne le méritait pas.

— De quoi s'agit-il ? demanda-t-il.

— On a coincé un dealer occasionnel de méthamphétamine. Il se trouve qu'il est barman au *Hustle*. Il a tout de suite balancé son fournisseur qui serait, lui, un gros poisson.

— Un client régulier du *Hustle*, je suppose.

— Oui. Il est là tous les soirs. Il a une fille attitrée là-bas. Je suis censée copiner avec elle.

— Et c'est qui, le gros poisson ?

Elle ouvrit la canette.

— Un certain Marcus Gabrielle. Irréprochable en apparence. Agent immobilier, marié, deux enfants. Il vit dans un quartier chic.

— Sa femme est au courant de son petit trafic ?

— J'en doute.

Elle prit une gorgée de son Coca.

— D'après notre informateur, il s'occupe de la fabrication et de la distribution du produit, rien que ça. On voudrait le coincer avec toute son équipe.

— Qui t'accompagne là-bas ?

— Baxter. Et Waldon. Baxter va servir au bar. Waldon sera un client.

Rene Baxter était un flic sur lequel on pouvait compter. Petit et maigre, avec un visage quelconque, il était parfait pour les boulots en civil. Waldon était un grand imbécile qui se prenait pour un inspecteur de choc et aussi pour un homme à femmes. Allez savoir pourquoi…

— Tu seras connectée par micro ?

— Bien entendu. Reliée à la cavalerie qui se tiendra prête à intervenir, dans une camionnette garée au coin de la rue.

Il allait poser d'autres questions, mais elle changea de sujet.

— J'ai entendu parler du squelette de City Park. Et du badge de ton oncle. Je suis désolée.

Les nouvelles circulaient vite.

Spencer fit rouler sa canette glacée entre ses paumes.

— Ça m'a fichu un coup, quand j'ai vu le badge, avoua-t-il.

— Comment va Patti ?

— Je ne sais pas, répondit-il en fronçant les sourcils. Elle a l'air de tenir le coup, mais j'ai peur que…

Il n'acheva pas sa phrase.

— Que quoi ?

— Quand je suis parti ce soir, elle était toujours assise à son bureau, en train de consulter les dossiers du Collectionneur de mains.

— Et ?

— Et rien. Elle avait terminé son service depuis longtemps. Elle sait que je suis sur l'affaire avec Tony et que tant que nous n'avons pas le rapport du bureau du coroner nous ne pouvons pas être certains que notre inconnue est bien une victime du Collectionneur.

Il détourna le regard et demeura silencieux quelques minutes.

— Mais elle ne veut même pas envisager une autre hypothèse pour le moment. Pour elle, le Collectionneur est l'assassin de Sammy. Point.

— Ne t'en fais pas. Si le rapport du coroner affirme le contraire, elle passera à autre chose. Pour l'instant, elle s'accroche à ça parce que ça lui occupe l'esprit.

— Je sais, mais… Elle n'est plus la même depuis la mort de Sammy. Je ne saurais pas te dire exactement ce qui a changé en elle, mais je la trouve différente.

— Ça va prendre du temps, murmura doucement Stacy. Pour tout le monde.

Il comprit qu'elle ne parlait pas uniquement du meurtre de Sammy, mais aussi des dégâts et du traumatisme causés par Katrina.

Tout le monde avait changé depuis le cyclone.

— Tu as raison, dit-il.

Il lui ôta la canette des mains, la posa sur le comptoir et l'attira contre lui.

— Je vais m'ennuyer ce soir, sans toi, dit-il. Tu vas me manquer.

— Tu vas me manquer aussi.

Elle l'embrassa, puis se dégagea de son étreinte.

— Je commence mon service à 21 heures. Il faut que j'y aille.

Il la reprit dans ses bras et la tint contre lui — un peu trop longuement, un peu trop serrée. Quand il la lâcha, il vit son regard interrogateur.

— Ce type a une femme et des gosses... Les gens qui ont beaucoup à perdre se battent plus que les autres. Ne l'oublie pas, Stacy.

8.

Vendredi 20 avril 2007
21 heures

Quand Stacy entra au *Hustle* de Bourbon Street, Baxter était déjà en place. Leurs regards se croisèrent quand elle s'approcha du bar, puis il se concentra de nouveau sur le cocktail qu'il était en train de préparer et elle sur l'homme qui s'activait près de lui.

Ted Parrish. Leur informateur.

Il était grand, avec de longs cheveux noirs et un bouc. Il lui parut nerveux. Elle se demanda s'il était inquiet de ce qui allait se passer ou s'il était tout simplement défoncé.

— Je suis Brandi, susurra-t-elle en se hissant sur un tabouret. La nouvelle serveuse.

— Allez voir Tonya, répondit-il d'une voix tendue en servant une bière pression. Elle est en coulisse. Elle vous dira ce que vous devez savoir.

Tonya Messinger. Elle supervisait les serveuses et les danseuses et s'était attribué le titre pompeux de directrice artistique.

— Elles sont où, vos coulisses ?

— A droite de la scène. Vous y trouverez aussi les vestiaires.

— Merci, répondit-elle.

Elle s'éloigna dans la direction qu'il venait de lui indiquer en tortillant des fesses et en zigzaguant entre les tables et les groupes d'hommes. Un type avec un visage rougeaud et une bedaine due probablement à la bière tenta de l'attraper au passage. Elle l'esquiva en le menaçant gentiment du doigt. Elle aurait préféré sortir son arme, mais ça aurait fichu sa couverture en l'air.

Elle connaissait déjà la disposition générale des lieux pour l'avoir apprise d'après photographie, mais elle prêta attention aux détails. La scène à trois niveaux accueillait l'attraction principale. Le premier niveau se trouvait au centre, il était grand et de forme ronde. Les deux autres se trouvaient de part et d'autre. Les tables entouraient ces trois plateaux et on plaçait les clients privilégiés, les VIP, dans les premiers rangs.

Les propriétaires avaient fait de leur mieux pour camoufler la vulgarité des lieux avec un décor chic censé relever le niveau. L'éclairage était tamisé et délicat, les tables recouvertes de nappes avec une bougie au centre, la scène entourée de pendrillons de velours.

Le bar occupait le mur du fond, en face de la scène, et ceux qui venaient s'y accouder profitaient d'une vue plus large et plus globale du spectacle.

Il existait par ailleurs plusieurs alcôves proposant des « spectacles » privés, mais Stacy était prête à parier que les prestations des jeunes « danseuses » ne se limitaient pas à quelques roulements de hanches et dépassaient le cadre autorisé par la loi.

Au moment où elle atteignait l'entrée des coulisses, l'éclairage d'ambiance baissa lentement pour être remplacé par des lumières stroboscopiques, en même temps qu'une musique rythmée résonnait dans le club. Une jeune femme sortit d'une loge vêtue d'un costume de plumes, de sequins et de minuscules pièces de tissus — l'ensemble aurait pu tenir dans le creux d'une main.

Yvette Borger. La petite amie.

Vingt-deux ans. Petite, avec de longs cheveux d'un noir d'encre. Un corps sublime. Des seins un peu trop volumineux pour sa frêle ossature.

De vrais oreillers pour une partouze, songea Stacy dans l'argot d'usage au département de police. En comparaison, les siens, même avec le Wonderbra *Victoria's Secret*, paraissaient ridicules.

Elle contempla rêveusement la belle Yvette pendant quelques minutes, puis se faufila dans l'entrée des artistes.

Elle reconnut aussitôt Tonya dont elle avait vu une photographie. Postée dans les coulisses, elle surveillait la prestation d'Yvette.

Stacy alla la rejoindre.

— Tonya ?

— Oui ? fit la femme d'un ton distrait.

— Je suis Brandi, la nouvelle serveuse.

Tonya Messinger avait le visage las des femmes qui ont fait le trottoir — et aussi la mine de quelqu'un auquel il valait mieux ne pas se frotter. Stacy lui donna dans les cinquante ans, tout en sachant qu'elle pouvait se tromper. Le tabac, l'alcool et une vie dissolue faisaient des ravages.

— T'es en retard, dit Tonya d'un ton sec.

— Ah bon ? Pourtant…

— Tu commences à 21 heures, ça veut dire que tu pointes à 20 h 30 et que tu es à ton poste à 21 heures, coupa Tonya.

Elle la jaugea d'un œil de lynx et Stacy sut qu'il ne lui avait fallu que quelques secondes pour évaluer son âge, sa taille, son poids et son tour de poitrine.

— Tu es sûre que tu ne veux pas plutôt danser ? demanda-t-elle. On peut engager une autre fille pour servir et tu te ferais de plus gros pourboires.

Le Wonderbra faisait des merveilles.

— Danser, c'est pas mon truc, avoua Stacy.

Tonya laissa échapper un rire rauque de fumeuse.

— Tu n'as pas besoin de savoir danser et pour l'essentiel, crois-moi, tu ne manques pas de dispositions. Il suffit de se tortiller un peu et c'est bon.

Stacy fit mine d'être flattée.

— Merci, minauda-t-elle. J'y réfléchirai.

— C'est ça, réfléchis. En attendant, tu restes dans la salle.

Tout en l'entraînant vers la sortie des coulisses, Tonya lui donna ses instructions.

— Mon travail, c'est de superviser les filles et de m'assurer qu'elles ne font pas de bêtises. Pas de drogue. On n'accepte pas de cadeaux non plus. Pas de bagarre avec les autres filles, sauf si ça fait partie du spectacle. Et quand je dis les autres filles, j'inclus les serveuses.

Elle lui jeta un regard entendu et Stacy acquiesça du menton pour signifier qu'elle avait compris.

— Ton boulot à toi consiste à pousser à la consommation et aux alcools de marque. « Tu me payes un verre ? » signifie « Faisons la fête ensemble ». Les danseuses sont rémunérées au pourboire. Ne marche pas sur leurs plates-bandes, tu le regretterais.

» Tu n'es pas obligée de boire. Quand le client offre un verre, c'est lui qui paye. Les danseuses, quand elles sont invitées à une table, acceptent ce qu'il propose. Celles qui ne consomment que de l'eau, du soda ou du jus de fruit, te feront savoir ce qu'il faut mettre dans leur verre pour donner le change. Tu comprends, le client aime qu'on boive ce qu'il offre.

» Les hommes te demanderont de faire passer des messages, des pourboires ou des petits cadeaux. Si tu triches avec ça, tu le regretteras aussi.

» A part ça, flirte. Sois sexy et charmante, mais refuse de coucher. Tu te bornes à les inciter à commander. Point. C'est pigé ?

Stacy répondit que oui et se mit au travail. Les quelques heures qui suivirent s'écoulèrent dans un brouillard et elle dut supporter les tapes sur les fesses, les commentaires salaces et les regards lubriques. Heureusement, les clients du club n'étaient pas tous des crétins grossiers et obsédés. Elle passa un certain temps à la table d'une bande de copains venus de l'Indiana qui n'avaient jamais fréquenté un établissement de ce genre et la contemplaient bouche bée d'un air gêné. Ensuite elle eut droit à un groupe d'étudiants de l'université de Louisiane qui paraissaient si jeunes qu'elle leur demanda une pièce d'identité pour vérifier qu'ils avaient bien l'âge requis. Ils se montrèrent très respectueux et furent sa bouffée d'air frais de la soirée, mais le fait qu'ils la traitent comme une mère ou une grande sœur chatouilla désagréablement son ego.

Waldon était arrivé et s'était installé à une des tables dont elle s'occupait. Il s'amusait un peu trop et comme il se laissait aller à lui lancer des regards libidineux, elle renversa « accidentellement » un verre sur lui pour le calmer.

Malheureusement, leur suspect ne s'était toujours pas montré et Stacy n'avait pas pu engager la conversation avec Yvette. Elle avait partagé sa table quelques minutes quand celle-ci avait répondu à l'invitation des étudiants, mais ils n'étaient pas très argentés et Yvette avait vite changé de gibier.

Pourtant, en fin de soirée, Tonya lui donna l'occasion d'établir le contact en lui confiant un message pour elle.

Elle la trouva derrière le paravent qui délimitait sa loge, en train de retoucher son maquillage. Une cigarette se consumait dans le cendrier posé sur sa coiffeuse.

Stacy frappa discrètement au paravent pour s'annoncer.

— Tonya m'a chargée de te remettre ça, dit-elle.

Pendant qu'Yvette lisait, une ride apparut sur son front.

— Une mauvaise nouvelle ? demanda Stacy.

Yvette reposa le papier d'un geste dédaigneux.

— Non. L'hommage d'un taré. J'en reçois pas mal.

— Ça ne m'étonne pas. Tu es vraiment super.

— Tu trouves ? demanda Yvette d'un ton enthousiaste qui trahissait sa jeunesse.

Stacy baissa la voix pour ne pas être entendue des autres filles.

— C'est toi la meilleure. Et de loin.

— Comment tu t'appelles ?

— Brandi.

— Le boulot te plaît ?

Stacy haussa les épaules.

— Ça peut aller. Les pourboires ne sont pas trop mauvais.

— Tu veux un conseil ?

— Volontiers.

— Ne te mets pas Tonya à dos, elle peut être une vraie salope.

Joue le jeu à fond. Tu n'as pas besoin de coucher et tu peux te faire pas mal de fric.

— Le jeu ?

— Oui, tu vois ce que je veux dire. Avec les types. Donne-leur ce qu'ils te demandent.

Elle tira une bouffée de sa cigarette et l'écrasa.

— Ted est un chien. Il va vouloir coucher avec toi, alors fais gaffe. Il va t'offrir de la came, des cachets, de l'alcool. Refuse... Reste claire.

— On dirait que tu as déjà tout compris.

— Il faut bien que je me protège. Je n'ai pas l'intention de végéter dans ce bouge toute ma vie. J'ai des projets.

Stacy eut envie de lui demander si elle comptait sur un homme pour ses fameux projets, mais elle préféra se taire. Pour une première approche, c'était très satisfaisant. Mieux valait ne pas se montrer trop curieuse au risque de passer pour indiscrète.

— Merci, dit-elle en reculant. Bon, il faut que j'y retourne.

Elle passa encore quelques heures dans la salle, puis rentra chez elle. Marcus n'était pas venu et elle espéra qu'on ne l'avait pas prévenu que les flics étaient dans la place. A la fin de la soirée, Yvette lui avait paru contrariée. L'absence de Marcus y était peut-être pour quelque chose.

Stacy avait trouvé instructif d'observer le travail des filles. Quand elles étaient avec un client, elles n'avaient d'yeux que pour lui. Dès qu'elles avaient quitté sa table, le suivant prenait tout naturellement le relais.

Elles jouaient merveilleusement bien la comédie.

Mais après tout... Les types le savaient, ils ne s'imaginaient tout de même pas que ces inconnues en pinçaient pour eux. Tout le monde s'amusait.

Elle se demanda ce que venaient chercher les hommes dans ce genre d'endroits. De quoi nourrir leurs fantasmes, peut-être... Et Spencer ? Avait-il besoin lui aussi de fantasmes ?

D'ailleurs de quoi avait besoin Spencer en général ? Et qu'attendait-il de leur relation ? Ils s'étaient installés ensemble par accident. A cause de Katrina. Elle n'avait plus de maison, il l'avait recueillie chez lui.

Et elle était restée. Par une sorte d'accord tacite. Cela faisait maintenant deux ans et entre eux ça n'avait pas évolué. Leur relation ne s'était pas détériorée, non, mais elle semblait frappée d'une sorte d'inertie. Rien ne bougeait. C'était dérangeant de la définir en ces termes. Et peut-être aussi un peu ridicule.

Mais comment la décrire autrement ?

Spencer l'avait acceptée chez lui, mais il ne parlait pas de mariage. Il ne lui disait pas qu'il l'aimait.

Et elle non plus ne le lui disait pas.

Elle s'arrêta à l'entrée de leur chambre pour le regarder dormir. Elle s'était douchée pour se débarrasser de l'odeur de cigarette et des couches de maquillage, puis elle avait enfilé un grand T-shirt.

Elle voulait se marier, avoir des enfants, une existence normale. Elle avait même tenté de quitter la police, un corps de métier difficilement compatible avec une vie de famille.

Pourtant, quelque chose l'avait poussée à y revenir. Elle y avait rencontré Spencer et avait noué avec lui cette relation atypique, sans vraiment l'avoir décidé.

Mais comment avoir une vie normale quand on exerçait le métier de flic et qu'on risquait de disparaître du jour au lendemain ? Sammy, par exemple, s'était trouvé au mauvais endroit, au mauvais moment. Il n'avait pas eu de chance et sa femme était maintenant veuve. Etait-ce vraiment judicieux de mettre au monde de futurs orphelins ?

Elle se glissa dans le lit près de Spencer.

— Comment ça s'est passé ? grommela-t-il d'une voix pâteuse de sommeil.

— Rien à signaler. Notre suspect ne s'est pas montré.

Il bredouilla quelque chose qu'elle ne comprit pas.

Elle se hissa sur un coude.

— Malone ? Tu as déjà payé pour voir une danseuse à moitié nue ?

La question acheva de le réveiller. Il roula sur lui-même pour se tourner vers elle.

— Une quoi ? fit-il.

— Je te demande si tu es déjà allé dans des endroits comme le *Hustle* ?

— Si je suis allé dans des endroits comme le *Hustle* ?

Il la contempla avec l'air de quelqu'un qui vient de recevoir une décharge électrique.

— Oui, tu as bien entendu. Je te demande ça comme ça. Simple curiosité.

— Oui, j'y suis déjà allé. Entraîné par une bande de copains. Mais ce n'est pas mon truc de payer une nana pour qu'elle se tortille devant moi.

— C'est le fait de payer qui te dérange ou bien…

Il haussa un sourcil.

— Ou bien quoi ? Tu veux savoir si ça m'intéresserait qu'une femme nue danse devant moi ? Pitié, Stacy. Ça me fait durcir rien que d'en parler.

Elle sourit.

— Je crois que je peux faire quelque chose pour toi.

— Sans blagues ?

— Mmm. Et gratuitement, en plus.

Elle se leva et ôta son T-shirt qu'elle jeta à terre.

— Je me sens d'humeur généreuse, ce soir. J'ai envie de te faire un petit cadeau.

9.

Samedi 21 avril 2007
3 h 30

Yvette s'était recroquevillée sur le canapé de son petit appartement du quartier français. Elle s'était douchée, lavé les cheveux, démaquillée. Elle portait un pyjama de coton et des pantoufles à l'effigie de Bob l'éponge. Elle s'était préparé un bol de chocolat chaud, avec du lait et un vrai chocolat Hershey — du liquide, pas de la cochonnerie en poudre. Elle avait parfaitement conscience de ressembler en ce moment à une sage adolescente et pas à une strip-teaseuse qui avait tout vu. Et plus encore.

Cela faisait bien longtemps qu'Yvette n'avait plus honte du travail qui lui servait à gagner sa vie. Elle pensait vraiment ce qu'elle avait dit à Brandi, la nouvelle serveuse. Elle n'avait personne pour s'occuper d'elle. Et ça depuis toujours.

Elle avait survécu parce qu'elle était une battante et qu'elle avait les pieds sur terre. Ce soir elle s'était fait cinq cents dollars. Et demain elle s'en ferait autant. Sinon plus.

Quelle importance si elle devait pour ça se trémousser contre la braguette d'un type ou remuer les seins pour une bande d'excités qu'elle ne reverrait probablement jamais. Elle accumulait en un an un salaire à six chiffres, pratiquement exonéré d'impôts. Et son unique investissement avait été ses implants mammaires.

Une jeune fille de vingt-deux ans sans talents particuliers et sans diplômes ne pouvait pas trouver mieux.

C'était la dure réalité et elle l'avait apprise à la dure.

Elle but son chocolat à petites gorgées en songeant de nouveau à Marcus. Il n'était pas venu ce soir. Elle fronça les sourcils en prenant conscience qu'elle s'attendait à le voir tous les jours. Qu'elle comptait sur lui.

Pas affectivement. Ça non. Elle avait pris assez de coups dans les gencives pour être guérie à tout jamais du mal d'amour. Pas question de s'enticher d'un type qui n'en ferait de toute façon qu'à sa tête. Encore moins de lui accorder sa confiance.

Elle n'était pas amoureuse de Marcus. Marcus était marié et il n'appartenait pas au même milieu social qu'elle. Trop bien éduqué. Trop riche. Trop coincé par tout un tas de choses. Tout ce qu'elle pouvait attendre de lui, c'était quelques bons moments et pas mal de fric.

Elle referma les doigts sur le bol tiède. Elle n'était pas comme les autres filles qui claquaient tout ce qu'elles gagnaient pour s'envoyer de la coke dans le nez ou dans des bêtises comme les fringues ou les bijoux. Elle avait fait appel à un courtier pour investir en bourse. Et elle possédait aussi une coquette somme sur un compte épargne — plus classique et plus sûr.

Et rien ni personne ne la ferait dévier de sa route. Ni Marcus, ni un cyclone, ni même la vie. Elle avait déjà mordu la poussière avec son père et elle s'était juré que ça ne lui arriverait plus jamais.

Le souvenir la submergea si violemment qu'elle en eut le souffle coupé. Du sang. Une mare de sang qui s'élargissait. La terreur. Le désespoir.

Non !

Elle ne voulait pas se laisser entraîner sur cette pente. Ces images appartenaient désormais à une partie de sa vie qui n'existait plus. A la jeune fille qu'elle avait cessé d'être.

Elle voulait aller de l'avant. Toujours de l'avant. Mettre suffisamment de côté pour se payer des études, une maison, un chien.

Etre heureuse.

Ses pensées dérivèrent vers le message du dingue qui signait

« L'Artiste ». Il lui en avait déjà envoyé plusieurs et il n'était pas le premier à lui adresser des déclarations enflammées. Ce boulot attirait les malades, les pervers et les pauvres types qui croyaient trouver le grand amour dans un bouge.

Elle posa son bol de chocolat et tendit le bras pour attraper son sac à dos. Elle farfouilla à l'intérieur et sortit les trois messages de l'Artiste.

Je crois que tu es la femme de ma vie. Je doute encore. J'ai peur d'être déçu. Je prie pour avoir enfin trouvé ma muse.

A toi,

L'Artiste

Il griffonnait sur un bout de papier blanc ou sur une feuille de carnet à croquis, au crayon, avec une écriture en pattes de mouche, une écriture de vieillard.

Dis-moi si tu cherches toi aussi l'amour. Je parle du grand amour, du vrai, celui qui dure toujours. Dis-moi si tu attends l'homme de ta vie, celui que tu ne quitteras jamais.

Je crois que oui. Et je t'en aime d'autant plus.

A toi,

L'Artiste

Elle se mordit la lèvre pour l'empêcher de trembler. Cet inconnu lisait en elle. Il avait deviné ce qu'elle enfouissait au plus profond d'elle-même. Le grand amour… Un amour éternel… Quelqu'un qui l'aimerait pour toujours et ne la quitterait jamais. Bien sûr qu'elle en avait rêvé.

Elle prit le troisième message, rédigé celui-là sur une feuille de papier Crane, avec un stylo à plume, de l'encre noire. L'enveloppe qui le contenait avait été scellée par cachet de cire. Un cachet rouge, portant la lettre A.

En te regardant danser hier soir, j'ai brusquement compris que tu étais celle que j'attendais depuis toujours. Je n'avais jamais ressenti un tel frisson, une telle émotion. Tu étais comme une source d'inspiration, fluide, limpide et abondante.

Je veux que tu saches, ma douce muse, que je t'aime. Et qu'un jour, un beau jour, nous serons ensemble. Pour l'éternité.

A toi,

L'Artiste

Elle se demanda si elle aurait à attendre longtemps avant qu'il se manifeste de nouveau. Quand trouverait-il le courage de l'approcher ? De payer pour une prestation privée ?

Une étrange sensation de malaise l'envahit brusquement et elle jeta rageusement la belle feuille de papier Crane. Zut ! Il ne s'agissait que d'un dingue de plus. Et elle ne le prendrait au sérieux que s'il daignait glisser un billet de vingt dollars dans l'enveloppe.

L'amour, ça n'était pas gratuit.

Au fond, elle ne s'attendait pas à ce qu'il la demande en privé. Les tarés se contentaient de fantasmer et restaient à distance. Ça se passait surtout dans leur tête et, quand ils prenaient leur pied, c'était seuls, en s'excitant avec leurs scénarios de pervers.

10.

Samedi 21 avril 2007
7 h 56

Le son strident du téléphone tira Spencer d'un profond sommeil. Il chercha le récepteur à tâtons et le porta à son oreille sans même ouvrir l'œil.

— Oui…

— Réveille-toi, inspecteur. J'ai trouvé quelque chose.

Il souleva une paupière et plissa les yeux pour se protéger de la lumière trop vive du jour. Pas encore 8 heures.

— Tante Patti ?

— Non. C'est le capitaine O'Shay qui s'adresse à toi. Je passe te chercher dans vingt minutes.

Elle raccrocha sans lui laisser le temps de protester. Elle le connaissait suffisamment pour se douter qu'il s'apprêtait à discuter le délai, histoire de grignoter quelques minutes.

Il reposa le combiné et se leva d'un bond.

— De mauvaises nouvelles ? demanda Stacy d'une voix endormie.

— Non. C'était tante Patti. Elle arrive.

Stacy murmura quelques mots qui ressemblaient vaguement à : « Sois prudent » avant d'enfouir sa tête sous l'oreiller. Spencer se pencha pour l'embrasser, puis fila sous la douche.

Le capitaine Patti O'Shay était réputée pour sa ponctualité exemplaire. Vingt minutes plus tard exactement, elle s'arrêtait devant la maison de Spencer et appuyait sur son klaxon.

Il sortit d'un pas mal assuré, en tenant dans sa main une tasse de café munie d'un couvercle.

Après avoir attaché sa ceinture, il se tourna vers Patti.

— Tu as l'intention de me dire où nous allons ?

Elle démarra et s'éloigna du trottoir.

— Chez Quentin et Anna.

Son frère et sa belle-sœur ? Il était tout ouï.

— Je suppose qu'il ne s'agit pas d'une visite de politesse.

— En épluchant le dossier du Collectionneur, j'ai découvert quelque chose qui nous avait échappé. Sur une des photos. Vois toi-même.

Elle lui désigna du menton une chemise posée sur le tableau de bord.

Il l'ouvrit. Elle contenait des clichés du réfrigérateur dans lequel on avait trouvé les mains. Patti avait entouré sur l'un d'eux un petit élément collé sur la porte, derrière la poignée.

Il était passé inaperçu à cause de sa taille et aussi parce qu'il était en partie dissimulé par la poignée.

— Regarde la suivante, c'est un agrandissement, annonça Patti sans quitter la route des yeux.

Sur la suivante, on voyait en gros plan un badge aimanté publicitaire faisant la promotion d'un livre à suspense écrit par Anna North.

Sa belle-sœur.

— Merde ! s'exclama-t-il.

— C'est exactement ce que je pense, dit-elle calmement.

— Anna ne va pas aimer.

C'était peu dire. Anna était la fille unique de parents célèbres et on l'avait kidnappée quand elle était enfant. Son ravisseur lui avait coupé le petit doigt pour l'envoyer à sa famille, histoire de montrer qu'il ne plaisantait pas. Elle avait réussi à s'enfuir, mais cette épreuve l'avait traumatisée. Plus tard, elle était devenue la cible d'un autre maniaque et ce deuxième épisode lui avait donné l'occasion de surmonter ses peurs.

Et aussi de rencontrer Quentin qui s'était occupé de l'enquête. A présent, ils habitaient avec leur jeune garçon à Mandeville, une ville de la banlieue de La Nouvelle-Orléans située de l'autre côté du lac Pontchartrain.

— On n'aurait pas dû rater ça, murmura Spencer.

— Non. On n'aurait pas dû.

Ils avaient vécu des mois cauchemardesques après le cyclone Katrina. Tout le monde était surchargé de travail, sur le point de craquer. Ils avaient fait du mauvais boulot durant cette période et personne n'en était fier.

— Tu les as prévenus de notre arrivée ?

— Oui. J'ai appelé Quentin.

Ils se turent quelques minutes, puis elle jeta un regard entendu du côté de Spencer.

— Il n'était pas ravi, ajouta-t-elle.

Ça aussi, c'était peu dire. Les hommes Malone protégeaient ceux qu'ils aimaient. La simple idée que quelqu'un songeait à menacer Anna avait sûrement réveillé une corde sensible chez Quentin.

Spencer imagina son frère en train de faire les cent pas dans son salon. Comme un lion en cage.

Mais il se trompait. Quand ils arrivèrent trente minutes plus tard dans l'allée de Quentin et Anna, le couple les attendait sur le porche. Quentin était assis. Sam, son fils de vingt-deux mois, était installé sur ses genoux.

Anna se leva pour venir à leur rencontre. Spencer adorait sa jolie belle-sœur rousse. Elle rendait son frère heureux et il l'avait compris dès le premier jour. Ça lui suffisait.

— Sam dort, dit-elle à voix basse. Il a déjà joué dehors un bon moment et il n'est pas encore 8 h 30.

Elle soupira.

— Pas la peine de se demander pourquoi je me sens si fatiguée, ajouta-t-elle avec un sourire qui signifiait que ça ne la dérangeait pas tant que ça.

En s'approchant du porche, Spencer put constater qu'en effet le gamin dormait. Ses boucles noires étaient trempées de sueur. Sam était né avant le cyclone Katrina. Quand ils avaient choisi de l'appeler Sammy, comme son grand-oncle, Quentin et Anna ignoraient à quel point leur décision prendrait bientôt du sens.

Spencer serra Anna dans ses bras et salua Quentin d'un geste de la main pour ne pas déranger le petit.

— Salut, frangin. Tu fais très papa poule.

Les hommes Malone étaient bien bâtis, ils avaient les cheveux noirs et les yeux bleus. Mais Quentin était le plus séduisant de tous.

— Papa poule ou pas, je suis encore capable de te mettre la pâtée, petit frère. Si j'étais toi, je ne ferais pas le malin.

— Me mettre la pâtée ? Mais tu rêves… Je…

— Pour l'amour du ciel, coupa Patti. Vous pourriez arrêter vos simagrées de machos que je puisse voir le bébé ?

Spencer s'écarta.

— Salut, tante Patti, fit Quentin en souriant gentiment.

Elle se pencha vers lui et le serra dans ses bras, puis embrassa l'enfant sur le front.

— Je l'ai vu la semaine dernière et pourtant je jurerais qu'il a encore grandi.

— Il a grandi, je confirme. Il pousse aussi vite que la mauvaise herbe, fit Anna en riant. Bon, je vais le rentrer pour que nous puissions parler tranquillement.

Elle le prit dans ses bras et le porta à l'intérieur de la maison. Dès qu'elle eut refermé la porte derrière elle, Quentin bondit sur ses pieds. Il vibrait d'énergie contenue, il était survolté.

— Qu'est-ce qui se passe, Patti ? demanda-t-il d'une voix surexcitée. Et attention, je veux la vérité, pas le blabla officiel.

— Comme je te l'ai expliqué, j'étudiais une photographie du réfrigérateur du Collectionneur et j'ai remarqué…

— Un badge aimanté qui a servi à la promotion du livre d'Anna, je sais, oui. Mais comment avez-vous fait pour le louper ?

Spencer posa une main sur le bras de son frère.

— Du calme, Quent.

— Me calmer ? Ce dingue a l'air de s'intéresser à Anna… Il s'agit d'un simple badge, c'est vrai, mais…

— Spencer a raison, fit Anna qui revenait. Tout ça ne m'emballe pas plus que toi, mais on n'y peut rien. Le mieux, c'est que je les aide à identifier le propriétaire de ce réfrigérateur.

Il la fixa un instant en silence, puis acquiesça d'un air résigné. Anna se tourna vers Spencer et Patti.

— Qu'est-ce que je peux faire ?

— Jeter un œil là-dessus, répondit Patti en tendant à Quentin la chemise contenant le dossier.

Il contempla les photos la mâchoire serrée, puis se dirigea vers Anna pour les lui montrer.

— C'est bien un des badges de la promotion de mon livre, confirma Anna en lui rendant les photos. Il s'agissait de *Dead of Night* qui est sorti en avril 2005.

— Vous avez distribué combien de ces badges ?

— Deux mille cinq cents.

— Uniquement dans l'agglomération de La Nouvelle-Orléans ?

— Non. J'en ai distribué le jour de la signature de mon livre, par l'intermédiaire de mon web site et aussi aux lecteurs qui m'ont écrit pour m'en réclamer. Sans compter ceux que j'ai envoyés aux libraires qui me soutiennent.

— Donc, localement, ça fait un total de combien ?

— Entre cinq cents et sept cent cinquante.

Sa voix trembla légèrement et Quentin la prit par les épaules.

— Je sais que ça te perturbe, Anna, murmura Patti. Je suis désolée.

— Un malade qui coupe les mains de ses victimes, oui, ça me rappelle des souvenirs perturbants. Mais il ne s'agit pas de moi.

Je pense à Sammy. Et aux jeunes filles assassinées. Je crois que je peux faire l'effort.

Ses yeux brillèrent.

— Moi aussi j'aimais Sammy.

Patti soutint son regard.

— Merci, dit-elle simplement.

— Tu as déjà été menacée par un de tes lecteurs ? demanda Spencer qui tenait à se concentrer sur l'enquête.

— Ozzie. C'est le seul.

— Osborne ?

Anna ébaucha un sourire à l'idée saugrenue. Elle voyait mal le célèbre chanteur britannique de *heavy metal* dans son fan club.

— Pas vraiment, non, dit-elle. Il s'agissait d'un type qui avait supprimé sa femme et menaçait d'en faire autant avec moi.

Spencer haussa un sourcil étonné.

— Et comment as-tu rencontré ce charmant personnage, ma chère belle-sœur ?

— Il lui écrivait depuis la prison où on l'avait incarcéré, répondit à sa place Quentin d'une voix tendue.

— Tu reçois des lettres de prisonniers ?

— Pas toi ? plaisanta-t-elle.

Comme personne ne riait, elle poursuivit d'un ton sérieux.

— Oui, je reçois des lettres de détenus. Hommes et femmes. Mais depuis l'histoire d'Ozzie, je ne les lis plus. Je les renvoie sans les ouvrir.

— Tu as conservé celles d'Ozzie ?

Elle secoua la tête et Quentin prit le relais.

— Il en avait pris pour perpète sans possibilité de libération conditionnelle. J'ai remis ses lettres aux autorités compétentes. M. Ozzie n'importunera plus les auteurs à suspense. Apparemment, Anna n'était pas la seule.

— D'autres lecteurs t'ont posé des problèmes ?

— C'est certain qu'avec ce que j'écris, il se présente de temps en temps un taré qui m'agresse le jour de la signature. Mais dans l'ensemble, les lecteurs que je rencontre sont plutôt des gens simples et inoffensifs qui se font peur en lisant mes livres.

— Tu aurais une liste de tes fans locaux avec leurs coordonnées ? demanda Spencer.

— Oui, sur mon ordinateur. Je vais vous en imprimer un exemplaire.

Elle retourna à l'intérieur de la maison et Quentin se tourna vers eux.

— Que comptez-vous faire ? demanda-t-il.

— Nous allons éplucher sa liste et voir si nous pouvons en tirer quelque chose. Il faut commencer par là.

— Et si vous n'en tirez rien ?

— Nous n'aurons plus qu'à chercher un autre point de départ.

Ils demeurèrent silencieux un moment. Puis ils entendirent Sam qui se réveillait. Patti fila à l'intérieur.

— Je vais voir si Anna a besoin d'aide, dit-elle.

Quand ils furent seuls, Quentin se tourna vers Spencer.

— Comment va-t-elle ?

— Patti ? Pas très fort. Mais depuis qu'elle pense avoir trouvé une piste pour l'assassin de Sammy, ça lui donne une raison de se battre.

— C'est une bonne chose.

— Oui, je suppose.

Quentin le dévisagea en silence pendant quelques minutes puis fit un signe de tête.

— Ça n'aurait pas pu arriver à un plus mauvais moment, commenta-t-il. Anna est enceinte.

La nouvelle prit Spencer au dépourvu. Quentin et Anna ne lui avaient jamais caché qu'ils désiraient un deuxième enfant, mais il avait cru qu'ils attendraient que le premier grandisse un peu.

— Félicitations, frangin ! C'est une bonne surprise.

— On vient de l'apprendre et on voulait attendre la fin du troisième mois pour l'annoncer. Tu comprends ?

Anna avait perdu un bébé au cours du premier trimestre de

grossesse. Cette fois-là, Quentin et elle avaient partagé un peu prématurément leur joie avec toute la famille. Il avait ensuite fallu leur annoncer la catastrophe. Ils ne voulaient pas réitérer l'exploit.

— J'apprécierais que tu tiennes ta langue encore quelques semaines.

— Je vais essayer, mais tu sais bien que c'est pratiquement impossible de conserver un secret dans la famille Malone. Personnellement, je soupçonne maman d'être médium.

— Ah bon ? Moi je pencherais plutôt pour la théorie de John Jr. Il prétend qu'elle dissimule des micros chez nous et dans nos voitures.

— Pas bête. Et moins inquiétant que la médiumnité.

— Comment va Stacy ? demanda Quentin pour changer de sujet.

— Bien, répondit Spencer.

Il fronça les sourcils.

— Maman a fait des commentaires ?

— Pas que je sache. Pourquoi tu me demandes ça ?

— Parce que tu viens de dire qu'elle nous espionnait. Elle s'intéresse sûrement à mes petites amies.

— Et aux enfants à venir, assura Quentin.

Il éclata de rire devant l'expression horrifiée de Spencer.

— Qu'est-ce qu'il y a, petit frère ? Tu as peur de t'engager ?

— Oui, il a peur, fit Anna qui sortait de nouveau sur le porche avec Patti et Sam.

Elle alla vers Spencer et lui tendit une liste de noms et d'adresses.

— Stacy est une chouette fille. Tu risques de la perdre si tu ne le comprends pas à temps.

— Je suis d'accord, renchérit Patti. Et elle est aussi un bon flic.

Spencer leva les yeux au ciel.

— Merci d'avoir mis ça sur le tapis, Quentin. Je te le revaudrai.

Quentin sourit.

— De rien, Spence. Il faut bien que les grands frères servent à quelque chose.

11.

Samedi 21 avril 2007
13 heures

Le *Bon Temps Café* servait de la cuisine créole traditionnelle : jambalaya, écrevisses à l'étouffée, crabe farci. Il faisait partie des établissements flambant neufs qui avaient ouvert après la catastrophe. La nourriture y était excellente, mais Patti regrettait le décor vieillot et un peu passé des endroits disparus, leurs installations électriques approximatives et leurs murs craquelés.

Elle prit une table près de la vitrine pour guetter l'arrivée de June.

June Benson était son amie depuis vingt ans. Elles s'étaient rencontrées dans un groupe de soutien aux femmes qui souffraient de n'avoir pas d'enfants — ce qui était leur cas à toutes deux. Elles n'étaient pas de la même génération et venaient de milieux sociaux différents, mais leur souffrance les avait rapprochées.

Patti était issue d'une famille pauvre d'ouvriers irlandais immigrés et June de la vieille bourgeoisie de La Nouvelle-Orléans. Descendant des grands planteurs américains, les Benson possédaient encore dans Garden District la grande demeure de leur ancêtre Jonathan Benson, ils participaient au défilé de mardi gras avec la confrérie la plus élitiste et la plus secrète de la ville, ils siégeaient aux conseils d'administration des organisations philanthropiques les plus en vue.

Tout paraissait séparer June et Patti, pourtant leur amitié s'était épanouie au fil des années, jusqu'à impliquer leurs familles respectives.

Après le meurtre de Sammy, Patti avait trouvé auprès de June soutien et réconfort. June l'avait comprise, elle avait su l'écouter, elle n'avait pas tenté de la consoler parce qu'elle savait que c'était impossible, elle n'avait pas eu peur de son chagrin.

Patti commanda un thé glacé, puis jeta un coup d'œil à sa montre. June était en retard. D'habitude c'était plutôt le contraire, June finissait sa première tasse de thé quand elle arrivait.

Un Klaxon lui fit lever la tête et elle aperçut June qui sortait de St Peter Street en coupant la route à un taxi. June adressa un vague geste d'excuse au conducteur, se gara et sortit de sa voiture.

Quelques secondes plus tard, elle rejoignait Patti à sa table.

— Max s'est sauvé et j'ai dû le chercher, expliqua-t-elle d'une voix essoufflée. Et après je ne trouvais plus les clés de l'antivol de ma Club.

Rien d'anormal. June perdait les clés du dispositif antivol de sa voiture au moins une fois par semaine.

June fit signe à la serveuse qui s'empressa de venir prendre sa commande. Elle demanda un thé glacé et un panier de petits pains, puis poursuivit :

— Max était déjà presque sur St Charles Avenue quand je l'ai rattrapé.

On lui apporta des petits pains français, avec du beurre.

Jude naviguait entre les extrêmes. Elle sortait aussi bien tirée à quatre épingles que complètement débraillée, elle pouvait se montrer calme et posée ou complètement surexcitée. Pour la nourriture, c'était pareil. Elle adorait manger et n'appréciait pas l'exercice physique ; la moitié du temps elle suivait un régime draconien et l'autre moitié elle se gavait.

Aujourd'hui était un jour débraillé, agité et gourmand.

— Et comment a-t-il fait pour s'échapper, ton adorable shih tzu poivre et sel ? demanda Patti tout en regardant sa brune amie tartiner copieusement de beurre la moitié d'un petit pain.

— Devine.

— Riley, proposa Patti en faisant allusion au frère de June, un jeune homme insouciant et rêveur.

— Bingo, fit June en riant. Il a laissé la porte entrouverte. C'est tout de même incroyable. Je n'ai jamais vu un être aussi désorganisé et dispersé que lui.

— Il est charmant, ma chérie…

— C'est un sacré numéro. Je me demande à quoi pensait ma mère quand elle a fait un enfant si tard. Enfin, je suis dingue de lui.

Patti sourit. June vouait une véritable adoration à son petit frère. Elle avait quinze ans quand il était venu agrandir la famille et elle aurait pu ne pas s'y intéresser. D'après ce qu'elle avait dit à Patti, elle avait mal supporté au début qu'il accapare l'attention de ses parents et l'avait secrètement appelé pendant des années « Lui » et « Chose ».

Mais, après le lycée, elle avait quitté la maison pour aller à l'université et elle s'était aperçue que son petit frère lui manquait. Par la suite, elle était tout simplement tombée amoureuse de cet angelot de quatre ans aux cheveux bouclés et aux yeux brillants. A présent, elle riait de sa jalousie passée.

— Il serait temps qu'il grandisse, commenta-t-elle en beurrant un autre morceau de pain. Il a tout de même vingt-sept ans.

— Il ne grandira jamais si tu continues à le materner.

— Je ne le materne pas.

Elles échangèrent un regard entendu et éclatèrent de rire.

— D'accord, concéda June. Je le materne un peu.

Patti la comprenait. Elle-même avait tendance à défouler ses instincts maternels sur ses nombreux neveux et nièces. June, elle n'avait que Riley et cristallisait tout sur lui. Ses parents étaient morts, son mariage s'était soldé par un échec cuisant.

— Comment ça se passe à la galerie ? demanda Patti.

A l'automne dernier, June avait ouvert une galerie d'art, *Pieces*, dans Warehouse District. Riley s'en occupait avec elle.

— Très bien. Riley a découvert plusieurs artistes locaux très talentueux. Le mois dernier nous avons gagné suffisamment d'argent pour payer nos factures et nous verser un salaire.

Et ça sans toucher à ce qu'ils avaient déjà placé. June et Riley n'avaient pas de soucis d'argent, mais June, en femme d'affaires avisée, n'oubliait pas la prudence de rigueur.

— Tu peux garder un secret ? demanda soudain June avec des yeux pétillant de malice. Riley a convaincu Shauna de se joindre à nous.

Shauna était la plus jeune du clan Malone. Un des rares membres de la famille à n'avoir pas choisi une carrière dans la police. Elle avait opté pour l'art. Et elle était plutôt douée.

— Elle lui a demandé de ne rien dire jusqu'au vernissage de l'exposition. Elle veut vous faire la surprise.

C'était tout June. Elle demandait à Patti de garder le secret alors qu'elle-même en était incapable.

— Vous avez dû vous donner du mal pour l'embobiner, commenta Patti. Je crois savoir qu'elle était satisfaite de son ancienne galerie.

La serveuse vint prendre leur commande pour le repas — une salade de fruits de mer pour June et un étouffé de crabes pour Patti —, puis June reprit :

— Tu connais Riley. Il lui a promis de baisser notre commission de dix pour cent pendant la première année. Et il a fait jouer la corde sensible en lui parlant de leur amitié.

Shauna et Riley avaient sensiblement le même âge et pas mal de centres d'intérêts en commun : les arts plastiques, la musique, la danse, la gourmandise. Ils se fréquentaient depuis l'adolescence. Shauna avait même eu un petit béguin pour le beau Riley pendant une courte période.

June soupira.

— J'ai toujours espéré qu'ils finiraient par se mettre ensemble. Ils auraient formé un charmant couple.

— Rien n'est perdu, ils sont encore tous les deux célibataires, chuchota Patti en se penchant par-dessus la table. Mais je crois savoir que Shauna a un amoureux. Un artiste qu'elle a rencontré à un vernissage du Centre d'art contemporain.

— Ça n'a pas l'air de te transporter de joie, commenta June.

— Je n'ai pas d'avis. Je ne l'ai jamais vu.

June haussa un sourcil.

— Quelqu'un les a vus. Et ce quelqu'un n'était pas emballé.

— Colleen, oui, je sais. Elle l'a trouvé sombre et possessif.

— Mais nous savons toutes les deux que ta sœur a tendance à surprotéger ses enfants.

— Exact, fit Patti.

Puis elle décida de changer de conversation.

— J'ai des nouvelles, annonça-t-elle. Au sujet de Sammy.

June reposa son couteau à beurre.

— Un suspect ?

— Oui et non, répondit Patti.

Elle éprouva le besoin de s'éclaircir la voix avant de poursuivre.

— Tu te souviens de l'assassin que les journaux avaient surnommé le Collectionneur ?

— Ça me dit quelque chose, oui. Vous ne l'avez jamais coincé, si mes souvenirs sont bons.

Il s'agissait d'une simple constatation, mais Patti eut l'impression d'entendre une mise en garde.

— Nous n'avions rien pour démarrer l'enquête, dit-elle. Mais à présent, c'est différent.

June la dévisagea en silence, puis elle secoua la tête.

— Les victimes du Collectionneur étaient des femmes. Quel est le rapport avec Sammy ?

Patti lui parla du squelette découvert dans City Park.

— Le badge de Sammy se trouvait sous le corps.

June poussa un cri étouffé.

— C'est imposs… Mon Dieu ! Patti ! Mais ça signifie que…

— Que le Collectionneur a tué Sammy.

La serveuse apporta leurs plats. June la suivit des yeux d'un air absent, puis son regard se posa de nouveau sur Patti.

— Je n'ai plus très faim, tout à coup, murmura-t-elle.

Patti étendit les bras par-dessus la table pour lui prendre les mains.

— Peu importe qu'il soit mort comme ça ou autrement, dit-elle. Ça ne change rien pour moi.

— Non ?

— Non. Mais ce nouvel élément me fournit une piste.

Elle sourit tristement.

— Je vais coincer l'assassin de Sammy. Et je vais lui faire payer son crime.

June ne sut pas quoi dire et elles se mirent à manger en silence. Au bout d'un moment, Patti remarqua sa mine défaite.

— Qu'est-ce que tu as ? lui demanda-t-elle en repoussant son assiette.

— Je me fais du souci pour toi.

— Comme si c'était nouveau…

June eut un vague geste de la main, comme pour dire qu'elle préférait ignorer le sarcasme.

— Tu t'efforces de jouer les dures, mais je te connais.

— Tu me connais…

— Oui.

— Et tu penses que sous ma carapace, je suis un caramel mou ? plaisanta Patti.

— Oui. Et ce n'est pas drôle.

— Je suis une gradée de la police, June. La douceur serait un handicap pour moi.

— Je ne voudrais pas que tu souffres, s'excusa June. Tu en as suffisamment bavé comme ça, je trouve. Ta crise cardiaque, puis Katrina, puis Sammy…

— Je te remercie, mais il me semble que boucler cette affaire me permettra de tourner la page.

June ouvrit la bouche comme si elle s'apprêtait à discuter, mais la referma quand le portable de Patti sonna.

— Capitaine O'Shay, fit Patti.

— Tante Patti, c'est Spencer. Nous avons une piste.
— Je t'écoute.
— Un ex-détenu qui a fait de la prison pour viol aggravé.
— Allez le chercher. Je vous rejoins au commissariat.

12.

Samedi 21 avril 2007
14 h 10

En arrivant au commissariat, Patti trouva Spencer qui l'attendait devant la porte d'une salle réservée aux interrogatoires. Le suspect se trouvait déjà à l'intérieur.

— Vous avez fait vite, commenta-t-elle.

— Les gars sont arrivés devant chez lui au moment où il grimpait dans sa camionnette. Ça a été facile. Il s'appelle Ben Franklin…

Elle haussa un sourcil étonné et il sourit.

— Je lui ai posé la question, aucun lien de parenté avec le grand homme. Condamné à dix ans pour agression et viol. Libéré au bout de sept.

— Il est dehors depuis combien de temps ?

— Un peu plus de deux ans.

Il était donc en liberté au moment de la mort de Sammy.

— Et depuis deux ans, il s'est tenu à carreaux ?

— Je dirais plutôt qu'il s'est arrangé pour ne pas se faire remarquer, corrigea Spencer. L'officier qui me l'a ramené a trouvé dans son véhicule une demi-douzaine d'écrans plats et des éléments d'éclairage.

— Des éléments d'éclairage ? répéta-t-elle d'un ton incrédule.

— Oui. Des lustres. Des trucs qui brillent. L'officier White lui a demandé d'où ça venait et a réclamé des factures, que, bien entendu, Franklin n'a pas pu lui présenter.

— Tu parles d'une surprise… Vous avez fait un inventaire ?

— Des hommes s'en occupent en ce moment.

Il désigna la porte de la salle.

— Il vaudrait mieux que je l'interroge seul, suggéra-t-il.

— Je ne suis pas rouillée à ce point-là, inspecteur, rétorqua-t-elle en allongeant le bras vers la poignée. Toi, tu suis depuis les écrans.

La pièce était équipée d'une caméra vidéo qui filmait les interrogatoires. Cela permettait de les revoir à volonté, d'en diffuser des passages pendant les procès, et aussi de les suivre en direct depuis des écrans installés dans une salle au bout du couloir.

Il lui prit le bras.

— Je ne pense pas que ce soit une bonne idée, insista-t-il.

Elle haussa un sourcil.

— Et pourquoi donc, inspecteur ?

— Parce que si on respecte le règlement à la lettre, tu es un membre de la famille et tu ne devrais donc pas t'impliquer dans cette enquête.

— Dans ce cas, toi non plus. De plus, je n'ai jamais dit qu'il fallait respecter le règlement à la lettre.

Il soutint un instant son regard, puis céda.

— Très bien, dit-il d'un ton résigné. C'est toi le capitaine.

Elle ne releva pas et entra dans la pièce. Ben Franklin était petit et râblé, avec d'épais cheveux noirs et un bronzage soutenu. Elle se demanda s'il faisait des UV ou s'il utilisait un autobronzant. Il pensait probablement que ça lui donnait bonne mine ou que ça le rajeunissait, mais c'était un peu trop forcé pour paraître naturel.

— Bonjour, monsieur Franklin, dit-elle. Je suis le capitaine O'Shay.

Il croisa ses bras sur son large torse et la fixa d'un air renfrogné.

— J'ai quelques questions à vous poser, dit-elle.

— Je n'ai rien fait, protesta-t-il.

Bien sûr que non, tu n'as rien fait. Tu es blanc comme neige.

— Avez-vous entendu parler de l'écrivain Anna North ?

Il lui jeta un regard méfiant.
— Qui ?
— Anna North. Une femme qui écrit des romans à suspense.
— Et qu'est-ce que ça peut vous faire que j'en aie entendu parler ?
— Seriez-vous un de ses fervents lecteurs ?
Il remua sur sa chaise d'un air gêné.
— J'ai lu ses livres en taule. J'avais du temps.
— Lui avez-vous écrit ?
Elle chercha son regard, mais il l'évita.
— Non.
— Vous êtes-vous déplacé pour assister aux signatures de ses livres ? L'avez-vous déjà rencontrée ?
— Non.
— Dans ce cas, pouvez-vous m'expliquer pourquoi votre nom figure sur sa liste de fans ?
— Si vous insinuez que je l'ai menacée ou quoi que ce soit du genre, je vous préviens que vous vous trompez de personne.
— Je n'insinue rien, monsieur Franklin. Je vous pose simplement quelques questions.
De nouveau, il remua sur son siège.
— O.K., lâcha-t-il. Oui, je reconnais lui avoir écrit une fois.
— Pourquoi ?
Il frétilla. Il paraissait de plus en plus mal à l'aise.
— Pour lui demander des conseils. J'envisage d'écrire.
Il lui lança un regard de défi.
— J'ai une idée de roman.
Elle sortit un badge aimanté de sa poche et le jeta devant lui, sur la table.
— Vous avez déjà vu ça ? demanda-t-elle.
Il contempla l'objet en fronçant les sourcils.
— Qu'est-ce que c'est ? marmonna-t-il.
— Un badge publicitaire distribué à l'occasion de la sortie d'un livre d'Anna North.

Il n'eut pas l'air impressionné le moins du monde et se renversa sur le dossier de sa chaise en haussant les épaules.

— Et alors ? fit-il.

— Aviez-vous un badge comme celui-ci sur votre réfrigérateur ?

— Non. J'aime pas ces gadgets idiots.

— J'ai entendu dire que vous aviez fait des courses, aujourd'hui.

— Et après ? En quoi ça vous tracasse ?

— On a trouvé des télévisions à écran plat et des lustres en cristal dans votre véhicule.

— C'est interdit par la loi ?

— Non. A condition que vous prouviez que ces objets vous appartiennent.

— Je dois avoir quelque part des reçus de paiement.

Patti n'était pas surprise de la réponse. Mis au pied du mur, un coupable ne se gênait pas pour mentir avec un subtil mélange d'aplomb et de nonchalance. Elle était habituée au spectacle et s'en amusait tant qu'il lui arrivait de se demander si elle n'y prenait pas un plaisir pervers. Dans ce cas, tous les flics étaient un peu pervers…

— Où étiez-vous pendant le cyclone Katrina ?

Spencer entra dans la salle. Elle s'arrêta pour le regarder et il lui fit signe de la rejoindre dans le couloir. Elle se leva.

— Je vous laisse le temps de méditer sur la question, annonça-t-elle à Ben.

Elle sortit en refermant la porte derrière elle.

— Que se passe-t-il ? demanda-t-elle à Spencer.

— L'officier Lee a fini de fouiller la voiture de Franklin. Il a trouvé ça sous le siège du passager.

Il lui tendit un sac Ziplog contenant un revolver. Un Glock.45, une arme de poing semi-automatique. Le revolver de service le plus couramment utilisé par la police de La Nouvelle-Orléans.

— Les numéros de séries ont été effacés, annonça Spencer.

Les numéros de série d'un Glock se trouvaient sur le canon, sur le chargeur et sous la crosse. Elle inspecta le pistolet.

Ils avaient effectivement été grattés.

Impossible donc d'en déterminer la provenance.

Elle vit au regard de Spencer qu'il pensait la même chose qu'elle.

Sammy utilisait un Glock. On n'avait pas retrouvé son arme.

— Il faut une expertise balistique et…

— Je vais appeler le labo, coupa Spencer.

— Très bien. Tiens-moi au courant.

Elle retourna dans la pièce et surprit le suspect en train de fourrager dans son nez. Elle alla s'asseoir en face de lui et lui tendit sans un mot une boîte de mouchoirs en papier. Il eut la décence d'afficher un air gêné.

— Mon collègue vient de me montrer quelque chose de très intéressant, annonça-t-elle posément.

— Vous avez de la chance, ironisa-t-il.

— Désolée, mais je n'en dirais pas autant de vous.

Elle se pencha vers lui.

— Parlez-moi un peu de ce revolver que vous cachiez sous le siège de votre camionnette.

Cette fois, il pâlit légèrement.

— Quel revolver ?

— Le Glock. Celui dont vous avez effacé les numéros de série.

— Il n'est pas à moi.

Elle ne put s'empêcher de sourire.

— Il n'est pas à vous ? répéta-t-elle. Et à qui donc ?

— A un ami.

— Il me faut un nom, Ben.

Il fit la moue, comme s'il réfléchissait à la conduite à tenir. Elle supposa qu'il cherchait son bouc émissaire.

— Et si je vous disais que cette arme a servi à commettre un meurtre ? poursuivit-elle.

Elle vit à son expression qu'elle avait réussi à attirer toute son attention. Il lui sembla même entendre le « Merde, je suis coincé ! » qui hurlait dans sa tête.

— Je vous répondrais que je ne suis au courant de rien, murmura-t-il.

Elle posa ses mains à plat sur la table. Son portable vibra, mais elle l'ignora.

— Et si je vous disais qu'elle a servi à tuer un policier ?

Cette fois, il se décomposa.

— Je veux un avocat, bredouilla-t-il.

— Je comprends ça, c'est parfaitement naturel. Parce que vous allez en avoir besoin, monsieur Franklin.

— Cette arme, je l'ai trouvée.

— Où ?

— Dans City Park. A moitié enterrée, enveloppée dans une serviette, dans un sac-poubelle noir. J'ai buté dessus par hasard. Je vous le jure.

Dans City Park. Tiens…

— A quel endroit exactement ?

— Près de la lagune. A côté du musée. Le long de City Park Avenue.

— Quand l'avez-vous trouvée ? demanda-t-elle.

— Il y a un bout de temps.

— Vous ne pourriez pas être plus précis ?

— Un an. Oui, c'est ça un an. Il commençait à faire chaud.

— Vous avez conservé la serviette ?

Il se trémoussa sur sa chaise d'un air désolé.

— Non. Non. Je ne voyais pas l'intérêt de la conserver. En plus elle était dégueulasse.

— C'est-à-dire ?

— Tachée.

— Tachée de sang ?

— Je ne sais pas. J'ai jeté la serviette et j'ai empoché l'arme. Mais je ne m'en suis jamais servi, je vous le jure.

— Pourquoi avez-vous effacé les numéros de série ?

— Je ne les ai pas effacés !

— C'est peut-être parce que vous saviez que cette arme appartenait à un officier de police.

— Non ! Je l'ignorais ! Je l'ai trouvée par hasard et…

— J'ai l'impression que vous êtes un malfaiteur aux multiples talents, Ben. Voleur, violeur, et maintenant assassin de flic.

— Vous racontez n'importe quoi ! Je ne parlerai plus qu'en présence de mon avocat.

Patti aurait bien voulu le pousser un peu plus dans ses retranchements, mais c'était trop tôt. Il fallait attendre les résultats de l'expertise balistique. Elle n'était pas encore certaine que ce Glock.45 était bien celui de Sammy.

— Très bien, monsieur Franklin, fit-elle. Je vais vous chercher un avocat.

Elle repoussa sa chaise et se leva. Avant de franchir la porte, elle se retourna une dernière fois pour le regarder.

— Vous ne m'avez pas dit où vous étiez pendant le cyclone Katrina, insista-t-elle.

— Je suis resté coincé sur un putain de toit pendant trois jours. Et vous ? Vous faisiez les magasins ?

— Non, monsieur Franklin. Je portais secours aux crétins comme vous qui s'étaient réfugiés sur les toits.

13.

Samedi 21 avril 2007
14 h 50

Affalée derrière le volant de sa voiture, Stacy surveillait une maison dans Garden District.

Le quartier, ça comptait. Du moins c'était ce que prétendaient les agents immobiliers. M. Gabrielle appliquait les conseils qu'il donnait à ses clients.

Elle passa en revue ce qu'elle savait du suspect : quarante-six ans, marié, deux enfants, une agence immobilière située près d'Audubon Zoo et de la bibliothèque.

Il fréquentait les bars à strip-tease et en particulier le *Hustle.* Il fabriquait et vendait de la méthamphétamine.

Un peu spécial comme agent immobilier.

Son téléphone portable vibra. Elle vit qu'il s'agissait de Spencer.

— Hello, fit-il quand elle répondit. Quoi de neuf ?

— Rien de très neuf. Je suis postée devant la maison de Gabrielle. J'ai l'intention de le suivre s'il sort.

— Seule ?

— Avec l'accord du capitaine. Mais comment as-tu deviné ?

— Je te connais, Killian. Tu es de service le soir, donc tu cherches à occuper sainement tes journées.

— Tu as l'air de dire que je ne pense qu'au travail.

— Désolé, chérie. Je suis bien obligé de constater que tu penses plus au travail qu'à la bagatelle.

— Ce n'est pas ce que tu disais hier soir, mon chou.

— Je ne suis pas seul, je ne peux pas te répondre.

Elle gloussa.

— Au fait, elle t'appelait pourquoi, Patti, ce matin ?

Il lui parla du badge aimanté et de leur visite à Quentin et Anna.

— Nous avons une piste très sérieuse. Un ex-détenu. On a trouvé dans son véhicule un Glock .45 avec les numéros de série effacés.

— Vous demandez une expertise balistique, je suppose ?

Chaque arme laissait sur la douille et sur la balle des rainures caractéristiques comparables à une empreinte. Un technicien allait tirer avec le revolver de Franklin dans une boîte remplie d'une sorte de gel épais et comparer les marques de la balle avec celles de l'arme de Sammy répertoriées dans la base de données de la police.

— Ce serait vraiment trop beau, reprit Stacy. Après deux ans sans la moindre piste…

— Patti y croit. Et elle tient à superviser l'enquête. Je plains le malheureux expert chargé du dossier. Elle va le harceler tant qu'elle n'aura pas son rapport.

— Oh ! s'exclama Stacy comme la porte de la maison de Gabrielle s'ouvrait. Il y a du mouvement, de mon côté.

— On se retrouve plus tard pour manger un hamburger ensemble ? Chez *Shannon's* ? A 17 heures, ça te va ?

Elle répondit que oui et raccrocha.

Marcus Gabrielle était un beau brun qui respirait la santé et avec cette tenue de tennis blanche, il incarnait l'image de la richesse et de la réussite sociale.

Stacy détailla du regard sa femme, une jolie blonde qui paraissait beaucoup plus jeune que lui — dix ans de moins environ. Ils étaient accompagnés de leurs deux enfants, un garçon et une fille âgés respectivement de sept et neuf ans — elle l'avait appris en étudiant le dossier. Ils étaient mignons, ils paraissaient bien éduqués.

Ils conversaient joyeusement et souriaient. Ils semblaient détendus et heureux. Le rêve américain…

Ou plutôt le cauchemar.

Il y avait deux voitures dans l'allée, ils se dirigèrent vers la berline, une Mercedes. Gabrielle tint la portière pour sa femme qui l'embrassa avant de se glisser à l'intérieur du véhicule. Les enfants s'engouffrèrent à l'arrière.

Stacy secoua la tête. Pourquoi Gabrielle prenait-il le risque de perdre tout ça ?

Parce qu'il ne pensait qu'au fric. Parce qu'il n'avait aucune éthique personnelle.

Toujours la même histoire.

Un truc qu'elle ne pouvait pas comprendre.

Gabrielle regarda s'éloigner sa charmante famille jusqu'à ce que la Mercedes ait tourné au coin de la rue, puis il marcha d'un pas décidé vers l'autre voiture, une Porsche Boxster gris métallisé. Il lança négligemment son sac de sport à l'intérieur, puis s'installa.

Quelques secondes plus tard, il passa près de Stacy sans même lui jeter un regard. Elle lui laissa prendre un peu d'avance pour ne pas se faire repérer et le suivit.

Il portait une tenue de tennis, donc il aurait dû se rendre au Country Club, dont il était membre, mais il prit la direction du centre-ville, puis du quartier français.

Yvette l'attendait au coin de North Peters et de Conti Street. Il se rangea près du trottoir et elle grimpa sur le siège du passager.

Une partie de tennis…

Yvette portait un petit chemisier imprimé tout simple, un pantalon, des escarpins à bride. Rien à voir avec la fille qui se produisait sur la scène du *Hustle.*

Elle s'était glissée dans la peau d'une terne jeune femme.

Et, bizarrement, elle paraissait plus perverse dans ce rôle que dans celui de la stripteaseuse.

Le quartier français était un enchevêtrement de rues étroites à sens unique. Stacy suivit Gabrielle du mieux qu'elle le pouvait et elle dut plusieurs fois anticiper sur le trajet qu'il allait emprunter. Malheureusement, lorsqu'il tourna dans Rampart Street, un camion de livraison lui barra la route et elle le perdit de vue.

Le temps qu'elle redémarre pour rejoindre South Rampart, Gabrielle et Yvette s'étaient envolés. Elle erra dans le quartier pendant vingt bonnes minutes dans l'espoir d'apercevoir la Boxster, puis elle abandonna.

Elle se demanda pourquoi Yvette avait choisi de s'habiller si sagement. Gabrielle fréquentait les bars à strip-tease, il préférait visiblement le genre un peu pute.

Elle consulta sa montre. Presque 16 heures. Elle avait le temps de jeter un coup d'œil aux locaux que l'agence de Gabrielle proposait à la vente avant son rendez-vous avec Spencer. Et ce soir, elle essayerait de provoquer les confidences d'Yvette.

14.

Samedi 21 avril 2007
16 h 15

Pas de doute, les balles tirées par le Glock trouvé dans la camionnette de Franklin portaient la signature de l'arme de Sammy.

Patti contempla longuement l'image agrandie qui s'affichait à l'écran. Elle tenait enfin le salaud qui avait tué son mari. Et il s'agissait probablement du Collectionneur.

Pourtant elle hésitait encore à se réjouir. Ben Franklin lui avait fait l'effet d'un truand de bas étage et d'un éternel perdant.

Mais ça ne voulait rien dire. Dans la vie, ça ne se passait pas comme au cinéma et les personnages n'étaient pas aussi clairement définis. Elle avait connu un tueur particulièrement vicieux et retors auquel on aurait pu donner le bon Dieu sans confession.

Elle s'adossa à son siège. Il lui semblait tout de même que Ben n'avait pas menti sur les raisons qui l'avaient poussé à contacter Anna. Il avait paru réellement gêné d'avouer son ambition d'écrire.

Et s'il était l'assassin de Sammy et de la femme de City Park, pourquoi aurait-il avoué avoir trouvé l'arme dans le parc au risque de les mener droit aux cadavres ? A moins qu'il ne soit complètement stupide, comme un certain nombre de voyous.

Patti ne cessait de peser le pour et le contre. Elle craignait de perdre son temps et son énergie à s'acharner sur le mauvais coupable.

Et elle voulait le tueur de Sammy. Pas un bouc émissaire.

— De bonnes nouvelles ?

Elle jeta un coup d'œil par-dessus son épaule. Spencer lui souriait, mais il avait l'air grave.

— On le tient peut-être, répondit-elle. Regarde.

Il fixa l'écran pendant quelques secondes, puis se redressa.

— Ça semble correspondre, dit-il.

— Ouais, marmonna-t-elle.

— Mais ça ne te suffit pas.

Il ne s'agissait pas d'une question, mais elle répondit tout de même.

— Et s'il avait vraiment trouvé ce revolver, comme il l'affirme ? Le tueur a très bien pu se débarrasser de l'arme après avoir enterré les corps.

— Et quitter la ville avant le cyclone.

— Oui.

— Il faudrait établir un lien entre Franklin et l'inconnue de City Park. Et j'ai là quelque chose qui pourra peut-être nous aider, ajouta-t-il en lui tendant une grande enveloppe kraft. Le rapport d'Elizabeth Walker.

Patti ouvrit l'enveloppe avec empressement.

Femme de race caucasienne. Entre vingt et vingt-cinq ans. Un mètre soixante-deux. Nullipare. Squelette présentant un nombre anormal de fractures anciennes faisant soupçonner des sévices durant l'enfance. Dentition disharmonieuse comportant de nombreuses dents supplémentaires.

— Il l'a peut-être étranglée, commenta Patti. Le rapport indique que l'os hyoïde est cassé.

— Elizabeth me l'a signalé. L'ennui, c'est qu'elle n'en est pas certaine. La victime était trop jeune.

Patti acquiesça. L'os hyoïde, en forme de fer à cheval, était situé en dessous de la base de la langue. Sa surface donnait appui à un grand nombre de muscles soutenant la langue, le larynx et le pharynx. Il était formé de trois parties principales qui ne se soudaient qu'assez tardivement, vers l'âge de trente-cinq ans.

Patti parcourut rapidement les informations concernant la scène du crime. Puis elle en arriva à ce qui l'intéressait.

La victime a probablement été assassinée par le Collectionneur. Les os du poignet se raccordent parfaitement à l'une des mains que nous possédons.

C'était donc désormais certain. Et puisqu'on avait trouvé le badge de Sammy dans la tombe de la jeune fille, on pouvait raisonnablement supposer que le Collectionneur était aussi l'assassin de Sammy.

Spencer sourit.

— Je vois que tu en es à la bonne nouvelle.

— C'est notre jour de chance, répondit-elle en le regardant droit dans les yeux.

— Elizabeth nous suggère de confier le crâne à Mackenzie, du labo spécialisé dans la reconstitution faciale. Elle dit qu'il est en bon état et que Mackensie pourra nous fournir quelque chose d'assez ressemblant.

Alison Mackensie était un expert sculpteur du département d'anthropologie de l'université de Louisiane et du laboratoire d'expertise assistée par ordinateur. A partir d'un crâne et d'une base de données déterminant les caractéristiques des tissus selon l'âge, le sexe et la race de la victime, elle reconstituait un visage étonnamment ressemblant.

Bien entendu, on ne faisait pas appel à ses services chaque fois qu'on découvrait un squelette. Les experts anthropologues sculpteurs ne poussaient pas sur les arbres et leurs services coûtaient très cher.

Mais là, il s'agissait d'épingler un tueur en série qui avait assassiné un flic.

— Que fait-on, maintenant, capitaine ?

— Il faut avant tout identifier cette victime. Ensuite essayer d'établir un lien entre elle et Franklin. Demande au département des personnes disparues une liste des femmes correspondant à la description de notre inconnue.

Il haussa un sourcil.

— Une liste des femmes disparues pendant le cyclone ?

Ça paraissait grotesque quand on songeait que ça concernait près de onze mille personnes — pour s'en tenir au chiffre officiel.

— Envoie le crâne à Mackenzie en lui présentant l'affaire comme une priorité absolue.

Il ne répondit pas et elle poursuivit.

— Appelle Sciame. Mets-le au courant et dis-lui que son week-end est écourté.

— Et Franklin ?

— Pour le moment nous le gardons pour détention d'arme et recel de biens volés.

15.

Samedi 21 avril 2007
18 h 15

L'appartement se trouvait dans une grande cité urbaine de Midcity Street, une rue d'un calme mortel. La double rangée d'immeubles était vide et les entrées calfeutrées par des planches et marquées du grand X orange de l'Agence fédérale des situations d'urgence — une tache de couleur criarde et choquante, comme une marque de l'enfer.

Avant Katrina, ces logements accueillaient en majorité des familles modestes ou des célibataires vivant en colocation. Des citoyens ordinaires…

Sauf que parmi ces citoyens ordinaires s'était caché quelqu'un de pas ordinaire.

Mes trésors. Les miens. On me les a pris. C'est insupportable.

C'est ta faute. Tu es parti en les abandonnant derrière toi.

Oui, mais je les croyais en sécurité dans la maison. Je les avais soigneusement rangés dans…

Dans un réfrigérateur ? Tu les avais laissés dans un réfrigérateur alors que tu savais qu'un cyclone menaçait la ville. Tu n'es même pas venu voir s'ils étaient intacts.

Et comment aurais-je pu ? Personne ne s'attendait à ce qui s'est passé. Après le cyclone, la ville était inaccessible. Et quand on a ouvert les routes, il y avait trop de monde. On aurait pu me surprendre.

Si ton trésor avait compté tant que ça, tu aurais trouvé une solution pour le sauver. Cesse de gémir maintenant. Tu n'as qu'à démarrer une nouvelle collection.

Ce n'est pas une simple collection ! Tu n'y comprends rien. Tu ne sais pas ce que c'est que l'inspiration, la beauté, des mains et d'un cœur qui portent en eux l'éternelle vérité et la beauté.

C'est ça… Ils portent en eux l'éternelle vérité et la beauté, mais ils n'expriment que la trahison et la laideur.

Arrête, je t'en supplie. Je ne supporte plus tes insinuations.

Si tu veux que je me taise, fais ce qu'il faut pour rétablir la situation.

16.

Dimanche 22 avril 2007
1 h 15

Yvette tremblait de rage et d'indignation.

Elle ne permettrait à personne de se moquer d'elle ou de l'arnaquer. Pas même à Marcus, ce con qui se prenait pour le plus gros propriétaire de la planète.

Elle alluma une cigarette et inspira profondément. Elle comptait sur la nicotine pour la calmer.

Elle avait joué le jeu, merde ! Elle avait accepté comme d'habitude de s'occuper des clients de ce salaud, de leur ouvrir la porte et de les attendre à l'extérieur des locaux qu'ils venaient soi-disant visiter.

Elle se doutait depuis le début qu'ils ne s'intéressaient pas aux locaux commerciaux à vendre — pas besoin de s'y connaître en immobilier pour deviner ça —, mais elle avait joué le jeu sans poser de questions pour toucher les cinq cents dollars qui rétribuaient ce petit service.

Et voilà qu'au moment de la payer, ce salaud lui avait pincé les fesses en lui demandant de patienter !

Et ce soir il avait eu le culot de se pointer au *Hustle* avec une bande de vieux prétentiards.

Sale con ! Quand un de ces gros cochons avait voulu lui tripoter les seins, il avait ri à gorge déployée.

Elle commençait à croire qu'elle avait intérêt à assurer ses arrières avec lui. Jusqu'à présent, elle s'était contentée de lui obéir.

Du moment qu'il la payait...

Mais la prochaine fois...

— Hé, Yvette !

Elle fit volte-face. Brandi était debout sur le seuil de la porte.

— J'ai une demande spéciale pour toi. Table douze. Et aussi un message.

Elle lui tendit un papier.

Marcus, sûrement. C'était le moment de lui faire savoir ce qu'elle pensait de lui.

— Dis-lui d'aller se faire foutre.

Brandi poussa un petit cri étonné.

— Mais...

— Tu as très bien entendu.

Brandi demeura silencieuse quelques secondes, son message à la main.

— Mais s'il se plaint à Tonya ? insista-t-elle. Elle sera furieuse.

— Tu sais quoi ? Tonya aussi peut aller se faire...

Elle se retint au dernier moment, arracha le papier des mains de Brandi, remua le fatras de sa coiffeuse pour y chercher un stylo et décida de se contenter d'un crayon à lèvres rouge.

Puis elle gribouilla en souriant d'aise : « Va te faire foutre », en lettres rouges et grasses.

— Voilà ma réponse, assura-t-elle d'un ton triomphant en rendant le papier à Brandi.

— Tu es sûre de ce que tu fais ? demanda Brandi en retournant vers la porte. Tu le connais, ce type ou quoi ?

— Ou quoi, comme tu dis, répondit Yvette en tirant une longue bouffée de sa cigarette. Tu lui donnes ça. Et tout de suite.

Brandi eut l'air d'hésiter, comme si elle avait encore quelque chose à dire, mais elle se contenta de quitter la loge.

Yvette s'attendait à ce que ça pète. Tonya allait lui tomber dessus et lui imposer un sermon sur ce qui était autorisé avec les clients. Marcus risquait de venir jusque dans la loge pour lui coller une claque ou bien il se contenterait de remettre un autre message à Brandi, cette fois pour la mettre en garde.

Mais Tonya ne vint pas et Marcus non plus. Et quand elle se présenta sur scène pour sa dernière prestation de la soirée, elle vit que Marcus était parti.

Cette petite merde hypocrite s'était dégonflée. Ça ne l'étonnait qu'à moitié.

A la fin de la soirée, elle remballa ses affaires et pointa. Elle avait eu des pourboires minables et elle n'en était pas surprise. D'ordinaire elle se piquait au jeu et y mettait un certain entrain, mais ce soir elle s'était contentée du minimum.

Et le minimum, ça n'excitait pas les hommes.

L'établissement était fermé, elle salua au passage ses camarades qui buvaient un dernier verre au bar et fila par la porte de derrière.

Elle habitait à l'autre bout du quartier français, mais elle avait pris l'habitude de rentrer à pied. Elle empruntait en général le chemin le plus fréquenté et s'arrêtait parfois au *Dungeon*, un bar ouvert de minuit à 6 heures du matin. Quelquefois une des filles l'y accompagnait. De temps en temps elle en invitait une chez elle.

Sur le seuil de la sortie des artistes, elle jeta un coup d'œil dans l'allée avant de s'y engager — elle savait que la porte se refermerait automatiquement derrière elle quand elle la lâcherait. Elle n'avait pas peur. Excepté Rampart Street, près du Park Armstrong, le quartier français n'était pas dangereux du moment qu'on évitait les rues sombres et désertes.

L'allée était sombre et déserte, mais il suffisait de faire quelques mètres et de tourner à droite pour revenir à l'agitation de la ville. Elle ne risquait pas grand-chose, à part de rencontrer le sans-abri qui avait installé ses cartons près d'une poubelle.

Les sans-abri évitaient le contact avec les autres et se concentraient uniquement sur leur survie. Mais celui qui avait élu domicile dans cette allée était différent. Une nuit, il l'avait poursuivie jusque chez elle en sifflant et en l'accablant de commentaires obscènes.

Elle avait fini par lui balancer à la figure une bouteille vide pour se débarrasser de lui.

C'était un peu le problème dans le quartier français. On y croisait toutes sortes de dingues et de marginaux : des travestis hommes et femmes, des clodos excités, des gothiques, des gens habillés comme des vampires, des demeurés, des allumés.

Elle entra dans l'allée. La lumière s'éteignit derrière elle, en même temps que la porte se fermait.

— Hello, Yvette. Je t'attendais.

— Marcus !

Elle s'arrêta net et se retourna en scrutant la nuit. Il sortit de la pénombre, près de l'entrée de l'allée, en lui bloquant le passage.

— Tu as passé une bonne soirée ?

Elle releva crânement le menton, en dissimulant sa peur.

— Qu'est-ce que ça peut te faire ?

Il avança vers elle et elle remarqua que ses yeux brillaient d'un éclat étrange.

— Ne me fais plus jamais un coup pareil, murmura-t-il en lui caressant la joue. Tu pourrais le regretter.

Elle repoussa sa main.

— Retourne avec ta frigide de femme qui fréquente le Country Club. Tu n'as qu'à prendre ton pied avec elle, si tu peux.

Il se pencha vers elle.

— Ne me pousse pas à bout, Yvette, dit-il d'une voix basse et contenue. Tu m'appartiens.

Yvette se rebiffa. La colère prit le dessus sur la peur. Elle n'appartenait à personne. Elle décidait de sa vie. Elle posait ses conditions.

— Je veux mon argent, Marcus, dit-elle. Je veux mes cinq cents dollars.

Il glissa sa main gauche dans ses longs cheveux. L'autre vint se poser sur sa gorge.

— C'est donc tout ce qui compte pour toi ? L'argent ?

Il enroula des mèches autour de ses doigts et lui tira la tête en arrière.

— C'est ça, chérie ? Rien que l'argent ?

Il tirait si fort qu'elle en eut les larmes aux yeux. Elle ne résista pas, persuadée qu'il n'hésiterait pas à lui arracher quelques mèches de cheveux si elle tentait de se défendre.

— Tu me l'avais promis, murmura-t-elle.

— Je te donnerai ce que je t'ai promis en temps voulu. Et jusque-là, tu feras ce que je te demande. Compris ?

Elle fit signe que oui et il la relâcha. Elle recula en portant la main à son crâne.

Le salaud, il n'allait pas s'en tirer comme ça.

— Et si j'allais me plaindre aux flics ? cria-t-elle. Ou chez ta femme ? Je suis sûre que notre petit arrangement l'intéresserait au plus haut…

Il se jeta sur elle, si vivement qu'elle n'eut pas le temps de réagir. Son corps puissant la projeta en arrière, contre le mur de brique humide, et ses mains lui enserrèrent la gorge.

La porte du club s'ouvrit et une lumière transperça les ténèbres.

— Yvette ? C'est toi ?

Brandi ! Merci, Seigneur !

Incapable de répondre, elle se débattit pour se libérer de l'étau des mains de Marcus. Il céda et la lâcha en reculant.

— A plus tard, mon cœur, murmura-t-il avant de s'éloigner dans l'allée.

Elle se laissa tomber à genoux en haletant pour reprendre sa respiration.

Quelques secondes plus tard, Brandi s'accroupissait près d'elle et lui entourait les épaules.

— Seigneur ! Yvette ! Tu vas bien ?

Yvette fit un effort vain pour parler. Elle tremblait. Elle claquait des dents.

Brandi lui frotta le dos pour la réchauffer et la réconforter.

— C'était le type de ce soir, n'est-ce pas ? Celui pour lequel tu as refusé de danser ?

Yvette acquiesça.

— J'ai cru… J'ai cru qu'il… Qu'il allait me tuer.

— J'appelle la police, fit Brandi en se relevant.

Yvette la retint par le bras.

— Non ! protesta-t-elle d'une voix rauque. Ça ne ferait qu'empirer les choses.

— Empirer ? Tu viens de dire qu'il était sur le point de te tuer.

— Aide-moi à me relever. Ça va aller.

Brandi parut hésiter, puis elle l'aida à se relever. Yvette tenait à peine sur ses jambes, mais elle prit le temps d'inspirer longuement et profondément. Elle était heureuse de se sentir en vie.

Elle sourit tristement à Brandi.

— Merci, dit-elle. Si tu n'étais pas…

Elle ne termina pas sa phrase. Brandi sauta sur l'occasion.

— Tu veux que je te raccompagne chez toi ?

— Je n'habite pas très loin. Je pourrais…

— Marcher ? Tu veux rire ? Ce dingue t'attend peut-être au coin de la rue.

Elle marquait un point. De plus, Yvette ne se sentait pas très vaillante physiquement et pas non plus très courageuse.

Elle se laissa donc entraîner par Brandi jusqu'à l'endroit où celle-ci avait garé son véhicule, une vieille bagnole. Yvette prit place sans un mot sur le siège du passager.

— Où allons-nous ? demanda Brandi.

Elle lui donna l'adresse et ferma les yeux. Qu'est-ce qui lui avait pris de défier Marcus, de le menacer d'aller trouver les flics et sa femme ?

— A droite ? demanda Brandi.

Yvette entrouvrit les paupières.

— Oui, à droite, murmura-t-elle d'un ton las.

Quelques rues plus loin, Brandi arrêta la voiture.

— Nous y sommes, annonça-t-elle.

Yvette posa la main sur la poignée de sa portière, puis hésita. Elle n'avait brusquement plus envie de se retrouver seule.

— Merci de m'avoir reconduite, dit-elle.

— De rien. Je pourrais le faire tous les soirs, si tu veux. Et si tu changes d'avis à propos des flics…

— Non, je ne changerai pas d'avis, fit Yvette en ouvrant la portière.

Elle avait déjà un pied sur le trottoir quand elle se retourna une dernière fois.

— J'apprécie vraiment ta gentillesse, tu sais.

— Pas de problème, assura Brandi en souriant. Je vais attendre dans la voiture pour m'assurer que tu entres bien dans ton immeuble.

Yvette hésita de nouveau. Elle songeait à son studio si vide et si sombre.

— Tu es sûre que ça va ? s'inquiéta Brandi.

Yvette se força à sourire.

— Oui. Merci encore de ta sollicitude. Et à plus tard.

Elle sortit de la voiture et s'éloigna à petits pas pressés.

17.

Dimanche 22 avril 2007
3 h 10

Arrivée devant l'entrée de son immeuble, Yvette changea d'avis et revint vers la voiture.

Stacy baissa sa vitre.

— Que se passe-t-il ? demanda-t-elle.

— Tu as faim ?

— Si j'ai faim ? Je suis affamée.

— Tu veux monter ? Je vais grignoter quelque chose. On pourrait partager.

Yvette faisait un effort pour paraître sûre d'elle et détendue, mais Stacy vit qu'elle tremblait encore.

— Pourquoi pas ? Ça serait sympa. Où puis-je laisser ma voiture ?

Yvette lui indiqua un endroit sous la pancarte « Résidents seulement » et attendit patiemment qu'elle manœuvre pour se garer, puis elles se dirigèrent ensemble vers le bâtiment, un vieil immeuble de deux étages en briques et en stuc, avec des balcons en fer forgé d'un style vaguement andalou. Yvette ouvrit la porte et elles entrèrent.

Comme la plupart des vieilles constructions du quartier français, celle-ci était organisée autour d'une cour centrale et ombragée dont la principale fonction avait été de servir d'oasis avant l'ère de la climatisation. A présent, on n'y venait plus pour rechercher la fraîcheur, mais le calme et la verdure.

On accédait aux appartements par deux escaliers donnant sur un couloir qui circulait autour de la cour.

Yvette habitait au premier étage. Elles grimpèrent les marches et empruntèrent le couloir. Stacy remarqua qu'Yvette prenait soin de ne pas faire de bruit pour ne pas déranger ses voisins. Un chien aboya quand elles passèrent devant une des portes.

Un gros chien, à en juger par le niveau sonore de ses protestations… Yvette fit la grimace et Stacy supposa que ce n'était pas la première fois qu'elle réveillait l'animal. Et le voisinage avec.

Elles atteignirent l'appartement d'Yvette, le numéro douze, et entrèrent. Yvette alluma aussitôt la lumière, tout en enlevant ses chaussures.

Le quartier français n'était pas bon marché, même pour un petit appartement comme celui d'Yvette. Avec la jolie cour arborée, elle devait bien payer dans les mille cinq cents dollars par mois.

Stacy parcourut la pièce du regard. Yvette avait choisi un intérieur traditionnel, avec des couleurs douces et des tissus, le tout rehaussé par des gravures et des peintures étonnamment modernes.

— C'est beau, chez toi, fit Stacy tout en s'approchant d'un tableau représentant une fée grossièrement ébauchée. Et ce tableau est magnifique. Un peu effrayant, mais magnifique.

— Je trouve aussi, répondit Yvette en venant se placer derrière elle. C'est l'œuvre d'une artiste de La Nouvelle-Orléans. Elle s'appelle Wren. Je lui en ai acheté un deuxième qui se trouve dans la chambre. Viens, la cuisine, c'est par là.

Dans le couloir qui séparait les deux pièces, Stacy remarqua d'autres peintures. Elles étaient différentes de celles du salon et elle demanda à Yvette quels étaient ses critères de choix.

— Je n'en ai pas. Je fonctionne au coup de cœur. Elles viennent toutes d'artistes locaux. Certaines directement de leur atelier du quartier français, d'autres de galeries d'art. J'en ai même acheté certaines à des vendeurs de rues, dans Jackson Square.

Elle marcha jusqu'au réfrigérateur et l'ouvrit.

— Qu'est-ce que tu as envie de manger ?

— Qu'est-ce que tu as ?

— Un reste de pizza. Des œufs. Du lait.

Elle fit coulisser le tiroir du compartiment à légumes et ce qu'elle vit lui arracha une grimace.

— Un truc plein de touffes.

Elle referma le réfrigérateur et traversa la cuisine pour ouvrir un long et étroit placard.

— Des biscuits aux pépites de chocolat. Des Amos, les meilleurs. Des céréales, du pop-corn.

Elle jeta un coup d'œil à Stacy par-dessus son épaule.

— Je pencherais pour le pop-corn et le chocolat chaud.

— Ça me va.

Quelques minutes plus tard, elles étaient recroquevillées sur le canapé, avec un bol géant de pop-corn et une tasse de chocolat chaud entre les mains.

Stacy but une gorgée qui la fit tousser.

— Il est fort, ce chocolat, dit-elle.

— J'y ai ajouté un peu d'alcool. Du schnaps à la menthe. Ça compensera un peu les effets de tous les cafés qu'on s'avale dans la soirée. Tu aimes ?

Stacy affirma que oui et but une deuxième gorgée tout en regardant fixement les marques violettes sur le cou d'Yvette.

— Tu as des hématomes, fit-elle remarquer.

— C'est vrai ? sursauta Yvette en portant la main à son cou. Ça se voit beaucoup ?

Stacy fouilla dans son sac et en sortit un boîtier de poudre compacte avec un miroir. Elle le tendit à Yvette.

— Regarde.

Yvette contempla les dégâts en silence pendant quelques secondes, puis elle referma le poudrier d'un coup sec et le rendit à Stacy.

— Tu sors avec lui, n'est-ce pas ? demanda Stacy.

— Il n'est pas si méchant que ça, répondit Yvette en éludant à moitié la question.

— Après ce qu'il t'a fait, je n'arrive pas à croire que tu puisses dire ça. Ce type est une ordure.

— Je l'avais poussé à bout. Il est gentil avec moi, tu sais.

— Gentil ? J'ai pu voir ça...

— C'est la première fois qu'il se montre violent.

— Et il ne le fera plus si tu es une bonne fille, c'est ça ? s'étonna Stacy.

Elle secoua la tête.

— Un mec pareil...

— Qu'est-ce que tu peux savoir de lui ? coupa Yvette.

— Il est marié. J'ai vu sa bague.

— Et après ? Ne sois pas stupide. La plupart des types avec qui je sors le sont. Lui au moins, il n'enlève pas son alliance.

— Il a levé la main sur toi. Heureusement, je te cherchais et...

— Justement... Je me demandais... Pourquoi me cherchais-tu ?

Parce que l'équipe de surveillance qui me couvre avait repéré Gabrielle posté dans l'allée et que les gars ont jugé bon de me prévenir.

— Pour te donner un pourboire, fit Stacy. Les deux types de la radio qui n'ont cessé de boire des cocktails gélatineux toute la soirée... Tu vois lesquels ?

— Walton et Johnson ?

— Oui. Ils t'avaient laissé un pourboire, mais j'avais oublié de te le donner et... Je m'en suis souvenue quand tu venais de partir et je me suis dit que j'avais encore une chance de te rattraper.

— Non seulement tu es un ange de miséricorde, mais en plus tu es honnête, commenta Yvette en prenant une pleine poignée de pop-corn. Mais qu'est-ce que tu fiches au *Hustle* ?

— Je pourrais te poser la même question.

— L'argent.

— Même chose pour moi.

Yvette fronça les sourcils, comme si elle avait du mal à le croire, et Stacy s'empressa de préciser.

— Je me suis mariée juste après le lycée et je n'ai pas fait d'études.

J'ai vécu dix ans aux crochets de Barney, mon mari, qui ne voulait pas que je travaille. Et puis ce salaud s'est tiré en me laissant des dettes et notre enfant sur les bras.

— Tu as un enfant.

Merde. A présent, elle en avait un.

— Une fille de huit ans.

— Elle s'appelle comment ?

— Sandi.

Brandi et Sandi. Seigneur...

Mais Yvette eut l'air de trouver ça attendrissant.

— Tu as une photo d'elle ?

— Non. Pas sur moi. Je n'apporte pas d'affaires personnelles au travail.

Ça, au moins, ça n'était pas un mensonge.

Stacy fourragea dans son sac pour chercher le pourboire et sortit un billet de vingt dollars.

— Tiens, fit-elle. Et excuse-moi d'avoir oublié.

Yvette contempla le billet d'un air incrédule.

— Seulement vingt dollars ? C'est tout ce que ces deux pleins aux as t'ont filé ? Garde-le, tu le mérites.

Stacy fronça les sourcils.

— Je t'ai aidée parce que je te considère comme une amie. Et parce que c'était la moindre des choses. Je n'attends pas de récompense.

Yvette la dévisagea pendant quelques secondes comme si elle se demandait d'où elle sortait. Puis elle sourit.

— Garde-le tout de même. Tu en as besoin. Pour ton enfant.

— Bon. Merci.

Elle fourra le billet dans sa poche.

— Désolée de m'être montrée si dure au sujet de Marcus. Je crois bien que je ne possède pas toutes les données pour comprendre.

Elle espérait qu'Yvette enchaînerait en lui donnant des explications, mais comme celle-ci ne répondait rien, elle se risqua à insister.

— Ça fait longtemps que tu le fréquentes ?

— Ne parlons pas de Marcus, d'accord ?

— Comme tu voudras. Excuse-moi.

Elles restèrent silencieuses un moment, puis Stacy fit claquer ses doigts.

— Oh ! s'exclama-t-elle. J'avais presque oublié que je t'ai aperçue hier dans le quartier. J'allais traverser la rue pour te dire bonjour, mais tu t'es engouffrée dans une voiture.

— Ce n'était pas moi.

— Ah bon ? Pourtant, j'ai bien cru…

— Je t'ai dit que ce n'était pas moi.

Stacy fit machine arrière.

— C'est vrai, convint-elle en riant. Ça ne pouvait pas être toi. La fille te ressemblait mais elle était habillée comme une mémère. Hyper mal fagotée.

— Pas du tout mon genre, assura Yvette.

— Tu l'as dit.

Yvette vida son bol de chocolat.

— Tu en veux un autre ? demanda-t-elle à Stacy. Ou tu préfères du schnaps tout seul ?

Stacy secoua la tête.

— Je conduis, ne l'oublie pas.

— Tu peux dormir ici, si tu veux, proposa Yvette.

Comme Stacy faisait une drôle de tête, elle éclata de rire.

— Je ne suis pas lesbienne, rassure-toi. C'est juste que je me sens un peu seule dans cet appartement. Ça serait sympa si tu restais. Demain matin, on irait prendre un brunch au *Coffeepot*. Ils préparent le meilleur pain perdu de la ville.

Le pain perdu, Stacy l'avait appris en s'installant ici, était la version locale des tartines à la française.

— Je ne peux pas. Je regrette, mais…

— A cause de Sandi ? proposa Yvette avec une pointe de déception dans la voix.

— Elle est chez ma mère, mais je veux être près d'elle quand elle se réveillera demain.

— Je comprends.

— Mais on pourrait quand même se retrouver pour un brunch, un peu plus tard. Sandi passe la journée avec son père.

Yvette accepta le compromis et Brandi prit congé. Elle venait de claquer la portière de son Explorer quand son portable sonna. C'était Dan, un collègue de l'équipe de surveillance.

— Tu aurais pu traîner encore, se plaignit-il. J'en ai plus que marre d'être assis dans cette camionnette glaciale où je me gèle les fesses. Et puis les gars te remercient de nous avoir recrutés pour demain matin, un dimanche. C'est le comble.

— Inutile de perdre ton temps en jérémiades, tu pisses dans un violon. Bon, il est tard, je vais me débrancher. Et ne vous inquiétez pas, je ferai très attention à vos petits appareils.

— Ta générosité me touche.

Elle rit.

— A demain. Rendez-vous à 13 heures.

— Une dernière chose, Killian. Ton ex s'appelait Barney ? C'est trop mignon…

— A 13 heures, répéta-t-elle en raccrochant tandis qu'il éclatait de rire.

18.

Dimanche 22 avril 2007
13 h 05

Quand Stacy arriva, Yvette était déjà assise devant une table mouchetée de lumière. Elle buvait un café à petites gorgées tout en lisant le *Times-Picayune.*

— Salut, fit-elle en la rejoignant. Désolée, je suis en retard.

— Non, c'est moi qui suis en avance.

Stacy s'installa près d'elle.

— Je ne sais pas toi, mais moi je suis vraiment crevée ce matin.

Yvette replia sa page et la posa sur le reste du journal qui se trouvait à ses pieds.

— Non, ça va. J'ai l'habitude.

— Tu verras quand tu auras trente ans, rétorqua Stacy. Ton cou, ça va ?

— Toujours un peu irrité, fit-elle en touchant le foulard de soie à l'imprimé fleuri qu'elle avait mis pour dissimuler ses ecchymoses. J'ai mal chaque fois que je déglutis. J'ai échangé ce soir contre demain soir avec l'une des filles. Je ne me sens pas d'humeur à danser. Tu vois ce que je veux dire ?

Stacy murmura que oui et elles demeurèrent silencieuses quelques minutes.

Les gars de l'équipe de surveillance allaient être contents de pouvoir lâcher pendant vingt-quatre heures. Mais Stacy aurait préféré que l'enquête avance.

La serveuse vint remplir leurs tasses et prendre leur commande et elles optèrent pour le pain perdu.

— Tu as… Tu as réfléchi à ce qui s'est passé hier ? demanda Stacy quand la serveuse s'éloigna.

— J'aurais dû ?

Stacy haussa les épaules et versa de la crème dans son café.

— Je pensais que tu aurais envie d'en parler. Ça fait parfois du bien de s'épancher avec une amie.

— Je l'ai poussé à bout et il a craqué. Ça ne se reproduira pas. C'est tout ce qu'il y a à en dire.

Stacy but lentement son café et s'efforça de conserver un ton amical, léger et intime.

— Qu'est-ce que tu sais de son autre vie ?

Yvette plissa les yeux.

— Son autre vie ?

— Oui, sa vie en dehors du *Hustle*. Tu vois ce que je veux dire ?

— Pour être franche, je l'ai un peu espionné.

Elle se pencha par-dessus la table avec un air espiègle.

— Une fois, j'ai emprunté une voiture pour le suivre.

Le cœur de Stacy se mit à battre plus vite. Elle espéra que le dispositif d'écoute à distance fonctionnait correctement.

— Vraiment ? dit-elle. Et qu'est-ce que tu as découvert ?

— Sa femme est du genre qui fréquente le Country Club. Elle se croit supérieure au reste du monde. Et tout particulièrement supérieure aux filles comme moi.

Stacy crut déceler de l'amertume dans la voix d'Yvette, mais elle ne le lui fit pas remarquer car celle-ci ne l'aurait sûrement pas admis.

— Si elle était tellement formidable, il n'aurait pas besoin de toi, commenta-t-elle.

— Exactement ! s'écria Yvette avec un grand sourire. Mais c'est un peu à cause d'elle que Marcus est sorti de ses gonds hier soir. Je l'ai menacé de parler de notre relation à sa femme et d'aller trouver la…

Elle ne termina pas sa phrase, mais Stacy supposa qu'elle s'apprêtait à dire « la police ».

— Trouver qui ? demanda-t-elle en la poussant du coude.

— La presse, s'il m'y obligeait.

— Peut-être que sa femme est bourrée de fric. Ça expliquerait qu'il ne veuille pas la perdre.

Yvette secoua la tête.

— Je ne pense pas. Il vend des locaux commerciaux et il se débrouille pas mal du tout. De toute façon, je me fiche de savoir pourquoi il reste avec elle. Ce qui compte, c'est qu'il me donne mon fric.

Stacy allait poser une autre question, mais Yvette ne lui en laissa pas le temps.

— Je lisais un article sur le squelette découvert récemment dans City Park, fit-elle brusquement en montrant le journal du doigt. Les flics pensent que c'est un coup du Collectionneur. Celui qui coupe les mains de ses victimes.

— J'en ai entendu parler. Il y a de quoi avoir la trouille.

— J'ai ma théorie au sujet de ce type, poursuivit Yvette.

— Ah bon ?

— Tu sais pourquoi ils n'ont jamais retrouvé les corps ? Et surtout pourquoi ils n'arrivent pas à faire le lien avec des personnes disparues ?

Elle se pencha en avant.

— Parce que ses victimes sont des filles qui gagnent leur vie avec les hommes.

— Des prostituées, tu veux dire ?

— Oui. Ou des stripteaseuses. Des filles comme moi.

— Il les choisirait dans des clubs différents et ça passerait inaperçu ?

— C'est ça, oui.

La serveuse apportait leur pain perdu. Yvette se jeta dessus comme une affamée. Stacy se mit également à manger, mais plus posément. Elle cherchait une manière de ramener la conversation sur Gabrielle.

— J'ai beaucoup réfléchi à la question, reprit Yvette. Tout le monde se fiche des prostituées, des entraîneuses, des stripteaseuses. De plus, la plupart d'entre elles n'ont pas de famille, ou bien elles ont coupé les ponts avec leurs proches.

L'idée d'Yvette n'avait rien de très original. Ça n'aurait pas été la première fois qu'un tueur en série s'en serait pris à des prostituées. Mais Stacy ne pouvait pas le lui dire.

Elle approuva donc sobrement.

— Tu as raison.

— Je peux te confier un secret ?

— Bien sûr.

— Je sais peut-être qui est la fille du parc. Ou plutôt qui elle était.

Elle baissa la voix.

— Mon ancienne colocataire.

En arrangeant ce rendez-vous avec Yvette, Stacy ne s'était pas attendue à obtenir des informations sur l'inconnue de City Park. Les gars devaient faire une drôle de tête dans leur camionnette.

— Qu'est-ce qui peut te faire croire ça ? demanda-t-elle.

— Ils disent que la fille a été tuée juste avant le cyclone Katrina. Et justement Kitten a disparu à ce moment-là.

— Comme près d'un million d'habitants de La Nouvelle-Orléans, objecta Stacy.

Le chiffre n'était pas exagéré. Avant Katrina, la ville comptait un million trois cent mille habitants et quatre-vingts pour cent d'entre eux étaient portés disparus depuis.

— Mais elle n'est jamais revenue et elle a laissé toutes ses affaires.

— Yvette, je t'assure qu'elle est loin d'être la seule.

Yvette parut agacée.

— Oui, mais j'ai la sensation qu'il lui est arrivé quelque chose de spécial. Quand il y a eu l'ordre d'évacuation, on a décidé de stocker de l'eau et des provisions. On ne voulait pas partir. Et pouf, Kitten s'est évanouie dans les airs.

Yvette jeta un coup d'œil par-dessus son épaule, puis revint vers Stacy.

— Je crois que le Collectionneur s'est baptisé l'Artiste.

Cette fois, Stacy tendit une oreille très attentive.

— L'Artiste ? répéta-t-elle en se penchant vers Yvette.

— Oui. Un type bizarre harcelait Kitten en lui envoyant des messages qu'il signait l'Artiste. Un truc à vous filer la chair de poule.

— Il la menaçait ?

— Elle se sentait menacée. Ça revient au même.

Pas pour la police. Une menace voilée n'avait pas la même valeur qu'une menace exprimée.

— Pourquoi tu ne vas pas en parler aux flics ? Leur dire ce que tu sais pour qu'ils prennent l'affaire en main ?

— Aux flics..., répéta Yvette d'un ton sarcastique. Mes meilleurs potes.

— Ils ne sont pas tous mauvais.

Yvette lui jeta un regard méfiant.

— Je ne suis pas de ton avis. Les flics et moi, c'est une longue histoire. Et pas très agréable.

Elle avait un casier pour racolage, refus d'obtempérer à une arrestation, possession d'objets illicites.

Pour ne parler que du dossier qui concernait la personne majeure. Elle avait commencé très tôt.

— Qu'est-ce que tu comptes faire, alors ?

Elle haussa les épaules.

— Rien du tout.

— Mais cette fille était ton amie. Tu n'as pas envie qu'on arrête son assassin ? Et puis si tu ne te trompes pas à son sujet, il risque de recommencer et de tuer d'autres personnes.

— Tu n'as qu'à aller leur en parler, toi. Mais moi, je reste hors du coup. Si on me demande quoi que ce soit, je nierai tout en bloc.

Stacy comprit qu'en insistant elle risquait de perdre la confiance d'Yvette. Elle décida d'aborder les choses sous un autre angle.

— Ses affaires sont toujours chez toi ?

— Oui, dans des cartons. D'ailleurs, ça m'encombre et en plus je suis seule à payer le loyer, maintenant.

— Tu pourrais peut-être fouiller ses papiers et chercher une adresse ou le numéro de téléphone d'une personne qui la connaît. Tu apprendrais sans doute qu'elle vit tranquillement ailleurs et qu'elle se porte comme un charme.

— Oui, ce n'est pas impossible, fit Yvette.

Elle racla son assiette pleine de sirop de sucre avec son dernier bout de pain qu'elle porta, dégoulinant, à sa bouche.

La serveuse leur apporta aussitôt l'addition comme si elle avait interprété le geste comme un signal. Yvette la prit.

— C'est pour moi, fit-elle.

— Mais non, protesta Stacy. Tu n'es pas obligée de…

— Tu m'as donné un sacré coup de main hier soir. C'est une façon de te remercier. Comme ça, nous sommes quittes.

Stacy acquiesça et la laissa payer, puis elles sortirent du restaurant. La journée était chaude, lumineuse et très peu humide. Elles marchèrent ensemble quelques mètres, puis s'arrêtèrent au coin de St Peter et de Royal Street.

— Ma voiture est là-bas, dit Stacy en pointant le doigt vers Canal Street.

— Je vais dans la direction opposée. Merci d'être venue, c'était très sympa. On a passé un bon moment.

— C'est vrai, admit Stacy en souriant.

Elle fit mine de traverser, puis se retourna.

— Comment s'appelait-elle, ta colocataire ?

— Kitten Sweet, répondit Yvette.

Kitten Sweet… Tu parles d'un nom…

— Mais tu as sûrement raison, poursuivit-elle. Elle a dû se barrer avec un type qui lui a proposé une virée et ça ne l'a pas dérangée plus que ça de me planter sans explications. Cette salope vit peut-être à Cleveland, maintenant. Je suis bien bête de m'en faire pour elle.

Sur ce, elle fit volte-face et s'éloigna d'un pas rapide.

Mais Stacy ne fut pas dupe. Yvette avait beau jouer les dures, la désertion de sa camarade lui avait fait du mal. On avait dû la laisser tomber plus souvent qu'à son tour.

Kitten Sweet était-elle l'inconnue de City Park ?

Ça paraissait peu probable. Sauf qu'il y avait cette histoire de harcèlement.

Le portable de Stacy sonna. Comme elle s'y attendait, c'était l'équipe de surveillance.

— Salut, les gars, vous avez entendu ?

— Oui. Elle n'a pas dit grand-chose au sujet de Gabrielle, mais elle nous offre un petit extra qui vaut peut-être le coup.

Un petit extra, c'était le mot juste.

— Préparez-moi une transcription de notre conversation. Je la remettrai au capitaine O'Shay.

Elle raccrocha et appela Spencer.

— Où es-tu ? demanda-t-elle quand il répondit.

— Au quartier général. Un dimanche après-midi dans les tranchées, c'est mon rêve.

— Et ta tante ?

— Elle arrive.

— Ne bougez pas. J'arrive aussi. J'ai peut-être quelque chose pour vous, au sujet de votre inconnue de City Park. Je débranche mes micros et je vous rejoins.

19.

Dimanche 22 avril 2007
15 h 35

Patti ne tenait plus en place. D'abord on lui avait apporté Franklin sur un plateau, avec l'arme qui avait tué Sammy. Et maintenant on lui laissait entrevoir la possibilité d'identifier le cadavre du parc. C'était presque trop beau pour être vrai. S'ils parvenaient à établir l'identité de l'inconnue de City Park et ensuite à trouver un lien entre elle et Franklin, l'assassin de son mari était cuit.

— Ça fait combien de temps qu'elle t'a appelé ? demanda-t-elle à Spencer.

— Vingt minutes.

— Comment ça se fait que…

— Que ce soit si long ? acheva Stacy en entrant dans le bureau. Tu as roulé dans le quartier français, récemment ?

— C'est quoi, ton info ? demanda Patti.

Le regard de Stacy alla du capitaine à Spencer.

— Kitten Sweet. Stripteaseuse.

— Comment tu as eu ce tuyau ?

— En menant une enquête en civil. La fille qui me sert de contact assure que sa colocataire a disparu juste avant le cyclone Katrina.

Elle leva une main pour couper court aux protestations de Patti.

— Elle n'est pas la seule, je sais. Mais Borger est catégorique. Un cinglé se faisant appeler l'Artiste inondait son amie de messages et elle se sentait menacée.

— Tu étais branchée pendant la conversation ?

— Bien entendu. Dan prépare la transcription écrite.

De nouveau, elle regarda Spencer, puis Patti.

— Je lui ai conseillé de parler de ça à la police, mais elle a refusé. On ne peut pas dire qu'elle aime les flics.

Spencer et Patti échangèrent un coup d'œil.

— On ne peut pas la convoquer, fit Spencer. Ça ficherait la couverture de Stacy en l'air.

Patti hocha la tête.

— On peut trouver un prétexte pour la convoquer. N'importe quelle accusation bidon fera l'affaire.

— Et lui laisser entendre qu'on est disposés à la laisser partir si elle nous fournit des informations.

— Oui, mais si elle appelle un avocat, non seulement notre plan tombe à l'eau, mais on est sacrément dans la merde. Les types de la *Public Integrity Division* sont à l'affût de ce genre de pratiques. Il faut bien qu'ils justifient leur salaire.

— Elle a toujours chez elle les affaires de sa colocataire, intervint Stacy. Si j'essayais de les fouiller ? Il va falloir que je gagne sa confiance et ça risque de prendre du temps, mais puisqu'elle m'a parlé de la disparition de Kitten, je peux jouer les petites curieuses et la convaincre.

Spencer sourit.

— En somme tu comptes endosser le rôle d'un flic amateur. Avoue que c'est le comble. Tu es sûre d'être crédible ?

Quand ils s'étaient rencontrés, Stacy était étudiante à l'université de La Nouvelle-Orléans et elle s'était mêlée d'une enquête pour homicide menée par Spencer.

— Zut, Malone, rétorqua Stacy qui avait compris l'allusion.

Elle lui tourna le dos et poursuivit en s'adressant à Patti.

— On devrait trouver dans les affaires de Sweet des éléments permettant de l'identifier. Peut-être même ses papiers, avec son véritable nom.

— Ah bon ? fit Spencer d'un ton pince-sans-rire. Parce que tu penses que Sweet n'est pas son véritable nom ?

Patti n'écoutait pas leur badinage. Son esprit fonctionnait à toute allure. Elle n'avait pas l'intention d'attendre sagement que Stacy trouve une occasion de fouiller les affaires de la demoiselle. Elle avait hâte de savoir si Kitten Sweet était bien la faille qui leur permettrait d'accéder au tueur. Et tant pis si elle devait agir seule et sans l'accord de ses supérieurs.

— On va chercher dans notre base de données, dit-elle. On ne sait jamais. On va commencer par là.

20.

Lundi 23 avril 2007
23 h 45

Kitten Sweet était effectivement répertoriée dans les fichiers de la police. Elle avait été arrêtée plusieurs fois pour racolage, refus d'obtempérer, état d'ivresse sur la voie publique et conduite sous l'emprise de l'alcool. Elle s'appelait Diana Burke et sa dernière adresse connue était celle de l'appartement d'Yvette Borger, sur Governor Nicholls Street.

Le dossier de Kitten Sweet ne leur apprit pas grand-chose de plus, mais il confirma que son profil correspondait à celui de l'inconnu de City Park : Blanche, un mètre soixante-deux, trente et un ans.

Patti décida donc de poursuivre plus avant dans cette direction, avec un plan d'action qui ne prévoyait pas d'attendre que Stacy manœuvre subtilement avec son contact. Elle voulait des réponses tout de suite.

Il fallait absolument établir un lien entre Franklin et la victime, prouver qu'il était le Collectionneur et l'assassin de Sammy, réunir rapidement des éléments contre lui pour monter un dossier solide.

Elle voulait l'envoyer à la chaise électrique. Et elle se sentait prête à tout pour ça.

Pour une fois, le capitaine O'Shay se préparait à quelques entorses au règlement.

Patti n'avait rien dit à Spencer et à Stacy pour ne pas les impliquer.

Elle risquait sa carrière si la *Public Integrity Division* avait vent de l'histoire. Elle ne voulait entraîner personne dans sa chute. Elle avait décidé d'agir seule.

Elle gara son véhicule dans Barracks Street, tout près de l'immeuble habité par Yvette Borger. Elle savait qu'Yvette était au travail, elle avait l'intention de se glisser chez elle, juste quelques minutes, et d'en ressortir le plus vite possible. Avec un peu de chance, elle trouverait quelque chose qui permettrait au labo d'identifier Sweet et de prouver qu'elle était l'inconnue de City Park.

Elle descendit de sa voiture et se dirigea vers l'entrée de l'immeuble. Elle s'attendait un peu à ce que la porte soit fermée, mais ça ne l'inquiétait pas.

En tant que garants de la loi, les flics étaient bien placés pour connaître les ficelles permettant de l'enfreindre. Parfois mieux que certains criminels. Ils avaient tout vu, ils savaient ce qui fonctionnait et ce qui ne fonctionnait pas. Bien entendu, ils n'utilisaient ces connaissances que pour coincer les malfaiteurs.

Excepté dans certaines situations très particulières.

Comme celle-ci.

Patti sortit de sa poche une pochette à outils et en tira une lime plate et fine qu'elle introduisit dans la serrure pour la fouiller jusqu'à entendre le déclic signalant l'ouverture. Puis elle remit tranquillement la lime dans l'étui et l'étui dans sa poche de veste.

Yvette habitait l'appartement numéro douze. Patti parcourut la cour du regard. Deux escaliers desservaient les étages, l'un menait aux numéros pairs, l'autre aux numéros impairs. La porte par laquelle elle venait de passer était visiblement le seul accès à l'immeuble.

Elle prit l'escalier pair et grimpa jusqu'au premier, en avançant vite et en silence. Malheureusement, le chien du numéro huit avait l'oreille fine et il aboya.

Quelques secondes plus tard, une lumière jaillit sur le balcon circulaire et une femme passa sa tête à la porte.

— Salut, dit-elle.

— Salut, répondit Patti.

Le regard de la femme chercha par-dessus l'épaule de Patti. Elle se demandait visiblement qui elle venait voir et comment elle était entrée.

— Je rends visite à Yvette, expliqua Patti. Désolée de vous avoir réveillée.

— C'est à cause de cet idiot de Samson. Il aboie chaque fois que quelqu'un traverse le couloir.

Elle se tut et contempla Patti, les sourcils froncés.

— Vous êtes une amie d'Yvette ?

A son expression, Patti comprit qu'elle ne ressemblait pas aux personnes qu'Yvette fréquentait habituellement.

— J'espère être son amie, dit-elle en souriant. Mais je suis avant tout sa mère. Je séjourne chez elle toute la semaine.

Elle retint sa respiration. Elle prenait un gros risque. Après tout, cette voisine connaissait peut-être la mère d'Yvette.

— C'est drôle, s'étonna la femme. Elle ne m'a pas dit que sa mère avait prévu de lui rendre visite.

— Je me suis décidée sur un coup de tête.

— Enchantée de vous connaître. Je m'appelle Nancy. Vous vous ressemblez.

— Merci, Nancy. Je prends ça comme un compliment. Vous savez où ma fille cache sa clé, Nancy ? Elle me l'a dit, mais j'ai complètement oublié.

— Dans le cache-pot avec les chérubins.

— Merci beaucoup.

Elle fila directement vers le pot et prit la clé. En se retournant, elle vit que Nancy ne la quittait pas des yeux. Elle lui adressa un petit signe de la main et entra dans l'appartement.

A l'intérieur, elle s'arrêta quelques secondes pour pousser un énorme soupir de soulagement.

Elle venait de frôler la catastrophe…

Elle alluma la lumière, au cas où Nancy continuerait à surveiller, puis se mit à la recherche des cartons contenant les affaires de Kitten Sweet.

Elle n'eut aucun mal à les dénicher, ils se trouvaient dans la chambre du fond, Stacy ne s'était pas trompée. Elle commença par celui du dessus, qu'elle fouilla tranquillement, avec soin, puis passa au suivant. Les deux premiers ne contenaient que des vêtements et des chaussures. Patti n'avait jamais vu autant de dos nus et de minijupes rassemblés au même endroit.

Le troisième carton contenait des lettres, des papiers et des photographies. Patti passa les photos en revue. Elle reconnut Sweet sur une photo d'identité. Yvette Borger se trouvait aussi dans le tas. Les autres visages ne lui dirent rien.

Elle s'intéressa ensuite aux papiers. Il y avait là des lettres venant de sa famille, des factures, des offres de crédits. Pas de messages signés l'Artiste.

Enfin, elle tomba sur quelque chose d'intéressant. Une enveloppe kraft contenant des ordonnances et des dossiers médicaux. Elle vit passer les résultats d'un frottis réclamé par le gynécologue de la jeune femme, la facture d'une somme payée en liquide à un chirurgien pour des prothèses mammaires, et une autre facture, plus intéressante, celle d'un dentiste.

Bingo… Elle allait pouvoir comparer la radio de la mâchoire de Sweet avec celle de l'inconnue de City Park.

Elle glissa la facture du dentiste dans sa poche, referma le carton et se redressa. Elle s'assura que les cartons étaient bien alignés, exactement comme elle les avait trouvés en entrant, puis elle éteignit la lumière et prit le chemin du retour.

Elle allait refermer la porte d'entrée quand elle entendit aboyer Samson. Mais cette fois, ce n'était pas à cause d'elle.

Borger. Merde.

La jeune femme l'avait vue.

— Hello, fit Patti d'un air dégagé en agitant la main.

Puis elle fit mine d'essayer d'ouvrir — en espérant qu'Yvette Borger n'avait pas remarqué qu'elle était justement en train de la fermer.

— Je peux vous aider ? demanda Yvette d'un ton aigre.

Elle avait mauvaise mine et Patti supposa qu'elle avait quitté son travail plus tôt parce qu'elle ne se sentait pas bien.

— Je suis la mère de Nancy, expliqua-t-elle en priant pour que Nancy ne passe pas la tête à la porte. Je suis chez elle pour la semaine. Elle m'a confié une clé, mais je ne comprends pas, je n'arrive pas à ouvrir.

— Je suis Yvette et vous vous trouvez devant mon appartement. Nancy, c'est la porte à côté.

Patti prit un air horrifié.

— Oh, Seigneur… Je suis désolée. Pardonnez-moi.

— Ce n'est pas grave. Mais, si vous le permettez, j'aimerais rentrer. Je ne me sens pas très bien.

— Bien sûr, murmura Patti en reculant. Je suis confuse.

— Ne vous inquiétez pas, répondit Yvette en ouvrant sa porte. Mais je dois vous laisser. Vraiment… Je ne me sens pas très bien.

Elle entra, tête baissée. Patti attendit quelques minutes avant de faire demi-tour. Cette fois, le chien n'aboya pas quand elle passa devant le numéro huit. Un coup de chance… Sans doute faisait-il la différence entre arriver et partir.

Elle descendit l'escalier tout en réfléchissant à ce qu'elle venait de faire. Ce qu'elle emportait n'était pas considéré comme une preuve puisque Yvette n'était accusée de rien. En fouillant chez elle, elle avait pris de gros risques. Elle mettait son travail dans la balance.

Si Kitten Sweet était l'inconnue de City Park, elle allait devoir expliquer aux gars de la *Public Integrity Division* et à ses supérieurs comment elle l'avait trouvée.

Mais ça lui était égal. Son travail ne signifiait plus grand-chose pour elle.

Elle traversa la cour et sortit de l'immeuble. Elle allait regagner sa voiture, quand elle s'arrêta net.

Spencer était là. Il avait garé sa Camaro devant l'immeuble et l'attendait debout, adossé à la portière du conducteur. Il lui sourit.

— Je trouve que ça devient un peu trop facile de prévoir tes réactions, Patti O'Shay.

Elle ne put s'empêcher de sourire elle aussi.

— Qu'est-ce qui t'a mis la puce à l'oreille ? demanda-t-elle.

— Ton « On va commencer par là » signifiait que tu avais un plan précis et l'intention de le mettre en action.

— Je prends ça comme un compliment. Stacy est au courant ?

— Elle a peut-être deviné toute seule, mais je ne lui ai rien dit. Et je préfère ne pas la mêler à ça. Comment ça s'est passé ?

— Merveilleusement bien. A part un petit accroc sans importance.

— Où est ta voiture ?

— Un peu plus loin. Au coin de la rue. Mal garée. Dans une zone de fourrière.

— Je t'y emmène.

Elle accepta et grimpa avec lui dans la Toyota. Elle attendit qu'il démarre pour se tourner vers lui.

— Je suis tombée sur un gros filon. J'ai le nom et le numéro de téléphone du dentiste de Sweet.

— Tu espères qu'il aura une radio de sa dentition.

— Et aussi que son cabinet se trouvait sur les hauteurs, dans un quartier épargné par le cyclone.

Il s'arrêta à la hauteur de la voiture de Patti.

— L'expert en odontologie, c'est bien Baker ? demanda-t-il.

— Aux dernières nouvelles, oui.

Elle ouvrit la portière, sortit, et se retourna pour jeter un coup d'œil par-dessus son épaule.

— Je tiens à ce que tu restes en dehors de ça, prévint-elle. A partir de maintenant, tu ne t'en mêles plus.

Il ouvrit la bouche pour protester, mais elle l'arrêta net.

— Si quelqu'un doit se mouiller, c'est moi.

Il la dévisagea un instant, puis acquiesça.

— Au fait, je suis chargé de te faire savoir que tu dois te trouver à la taverne *Shannon's* demain soir à 19 heures, dit-il en changeant de sujet.

— John Jr. ?

— Qui d'autre ? Il organise une petite fête familiale en l'honneur de l'exposition de Shannon.

Elle hocha la tête et fit mine de claquer la portière, mais il l'arrêta d'un geste.

— Tante Patti ? Est-ce que je devrais m'inquiéter pour toi ?

— T'inquiéter dans quel sens ?

— Tu as un comportement bizarre, ces temps-ci. Ou du moins inhabituel. J'avoue que ça m'effraie.

— Si tu as peur que je craque, je te rassure, je ne craque pas. Mais j'ai changé, Spencer. Et mes priorités aussi ont changé.

21.

Mardi 24 avril 2007
18 h 50

Patti arriva chez *Shannon's* juste avant 19 heures. Elle avait passé une bonne journée. Elle avait réussi à contacter le dentiste de Kitten Sweet, le Dr Mancuso, lequel possédait une radio panoramique de la mâchoire de sa patiente. La loi interdisant à un médecin de divulguer ses dossiers sans un document officiel, Patti s'était procuré une assignation à comparaître. En milieu d'après-midi, le Dr Mancuso était venu lui remettre la radio et elle l'avait apportée sur-le-champ à l'assistant du coroner qui s'occupait de l'inconnue de City Park.

La nouvelle qu'on avait peut-être un suspect pour le meurtre de Sammy s'était répandue comme une traînée de poudre dans tout le département de police et Patti avait eu droit à un défilé incessant de collègues venus l'encourager et la féliciter. Une atmosphère de liesse avait flotté dans le commissariat toute la journée.

La police de La Nouvelle-Orléans avait payé un lourd tribu à Katrina et l'arrestation du meurtrier de Sammy était considérée comme une victoire personnelle, une revanche sur les ravages du cyclone, un pas vers un avenir meilleur.

Patti gara sa Camry et sortit. A en juger par le nombre de véhicules agglutinés dans le parking, le *Shannon's* était particulièrement bondé pour un jeudi soir. Elle reconnut dans le lot la Camaro de Spencer, celle de Quentin et le mini van d'Anna.

Elle n'était donc pas la première arrivée.

Elle traversa le parking pour rejoindre l'entrée de la taverne et entra. Dès qu'elle eut franchi la porte, elle fut saluée par une volée d'applaudissements. Elle s'arrêta net. Quelques secondes plus tard, elle était entourée par un groupe enthousiaste.

— Bravo !

— C'est formidable, capitaine !

— On le tient, Patti ! Et ce n'est que justice !

On lui fourra une chope de bière entre les mains. Il y avait là June et Riley Benson. June la serra dans ses bras avec les larmes aux yeux et Riley l'embrassa sur la joue en la félicitant chaudement. Spencer se détacha du groupe pour avancer vers elle en affichant un grand sourire. Stacy était avec lui, John Jr. et Quentin se tenaient juste derrière.

— Je t'ai bien eue, tante Patti, fit Spencer en riant.

— Tu m'as joué un sale tour, tu veux dire. Tu vas avoir affaire à moi.

— Le chef est là. Débrouille-toi avec lui.

Le temps passant, le petit groupe devint de plus en plus joyeux et bruyant. Le clan Malone s'était déplacé au complet. Patti eut donc enfin l'occasion de rencontrer le petit ami de Shauna, celui que la famille lui avait décrit comme grand, ténébreux et maussade.

Patti jugea qu'il n'avait pas usurpé sa réputation. Il semblait avoir adopté le personnage de l'artiste torturé. Mais il était incroyablement séduisant et elle n'eut pas de mal à comprendre pourquoi il plaisait à Shauna.

Il était déjà presque 20 heures quand elle trouva enfin une occasion de parler en aparté avec Spencer. Elle en profita pour le mettre au courant des événements de la journée.

— On le tient, annonça-t-elle. Jusque-là je n'étais pas très sûre de moi, mais je commence à croire que j'ai vu juste.

Il la serra contre lui.

— On dirait bien que oui, fit-il avec émotion. Cet enfoiré est fichu. Avec ce qu'on a, ça va être du gâteau de trouver ses liens avec la victime.

Ils furent interrompus par un brouhaha. Le groupe commençait à être un peu éméché et tout le monde scandait « Une chanson ! Une chanson ! », en regardant Riley.

Riley improvisait des chansonnettes humoristiques et satiriques non dénuées de poésie qui prenaient pour cible les membres de son entourage, et notamment la famille Malone.

Il se mit à gratter les cordes de sa guitare.

Attention, les mauvais garçons, Patti O' Shay est là,
Il n'y a pour elle
Ni repos ni sommeil,
Et c'est quand vous ne vous y attendez plus
Qu'elle vous tombe dessus pour vous botter le cul.

L'assemblée accueillit le couplet avec des hurlements de rire et Riley enchaîna avec *For She's a Jolly Good Fellow.* On lui en réclama ensuite une autre, pendant que Patti se faufilait vers le bar pour réclamer une tasse de café. Elle s'accouda au comptoir et contempla rêveusement Riley. Il savait s'y prendre pour captiver un auditoire. Il était grand, avec une touffe de cheveux frisés et un sourire à tomber par terre. Il avait du charisme et un franc succès auprès des femmes, mais il n'était pas non plus de ces hommes franchement beaux qui déclenchent la jalousie des autres mâles. Pourtant, Patti avait du mal à comprendre qu'il soit encore célibataire.

Quand Riley quitta la petite scène, Shauna vint la rejoindre. Elle avait hérité des cheveux et des yeux brillants des Malone, mais pas de leur grande stature. Elle était petite, comme sa mère.

— Quel gaspillage de talent, commenta-t-elle à propos de Riley. Il aurait pu faire une belle carrière.

Patti lui sourit.
— Il n'avait pas le feu sacré.
— Ça peut se comprendre, répondit Shauna avec une petite moue. A quoi ça lui aurait servi ?
— Qu'entends-tu par là ?
Shauna haussa les épaules.
— Qu'il est né avec une cuillère en argent dans la bouche et qu'il n'a pas besoin de se casser la tête.
— Je crois déceler dans ta voix une pointe d'amertume. Je me trompe ?
— Oui, tu te trompes. Je voulais simplement dire qu'il est trop paresseux ou trop gâté pour se battre pour quoi que ce soit.
La remarque surprit Patti. Elle les avait crus bons amis.
— Mais je l'adore, s'empressa de préciser Shauna comme si elle avait lu dans ses pensées. Je suis super excitée d'avoir signé avec lui, mais... Quand je vois des gens qui laissent leurs dons en friche, ça me fend le cœur. Et je crois que June a sa part de responsabilité dans ce gâchis.
— June ? C'est Riley qui refuse de grandir. Elle ne demanderait pas mieux que de le voir se débrouiller tout...
— Seul ? coupa Shauna. Reviens sur terre, tante Patti. Elle ne supporte pas l'idée de le laisser partir. Chaque fois qu'il fait preuve d'un peu d'autonomie, elle le rappelle à l'ordre. Son dernier exploit a été de lui offrir la galerie sur un plateau.
— Apparemment, tu n'as entendu qu'un son de cloche, riposta Patti qui tenait à défendre son amie. Moi, j'entends celui de June depuis onze ans, depuis que leurs parents sont morts. S'il Riley se comporte comme un enfant gâté, c'est leur faute.
Le petit ami de Shauna vint les rejoindre et passa un bras protecteur autour de ses épaules.
— Tu es prête à partir, mon chou ?
— Rich, tu as fait connaissance avec tante Patti ?
Il la dévisagea en arborant un large sourire un peu forcé.
— Oui. Encore toutes mes félicitations, madame.

— Merci.

Il se tourna vers Shauna.

— Alors ? Tu veux y aller ?

— Pas tout de suite.

— Ce n'est pas grave. Ça ne t'ennuie pas si je ne te raccompagne pas ? Je commence très tôt demain.

Shauna rougit, mais Patti n'aurait pas su dire si c'était de colère ou de honte.

— Pas de problème, dit-elle. Tu peux partir.

Elles le regardèrent s'éloigner, puis Shauna se tourna vers sa tante.

— Ne dis rien. On m'a déjà fait l'article.

— Tu devrais peut-être en tenir compte.

— Avec tout le respect que je te dois, je crois que je vais te répondre la même chose qu'aux autres : mêle-toi de tes oignons.

Spencer et Quentin qui avaient entendu ne purent résister à l'envie de mettre leur grain de sel.

— Ce type a l'air d'un idiot, fit Spencer. Tu aurais pu trouver mieux. Enfin, il vaut mieux voir ça que d'attraper la gale.

Shauna allait riposter, mais Shannon appela Patti.

— Patti, ma chérie, téléphone !

Patti fit le tour pour passer derrière le comptoir et décrocher.

— Patti O'Shay.

Elle fronça les sourcils.

— Oui.

— La veuve de Sammy O'Shay ?

La question déclencha un désagréable picotement au niveau de sa nuque.

— Oui, répondit-elle.

— Juste pour information, je tenais à vous dire que vous ne tenez pas le bon.

— Pardon ?

— Franklin n'est pas le coupable que vous recherchez.

On avait déjà raccroché. Patti resta immobile, avec le combiné collé à l'oreille. Son cœur battait, elle avait l'impression d'avoir reçu un verre d'eau glacée en pleine figure.

Et ça devait se voir, parce que Quentin et Spencer contournèrent eux aussi le comptoir pour venir près d'elle.

— Qu'est-ce qui se passe ? demanda Spencer.

Elle leur raconta ce qui venait de se passer et se tourna vers Shannon.

— Tu peux lire l'identité de l'appelant ? demanda-t-elle.

Comme il répondait que non, elle décida d'essayer autre chose.

— Compose étoile et 69, fit-elle.

Il s'exécuta aussitôt et lui communiqua le numéro. Elle fit signe à Spencer.

— Vérifie le 504-555-0314.

— Tout de suite, répondit-il en se dirigeant vers l'entrée pour s'isoler du bruit.

Il revint quelques minutes plus tard.

— L'appel provenait d'une cabine téléphonique du centre-ville, annonça-t-il. Sur Canal Street.

— Envoie une voiture de patrouille.

— C'est déjà fait.

— N'accorde pas trop d'importance à ce coup de fil, suggéra Quentin. Il peut s'agir tout simplement d'un type qui a envie de te contrarier.

— Ou d'un cinglé, proposa Spencer. Les médias ont annoncé que nous tenions un suspect.

— Ça ne pouvait pas être n'importe qui, riposta Patti. Les journalistes ont effectivement parlé d'un suspect, mais son nom n'a pas été mentionné.

— Alors il s'agissait d'un ami de Franklin qui essaye de semer le doute.

— Et comment a-t-il su où me trouver ce soir ?

Ils demeurèrent sans voix quelques secondes et elle les dévisagea en silence l'un après l'autre. Elle put voir à leur expression à quel moment ils comprirent qu'il n'y avait pas des milliers d'explications possibles.

— Un flic, murmura Quentin. Ça ne peut être qu'un flic. A qui as-tu récemment passé un savon, tante Patti ?

22.

Mercredi 25 avril 2007
1 h 30

Spencer se gara en face de la grande demeure de Garden District où Tony et le représentant du bureau du coroner l'attendaient déjà. Des officiers avaient placé le cordon jaune pour délimiter la scène du crime.

Quelques voisins étaient sortis sur leur porche pour contempler le spectacle d'un air abasourdi. Sans doute tremblaient-ils dans leurs Cole Haans et leurs Manolo Blahniks en prenant conscience de la terrible vérité : l'argent permettait de s'offrir une maison à l'abri des inondations dans un quartier chic, mais il ne vous garantissait pas pour autant une longue vie. Quand la mort frappait à votre porte, il n'y avait rien à faire.

Et ce soir, la mort était venue sous la forme d'une balle.

Spencer signa le registre, puis se baissa pour passer sous le cordon. Tony l'aperçut et vint à sa rencontre d'un pas tranquille.

— Tu en as mis du temps pour arriver, petit finaud.

— Je t'emmerde, Pasta Man, répondit Spencer. Qu'est-ce qu'il lui est arrivé ?

— Une balle à l'arrière du crâne quand il sortait de sa voiture.

— Pauvre type.

— Il ne s'agit pas de n'importe quel pauvre type, mais de Marcus Gabrielle, répondit Tony.

Spencer mit quelques secondes à enregistrer l'information. Il siffla entre ses dents.

— Merde… Le suspect de Stacy. Elle va être furieuse.

— Son patron aussi. Ils peuvent dire adieu à leur enquête.

— Tu penses que le meurtre a un rapport avec ses activités clandestines ? Quelqu'un a peut-être su qu'il était dans le collimateur des flics.

— C'est en effet très plausible. Il était grillé. Il devenait gênant, on l'a éliminé.

Spencer parcourut lentement les lieux du regard. A part la victime qui gisait dans une mare de sang, tout paraissait bien en ordre.

Il alla s'accroupir près du cadavre. Gabrielle était allongé sur le dos, avec un trou au milieu du visage. Sa main droite était crispée sur ses clés de voiture et la portière du conducteur était encore ouverte.

— Son portefeuille ? demanda-t-il.

— Il l'a toujours.

Spencer remarqua un éclat doré au poignet du mort. Il enfila des gants et retroussa délicatement la chemise ensanglantée pour jeter un coup d'œil à la montre. Une Rolex. Avec des diamants.

— C'est pas de la merde, commenta-t-il. Un sacré bijou.

Tony montra la main gauche du cadavre.

— Jette un œil sur son anneau. Le mobile du crime n'était pas le vol.

— Non. Ça ressemble plutôt à une exécution.

— C'est sa femme qui l'a vu en dernier, fit Tony en se grattant la tête. Vers 21 heures 45. Elle pourrait être l'assassin, mais elle m'a paru très affectée, au bord de la crise de nerfs. Elle a l'air réglo.

— Il y a quelqu'un avec elle en ce moment ?

— Un voisin et un officier.

Spencer acquiesça.

— Tu es certain qu'il sortait de sa voiture ? Regarde la position du corps. Sa main gauche était sur la poignée et il avait les clés dans la main droite. Je dirais plutôt qu'il ouvrait la portière pour monter dans sa voiture et qu'on lui a tiré dessus depuis la rue.

Tony hocha la tête.

— Tu as raison. S'il était sorti, il serait tombé face contre terre.

Spencer se redressa et contourna le corps pour jeter un coup d'œil à l'intérieur du véhicule.

— Si sa femme avait voulu lui souhaiter la bienvenue chez lui en l'accueillant avec une balle, elle l'aurait atteint de face. Et son cerveau s'échapperait par l'arrière du crâne et pas par le devant.

— Forcément.

— Tu l'as dit, Pasta Man.

— Donc la femme ne peut pas être notre tireur. A moins qu'elle ne l'ait attendu cachée dans les buissons, ce qui l'aurait obligée à laisser les enfants seuls à l'intérieur.

Spencer ôta ses gants et les fourra dans sa poche de veste.

— Il faut interroger la veuve éplorée ? demanda-t-il.

— Oui, il le faut, fit Tony d'un ton solennel. Après toi, Petit malin.

Ils la trouvèrent dans le petit salon près de l'entrée. Elle était blonde, très mince, et exhibait un énorme diamant. Spencer lui donna entre vingt-huit et trente-deux ans.

— Madame Gabrielle, fit-il d'une voix douce. Nous sommes malheureusement dans l'obligation de vous poser quelques questions.

Elle acquiesça lentement. Elle paraissait au bord de l'évanouissement.

— Je vous présente notre voisin, Joe Williams, dit-elle.

L'homme se leva pour leur serrer la main. Spencer trouvait toujours étrange que les gens songent à faire des civilités dans de pareils moments.

— Les enfants sont avec ma femme, expliqua Joe Williams. J'habite la maison voisine.

Il reprit place sur son siège.

— Elle les garde avec elle à l'intérieur pour qu'ils…

Pour qu'ils ne voient pas la cervelle de leur père répandue sur le trottoir. Excellente idée…

Spencer le remercia, puis se tourna vers Mme Gabrielle.

— Quand avez-vous vu votre mari pour la dernière fois ? demanda-t-il.

— Entre 21 heures et 22 heures. Nous venions de réussir à coucher les enfants.

— Vous ne pourriez pas être plus précise ? insista-t-il.

Elle tritura le mouchoir en papier qu'elle serrait dans ses mains. Spencer remarqua qu'il était trempé.

— Ils rechignent toujours pour aller au lit, soupira-t-elle. Je sais que nous devrions les monter vers 20 h 30, mais nous n'y arrivons jamais avant 21 heures.

Le ton était à la fois défensif et larmoyant, comme si elle tentait de se justifier à ses yeux en tant que mère.

Tony intervint.

— Je comprends très bien, dit-il. J'ai moi-même élevé quatre enfants et maintenant qu'ils ne sont plus là, je m'étonne chaque soir du calme qui règne le soir dans notre maison.

— Poursuivez, fit Spencer que ces considérations sur le coucher des enfants n'intéressaient pas.

Mme Gabrielle jeta un regard reconnaissant à Tony.

— Je pense qu'il devait être 21 h 30, peut-être un peu plus.

— Une fois les enfants au lit, votre époux a manifesté l'intention de sortir, c'est ça ?

— Oui. Je lui ai dit bonsoir et je lui ai demandé d'être…

Sa voix se brisa et ses lèvres se mirent à trembler.

— Que lui avez-vous demandé, madame Gabrielle ? D'être prudent ?

— Oui.

— Où allait-il ?

Elle baissa les yeux d'un air gêné.

Quelques minutes passèrent dans le silence, puis Spencer revint à la charge.

— Votre mari s'absentait souvent le soir, n'est-ce pas ?

Elle acquiesça en évitant son regard.

— Saviez-vous où il se rendait ?

Comme elle ne répondait pas, il insista.

— Le saviez-vous, madame Gabrielle ?

— C'était un bon mari, gémit-elle. Un bon mari et un bon père. Soucieux de subvenir aux besoins de sa famille. Il se rendait dans des bars mal famés, oui, et après ? C'était pour son travail. Les clients aimaient ça. Ils voulaient…

Elle éclata en sanglots. Le voisin lui tapota gentiment le dos tout en jetant un mauvais regard à Spencer et Tony. Tony lui tendit la boîte de mouchoirs en papier.

— Merci, murmura-t-elle en la prenant.

— Votre mari était agent immobilier ? demanda Spencer quand elle se fut un peu calmée.

— Oui.

— Avait-il d'autres activités à votre connaissance ?

Elle leva vers lui des yeux étonnés.

— Je ne comprends pas votre question, dit-elle.

— Avait-il une autre source de revenus ?

Elle fronça les sourcils, regarda le voisin, puis de nouveau Spencer.

— Je ne vois pas de quoi vous voulez parler, protesta-t-elle.

— Aviez-vous accès à ses comptes, madame Gabrielle ?

— Mais bien sûr ! Je suis sa…

Elle s'interrompit et son visage s'empourpra de colère.

— Mais pourquoi me posez-vous ces questions ? On vient de tuer mon mari. Vous devriez plutôt vous inquiéter de… Il faut attraper le monstre qui… Le monstre qui a tiré sur lui.

— On s'en inquiète, madame Grabrielle, vous pouvez nous faire confiance, répondit doucement Tony. Lui connaissiez-vous des ennemis ?

Elle secoua la tête.

— Non.

— Des gens mécontents après une affaire qui ne se serait pas terminée comme ils auraient voulu ? Des clients avec lesquels il se serait disputé ?

— Non, fit-elle d'un ton plus aigu. Non.

Spencer décida de changer de sujet.

— Comment avez-vous découvert ce qui s'était passé ?

— C'est Joe qui m'a appelée pour me dire que le plafonnier de la voiture de mon mari était allumé. Je le croyais déjà parti, alors...

Elle était sortie pour voir ce qui se passait et elle l'avait trouvé baignant dans son sang.

Spencer se tourna vers le voisin.

— A quelle heure avez-vous remarqué ces lumières, monsieur Williams ?

— Il devait être entre 0 h 30 et 0 h 45. Quelque chose comme ça.

— Vous n'étiez donc pas couché ? C'est dans vos habitudes ?

Williams fronça légèrement les sourcils.

— Pas vraiment. Je souffrais de terribles brûlures d'estomac. J'ai mangé des huîtres frites. Je les adore, mais elles ne m'adorent pas.

Son regard passa de Spencer à Tony. Spencer jugea en son for intérieur qu'il se donnait beaucoup de mal pour se justifier et montrer qu'il était innocent.

— Je suis descendu dans la cuisine pour prendre un médicament. C'est là que j'ai vu les lumières du plafonnier de la voiture. J'ai donc décidé d'appeler.

— Et ensuite ?

— J'ai entendu Kim hurler et je suis sorti en courant pour voir ce qui se passait.

Spencer ferma son calepin et se leva. Tony l'imita.

— Merci, madame Gabrielle, dit-il. Ce sera tout pour ce soir, mais nous restons en contact.

— Attendez ! s'exclama-t-elle.

Elle se leva aussi, en titubant légèrement.

— Mais je ne sais rien de… Que comptez-vous faire maintenant ?

Tony songea qu'elle serait probablement plus heureuse sans son salaud de mari, mais elle l'ignorait et elle avait du chagrin. Elle lui fit de la peine.

— Nous vous appellerons dès que nous en saurons un peu plus. Vous serez la première à être tenue au courant des avancées de notre enquête. Croyez bien que je suis désolé de ce qui vous arrive, madame.

Ils sortirent de la maison. Pendant qu'ils étaient à l'intérieur, l'équipe des experts était arrivée. Les puissants projecteurs de leur camionnette éclairaient la scène du crime comme en plein jour. Les photographes avaient déjà commencé à mitrailler le périmètre.

Tony se tourna vers Spencer.

— Qu'en penses-tu, mon petit futé ? Tu crois que c'est elle qui a appuyé sur la détente ?

— Tout est possible, mais ça m'étonnerait. A la façon dont elle a réagi, j'ai l'impression qu'elle se doutait que son mari trafiquait des trucs louches au *Hustle*, mais qu'elle avait décidé de faire l'autruche.

— Parce que c'était un bon mari et un bon père qui subvenait aux besoins de sa famille.

— Exactement.

— Et sa carrière de pourvoyeur de drogue ?

— Présumé pourvoyeur, corrigea sèchement Spencer. Nous n'avons aucune preuve.

— Cette femme me fait de la peine, murmura Tony. Elle va traverser une sale période.

Spencer consulta sa montre. Il pensait à Stacy. Elle avait terminé son service au *Hustle* depuis trente minutes et elle aurait sûrement envie de venir voir sur place.

Il ouvrit son téléphone portable et composa son numéro.

Elle répondit tout de suite.

— Stacy Killian.

— C'est moi, dit-il. Où es-tu ?

— Dans St Charles. Je traverse Poydras. Pourquoi ?

— Je crois que tu vas faire un petit détour avant de rentrer à la maison.

— Au ton de ta voix, je suppose que ce n'est pas pour acheter des *doughnuts*.

— Gabrielle est mort, dit-il. On lui a tiré dessus au moment où il montait dans sa voiture. Chez lui. Nous sommes sur la scène du crime.

— J'arrive tout de suite.

23.

Mercredi 25 avril 2007
2 h 35 du matin

Stacy pila devant la maison de Gabrielle et descendit de voiture. La camionnette des experts était en place et ses projecteurs éclairaient la zone délimitée par le cordon jaune. Elle contempla celle du coroner et se demanda qui de ses collaborateurs avait tiré le bon numéro ce soir.

Elle signa le registre et passa dans le périmètre protégé pour rejoindre Spencer et Tony.

Tony l'aperçut en premier.

— Salut, Stacy. C'est original ton nouveau look. On n'a pas l'habitude de te voir comme ça.

— Ouais. Ça te plaît ?

— Si je te réponds oui, tu promets de ne pas le répéter à Betty ?

— Promis, vieux cochon.

Il rit.

Spencer se tourna vers eux.

— Killian, fit-il.

Tout le monde savait qu'ils vivaient ensemble, mais au travail ils se comportaient comme de simples collègues et gardaient leurs distances.

— Malone, répondit-elle en s'arrêtant à sa hauteur. Merci de m'avoir prévenue.

Elle reporta son attention sur Gabrielle. Le gagnant de ce soir était le shérif adjoint Mitch Weiner. Il était accroupi près du cadavre et l'examinait.

— Tes premières impressions ? demanda-t-elle.

Weiner leva les yeux vers elle.

— Une seule balle à l'arrière du crâne. Voilà mes premières impressions.

— Le vol n'est pas le mobile du crime, précisa Spencer. Il a toujours son portefeuille et sa verroterie sur lui.

— Ça ressemble à une exécution, conclut Tony.

— Si Gabrielle avait été l'homme d'affaires réglo et le bon père de famille qu'il prétendait être, j'aurais pensé à un rite d'entrée dans un gang, ajouta Spencer.

Dans certaines bandes organisées de malfaiteurs, on devait faire ses preuves pour être accepté. Et faire ses preuves pouvait signifier tuer un malheureux choisi au hasard. Un homme blanc et riche comme Gabrielle représentait une victime prestigieuse.

— Mais étant donné les activités louches qu'il exerçait en plus de son métier, je dirais plutôt que tout ça a un rapport avec le milieu de la drogue.

Stacy acquiesça tout en ouvrant son portable.

— Mon capitaine est déjà informé ?

— Pas par nous, en tout cas.

Il aurait été furieux qu'on ne le mette pas au courant tout de suite et elle n'hésita pas une seconde à composer son numéro. Il répondit aussitôt, sur le ton grognon de quelqu'un qu'on réveille en pleine nuit.

Stacy appréciait le capitaine Cooper. Il avait eu une enfance difficile dans une zone réhabilitée par le *Desire Housing Projects* — un projet d'urbanisme visant à offrir aux plus pauvres des maisons décentes, mais qui avait lamentablement échoué en raison du fort taux de délinquance qui s'était développé dans les quartiers concernés. C'était un homme intelligent et juste, mais dur. Il savait pour l'avoir vécu à quel point il était difficile de surmonter les préjugés et de gagner le respect des autres quand on appartenait à une minorité. Il lui avait montré dès le premier jour qu'il la jugerait sur la qualité de son travail et sur rien d'autre.

— C'est Killian, annonça-t-elle.

— Bonne ou mauvaise nouvelle ?

— Gabrielle est mort. Ça ressemble à une exécution. On l'a tué d'une balle, dans l'allée de sa maison. Je suis sur place.

— Putain de merde. Comment avez-vous su ?

— Les gars de la criminelle m'ont contactée.

— Malone ?

— Et Sciame. Je préviens Baxter et Waldon ?

— Pas la peine. Ils ne peuvent rien faire ce soir. Il faut d'abord qu'on se réunisse pour décider de la stratégie à adopter.

— Borger sait peut-être quelque chose.

— Il faut l'interroger. Envoyez deux agents en uniforme pour la cueillir chez elle. Je la veux demain matin dans mon bureau à la première heure.

— J'aimerais mener l'interrogatoire.

— Accordé. De toute façon, votre mission au *Hustle* est annulée.

Il toussa.

— Dites à Malone et Sciame qu'ils doivent nous tenir au courant des progrès de leur enquête.

— Pas de problème, capitaine. Et désolée de vous avoir réveillé.

— Si vous ne m'aviez pas réveillé, je vous aurais botté le derrière.

Il raccrocha. Elle ferma son téléphone et se tourna vers Spencer et Tony.

— Le capitaine Cooper souhaite que nous collaborions.

— C'est d'accord.

— Je vais interroger Borger demain matin. Je suppose que ça vous intéresse ?

— Absolument.

— Je crois que je vais tout de même aller dormir un peu, mais si vous avez du nouveau, prévenez-moi.

— Je te raccompagne jusqu'à ta voiture, dit Spencer.

Il lui emboîta le pas et ils rejoignirent en silence sa voiture garée dans la rue. Elle ouvrit la porte, monta, et leva les yeux vers lui.

— A tout à l'heure, murmura-t-elle.

— Je ne devrais pas tarder à rentrer, répondit-il.

— Très bien. Je t'attendrai pour me coucher.

Il posa la main sur la poignée de la portière qu'elle n'avait toujours pas claquée et se pencha vers elle.

— Je voudrais te poser une question, dit-il d'un ton grave.

Elle fronça les sourcils, un peu inquiète.

— Je t'écoute.

— Je me demandais... Gabrielle est mort et tu ne vas plus travailler au *Hustle*, mais... J'aurai quand même droit à un petit strip-tease de temps en temps ?

24.

Mercredi 25 avril 2007
9 h 20

Comme prévu, Stacy avait envoyé deux agents en uniforme chercher Yvette à la première heure. La jeune femme ne s'était pas montrée très coopérative, elle avait même opposé une telle résistance qu'ils avaient dû lui passer les menottes pour la faire monter dans la voiture de patrouille.

Stacy prit une profonde inspiration avant de pousser la porte de la pièce réservée aux interrogatoires. Elle se demandait si sa copine du *Hustle* la reconnaîtrait sur-le-champ ou s'il lui faudrait quelques minutes. Ce dont elle ne doutait pas, c'était que la confrontation serait désagréable.

En l'entendant entrer, Yvette cessa d'aller et venir et fit volte-face.

— Bonjour, Yvette, dit Stacy.

Le visage d'Yvette afficha une intense surprise.

— Brandi ?

— Inspecteur Killian. Stacy Killian.

Yvette comprit aussitôt.

— Un flic ? Putain ! C'est vraiment génial.

— Je suis désolée, Yvette. Je faisais mon boulot.

— C'est ça. Allez vous faire foutre.

— Tu devrais t'asseoir. J'ai de mauvaises nouvelles pour toi.

— Merci, mais je préfère rester debout.

— Comme tu voudras.

Stacy avança jusqu'à la table, prit une chaise et s'installa en face de la jeune femme.

— Marcus Gabrielle est mort, annonça-t-elle. On lui a tiré dessus la nuit dernière, dans l'allée de sa maison.

Yvette battit plusieurs fois des paupières avec une expression ébahie presque comique.

— Je ne compr... Vous voulez dire que...

— On l'a assassiné. Au moment où il montait dans sa voiture. Il était environ 22 heures. Je suppose qu'il s'apprêtait à te rejoindre au *Hustle*.

Stacy vit qu'Yvette digérait l'information. Elle devait faire le tri de ce qu'elle ressentait, tout en essayant de se concentrer sur ce que les flics attendaient d'elle. Yvette Borger était une fille intelligente. Elle songerait probablement avant tout à se tirer d'affaire.

Ça ne lui prit que quelques secondes pour se décider. Elle vint rejoindre Stacy et s'installa en face d'elle, près de la table.

— Je n'ai rien à voir avec le meurtre de Marcus, dit-elle. J'étais au *Hustle*. Comme vous.

— Tu étais sa petite amie.

— Et après ? Je ne souhaitais pas sa mort.

— Il avait pourtant tenté de te tuer.

— Je l'avais provoqué et il était furieux. On ne peut pas savoir si...

Son visage s'éclaira brusquement, comme si elle venait de comprendre.

— Vous étiez en mission pour surveiller Marcus, c'est ça ?

— Oui.

— Samedi soir, vous êtes intervenue parce que quelqu'un de votre équipe surveillait dehors et vous avait prévenue ?

— Oui.

— Vous prenez votre pied en menant les gens en bateau ?

— Je t'ai peut-être sauvé la vie, rétorqua Stacy en se penchant vers elle. Tu sais dans quoi Marcus était impliqué ?

— Oui. Il était agent immobilier et il fréquentait les bars à strip-tease.

— Il fabriquait et vendait de la méthamphétamine. Et toi, tu l'aidais à mener à bien son petit trafic.

Une lueur d'inquiétude passa dans le regard d'Yvette.

— Vous délirez.

— Vraiment ? Tu te souviens de ce que tu as fait le samedi 21 avril ?

— J'ignore de quoi vous parlez.

— Je t'ai vue monter dans sa voiture au coin de North Peters et de Conti Street, fagotée comme une mémère. Tu vois de quoi je parle ?

Comme Yvette ne répondait pas, Stacy tapota du bout des doigts le dossier qu'elle avait déposé sur la table.

— Marcus trempait dans une sale affaire et tu étais sa complice. Je me suis fait engager au *Hustle* pour entrer en contact avec toi, pas avec Marcus. C'était toi que je surveillais.

Il s'agissait d'une semi-vérité, mais Stacy n'eut pas de scrupules à mentir. Yvette avait aidé un criminel. Elle l'avait fait pour de l'argent. Bien sûr, on pouvait toujours s'apitoyer sur son sort et lui trouver des excuses. Elle avait sûrement eu une enfance difficile pour en arriver là, mais Stacy n'était pas du genre à se laisser embobiner par ce genre de salades. Elle n'avait pas pitié des « pauvres gamines ».

— Je n'ai rien à voir avec ça ! protesta Yvette. Il me demandait parfois de faire visiter des locaux commerciaux à vendre. C'est tout.

— Et de faire des livraisons pour lui ?

— Pas du tout. J'ouvrais la porte et j'attendais à l'extérieur. Point.

— Et pourquoi attendais-tu ?

— Pour refermer la porte.

Stacy fronça les sourcils.

— Et les clients ? Qu'est-ce qu'ils fabriquaient à l'intérieur ? Ils livraient ou ils se fournissaient ?

Yvette haussa les épaules.

— Je n'en sais rien. Marcus me payait pour un boulot et je ne posais pas de questions.

— Il te payait… Combien ?

Elle hésita.

— Cinq cents dollars.

— Tous les samedis ?

— Ce n'était pas toujours le samedi. Parfois le dimanche. Ou en semaine.

— Cinq cents dollars pour ouvrir et fermer une porte ? C'est bien ça ?

Comme Yvette acquiesçait en silence, Stacy leva un sourcil incrédule.

— Et tu n'avais pas la moindre idée de ce que les clients fabriquaient à l'intérieur ?

— Non.

— Tu n'as jamais été tentée de les espionner ?

— Jamais.

— Je suis certaine que tu te doutes que j'ai du mal à avaler ça.

— C'est votre problème.

— Non, Yvette, c'est le tien.

— Vous avez l'air contente de vous. Vous êtes fière parce que vous faites bien votre boulot. Ça ne vous dérange pas de vous être moquée de moi… Je croyais que vous étiez mon amie.

Stacy décida d'ignorer le tremblement douloureux dans la voix d'Yvette. Yvette Borger était décidément une excellente comédienne.

— Tu ouvrais toujours le même local ou ça changeait ?

— Il y en avait plusieurs, ça tournait.

— Et les gens que tu emmenais, ils tournaient aussi ?

— Oui. Certains venaient toutes les semaines, d'autres tous les quinze jours. Je peux y aller, maintenant ?

— Depuis combien de temps lui rendais-tu ce petit service ?

Yvette prit le temps de réfléchir quelques secondes.

— Six mois. A peu près.
— Ça a dû te faire pas mal d'argent.
— Vous voudriez votre part ?
— Je t'aime bien, Yvette. Je suis désolée de t'avoir déçue, mais je ne faisais que mon travail. Si tu m'aides, je t'aiderai. Dis-moi ce que tu sais à propos du petit trafic de Marcus et je m'engage à faire mon possible pour qu'aucune charge ne soit retenue contre toi.
— Vous me prenez pour une idiote.
— Accepte de jeter un œil dans nos fichiers.
Yvette lui lança un regard noir que Stacy fit mine de ne pas remarquer.
— Aide-nous à établir la liste des locaux que tu faisais visiter pour Marcus.
— Je n'ai pas le temps.
— Tu n'as pas le choix.
Le visage d'Yvette s'empourpra de colère. Elle ouvrait la bouche pour protester, mais elle fut interrompue par Spencer qui passait la tête à la porte.
— Je ne dérange pas trop ? demanda-t-il.
Stacy lui fit signe d'entrer. Ils étaient déjà convenus d'un arrangement. Il était censé la relayer pour interroger Yvette au sujet de son ancienne colocataire et elle irait rejoindre Patti qui suivait sur les écrans de contrôle.
— Je suis l'inspecteur Malone, dit-il en s'asseyant face à Yvette. Comment allez-vous aujourd'hui ?
— Je me sens un peu perdue, avoua-t-elle.
Il n'y avait plus aucune trace d'ironie dans sa voix. Avec Spencer, elle avait décidé d'adopter l'attitude de la pauvre petite fille perdue et ses frémissements de demoiselle en détresse firent grincer Stacy des dents.
— Je ne comprends pas ce que je fais ici, murmura-t-elle.
— L'inspecteur Killian vous a parlé du meurtre de Marcus Gabrielle ?

— Oui, mais je n'ai rien à voir avec ce meurtre. Hier soir, je dansais. Elle le sait parfaitement.

Depuis qu'elle s'adressait à Spencer, même son expression avait changé. Son visage était doux et confiant, ses yeux brillaient comme deux bassins transparents, elle se donnait même la peine de battre des cils pour lui.

Stacy était écœurée. Et le plus agaçant, c'était que cet imbécile de Spencer paraissait dupe. Cette garce savait comment utiliser ses atouts.

Les hommes étaient décidément des benêts…

— Gabrielle était votre petit ami, n'est-ce pas ?

— C'était un bon client du *Hustle*. Il m'appréciait et me laissait de généreux pourboires.

— Mais vous le rencontriez aussi en dehors du *Hustle*.

— Il lui arrivait de me payer pour que je lui donne un coup de main dans son travail. J'ouvrais les propriétés que ses clients visitaient, des trucs comme ça.

— Des trucs comme ça…

Stacy se leva.

— J'ai l'impression que vous avez la situation en main, inspecteur Malone, fit-elle. Je vais donc aller me chercher une tasse de café.

Elle sortit de la pièce et alla rejoindre Patti qui se trouvait seule dans la salle de projection.

— Elle se défend bien, elle est douée, commenta Patti sans quitter l'écran des yeux.

— C'est le moins qu'on puisse dire, répondit Stacy.

Patti gloussa.

— Que veux-tu, Spencer n'est qu'un homme…

Stacy allait rétorquer, mais elle préféra se taire pour écouter Spencer.

— D'après l'inspecteur Killian, vous détiendriez des informations qui pourraient nous être utiles dans le cadre d'une enquête pour homicide.

— Je vous ai déjà expliqué que je dansais à l'heure où Marcus s'est fait descendre. Je n'ai appris sa mort que...

— Je ne faisais pas allusion à Marcus, mais à votre ancienne colocataire, Kitten Sweet.

— Kitten Sweet ? Pourquoi ?

Stacy dut reconnaître qu'elle mentait avec beaucoup de conviction.

— Vous avez confié à l'inspecteur Killian que vous pensiez que Kitten Sweet était l'inconnue de City Park.

— Oui, enfin, pas plus que ça, fit Yvette en haussant les épaules. Kitten a disparu à peu près au moment où cette jeune fille a été tuée. Alors forcément...

Spencer fronça les sourcils.

— Vous avez dit à l'inspecteur Killian que Kitten recevait des lettres d'amour...

— Je n'ai rien dit à l'inspecteur Killian, coupa sèchement Yvette. C'est à une serveuse nommée Brandi que je me suis confiée.

Il ne prit même pas la peine de relever.

— Vous lui avez assuré que Kitten se sentait menacée, qu'un admirateur anonyme la harcelait en lui envoyant des lettres qu'il signait l'Artiste.

— Ça, je l'ai inventé, fit Yvette en repoussant ses cheveux en arrière d'un geste nonchalant. Comme elle ne voulait pas me croire quand je lui ai dit que Kitten était peut-être la fille du parc, j'en ai rajouté.

Stacy jeta un coup d'œil du côté de Patti. Elle écoutait attentivement, les sourcils froncés.

— Kitten Sweet n'aurait donc jamais reçu de lettres d'un homme se faisant appeler l'Artiste ?

— C'est exactement ce que je viens de dire, oui, assura Yvette en se penchant en avant d'une manière qui mettait son décolleté en valeur. Je reconnais que j'ai eu tort de raconter des bobards, mais je voulais tellement qu'elle me croie. Il fallait que je trouve quelque chose de croustillant.

Elle baissa les yeux, puis leva de nouveau vers lui un regard suppliant.

— Je suis un peu mythomane, j'en ai honte, mais je n'y peux rien.

Cette fois encore, Stacy eut envie de vomir. Heureusement, Spencer resta insensible à cette déchirante confession.

— Avez-vous déjà vu cet homme ? demanda-t-il ?

Il fit glisser une photographie sur le plateau de table — celle de Franklin, probablement.

Yvette y jeta un vague coup d'œil et se détourna vivement.

— Non, dit-elle.

— Vous en êtes sûre ?

— Absolument sûre, oui.

Patti se tourna vers Stacy.

— Elle ment, assura-t-elle.

Stacy acquiesça. La précipitation avec laquelle Yvette avait répondu et sa façon de détourner le regard tout de suite après sa réponse parlaient d'eux-mêmes.

La question était de savoir pourquoi. Stacy se demanda si elle avait peur, si elle cherchait à emmerder les flics pour se venger d'avoir été traînée au commissariat, ou si elle en disait le moins possible pour sortir de là au plus vite.

— Vous avez menti à l'inspecteur Killian au sujet des lettres que recevait Kitten, fit Spencer. Qu'est-ce qui me prouve que vous n'êtes pas en train de mentir en ce moment ?

— Je n'ai pas menti, j'ai embelli la réalité, corrigea Yvette. Et pas à un flic. Je vous rappelle que j'ignorais à ce moment-là qu'elle était flic.

— Et aux flics, vous dites toujours la vérité ?

— Oui.

Elle avait répondu d'un ton si fervent et sincère que Stacy ne put s'empêcher d'éclater de rire. Elle se leva. Il était temps pour le « mauvais flic » d'entrer de nouveau en scène.

— Oui, va la coincer, encouragea Patti tandis qu'elle sortait de la pièce.

Quelques secondes plus tard, elle rejoignait Malone et Yvette.

Il lui jeta un coup d'œil.

— Le café était bon, inspecteur ? demanda-t-il.

— Pas assez corsé.

— Pas assez corsé ? J'ai du mal à le croire.

— C'est pourtant vrai.

Ils ne parlaient pas vraiment de café, bien sûr… Malone sourit et s'éloigna de la table.

— Si vous vous souvenez de quoi que ce soit ou que vous souhaitez modifier l'une de vos déclarations, n'hésitez pas à me contacter, dit-il à Yvette.

Il lui tendit sa carte, qu'elle prit avec un grand sourire.

— Si vous avez besoin de moi, inspecteur, vous savez où me trouver, répondit-elle.

Quand il eut refermé la porte derrière lui, elle se tourna vers Stacy.

— Il est mignon, dit-elle.

— Il faut aimer le genre, marmonna Stacy.

Elle ouvrit le dossier posé devant elle et se mit à en tourner les pages.

— Les clients que te confiait Gabrielle…

— Il a une petite amie ? demanda Yvette.

Stacy plissa les yeux.

— Oui, il me semble.

— C'est sérieux, entre eux ?

— Très.

— Elle porte une bague de fiançailles ?

La question fit mal à Stacy. Elle supposa que la bague faisait la différence. Elle n'était pas officiellement fiancée à Spencer, donc, pour Yvette, il était disponible.

Une fois de plus, elle se demanda si Spencer tenait vraiment à elle.

— Il t'a donné sa carte, rétorqua-t-elle. Tu n'as qu'à l'appeler pour lui poser toi-même la question.

— C'est une excellente idée.

C'est ça… Ne te gêne pas et amuse-toi bien.

— Ces gens que tu rencontrais pour Gabrielle, ils se présentaient, ils te donnaient leur nom ?

— Non. Nous échangions à peine quelques mots.

— Est-ce qu'ils sortaient avec un paquet ou quelque chose qu'ils n'avaient pas en arrivant ?

— Oui, ou l'inverse.

— Et il y avait quoi, dans ce paquet ?

Yvette haussa les épaules.

— Je n'en sais rien. Je n'ai jamais posé la question.

— Je crois qu'on va devoir te garder.

— Pour quel motif ? Vous n'avez rien contre moi.

— Malheureusement pour toi, tu es pour l'instant notre seule piste. Donc, tant que nous n'aurons pas trouvé mieux…

— Je vous préférais en Brandi.

— Je m'en doute, répondit Stacy avec un petit sourire.

Elle se leva.

— Bon, tu as droit à un coup de fil…

— Il avait un associé, fit précipitamment Yvette. Si Marcus utilisait ses propriétés à vendre comme points de dépôt ou de livraison, son associé devait être au courant.

— Des points de dépôt ou de livraison ? répéta Stacy. C'est ce que j'ai dit ?

Yvette la contempla fixement.

— Vous l'avez sous-entendu et ça me paraît évident.

— Le nom de l'associé ?

— Ramone.

— Ramone comment ?

— Aucune idée. Marcus ne me l'a jamais dit et je n'ai pas posé la question.

— Qu'est-ce que tu sais de lui ?

— Pas grand-chose. Je ne l'ai vu qu'une seule fois.
— Où ?
— Au *Hustle.*
— Tu as dansé pour lui ?
Elle secoua la tête.
— Il n'aimait pas du tout l'ambiance et il avait l'air pressé de s'en aller. J'ai même pensé qu'il était homo.
Stacy fronça les sourcils.
— Quand un homme ne prend pas son pied dans ton bouge, tu en déduis qu'il est homo ?
Un léger sourire étira les lèvres d'Yvette.
— Plus ou moins, oui.
Furieuse contre Yvette et contre elle-même, Stacy fit un effort pour se concentrer de nouveau sur le partenaire de Gabrielle.
— Ramone t'a conduite à l'une des propriétés ? Il s'est occupé d'un de tes rendez-vous ?
— Non. Je vous répète que je ne l'ai vu qu'une fois. Marcus parlait de lui comme de son associé, c'est tout ce que je peux dire.
L'estomac d'Yvette gargouilla bruyamment.
— Je peux y aller, maintenant ? demanda-t-elle. Vos hommes de main m'ont embarquée avant que je prenne mon petit déjeuner.
Stacy acquiesça et se leva.
— Nous restons en contact. Je vais demander à quelqu'un de te raccompagner.
— Pas la peine. Je préfère marcher. J'ai besoin d'air frais.
Stacy posa une carte de visite sur la table.
— Si tu te souviens brusquement de quelque chose, tu es invitée à m'appeler.
— Ça ne risque pas d'arriver, rétorqua Yvette.
Elle se leva aussi, sans ramasser sa carte.
Stacy la regarda sortir, puis elle rejoignit Spencer dans la salle des écrans de contrôle. Patti était déjà partie, mais Baxter et le capitaine Cooper l'avaient remplacée.
— Je les ai mis au courant, expliqua Spencer. Le capitaine O'Shay

vous passe la main. Cette affaire dépend de l'unité chargée des enquêtes sur le terrain.

Stacy hocha la tête.

— C'est évident, dit-elle.

— Gabrielle se servait de son agence pour couvrir son petit trafic, fit Spencer.

— Il entreposait la drogue et sans doute l'argent dans les propriétés qu'il proposait à la vente, renchérit Stacy.

— Il se servait d'Yvette comme bouclier. En cas de rafle…

— Ou de client mécontent…

— Elle se serait retrouvée en première ligne.

— C'est pour ça qu'il la payait si bien. Elle prenait sans le savoir de gros risques, ça méritait salaire.

— Et d'où sort-il, ce Ramone ? fit le capitaine Cooper. Comment se fait-il que nous n'ayons pas su plus tôt que Gabrielle avait un associé ? Je veux savoir ce qu'il a dans le ventre. Il a peut-être décidé qu'il valait mieux faire cavalier seul.

— Bien entendu, renchérit, Baxter. Seul, plus besoin de partager. L'argent, toujours l'argent… C'est souvent un bon mobile.

— Il faudra montrer nos fichiers à Burger et dresser une liste des locaux que Gabrielle proposait à la vente pour les fouiller. Demandez un mandat.

Ils commençaient à sortir l'un après l'autre. Le capitaine fit signe à Stacy de rester.

— Killian, je vous demande de laisser Baxter s'occuper de Borger. Je pense qu'un homme s'en sortira mieux avec elle.

En effet. Et c'était exaspérant.

Elle entendit son partenaire ricaner derrière elle, mais elle se contenta d'acquiescer en silence.

25.

Mercredi 25 avril 2007
15 h 40

Yvette n'était qu'à la moitié de son trajet, mais elle regrettait déjà d'avoir refusé qu'on la raccompagne en voiture. Une brume de chaleur s'élevait par vagues des trottoirs, elle transpirait, elle avait des ampoules. Les légères sandales qu'elle avait enfilées à la hâte pour suivre la police n'étaient pas conçues pour de longues marches.

Au diable les flics. Tous des salauds qui passaient leur temps à mentir. Ils auraient mérité qu'on fasse irruption chez eux pour les embarquer de force et les interroger. Quand elle songeait à Brandi — ou plutôt à l'inspecteur Killian —, une douloureuse sensation de trahison qu'elle ne connaissait que trop bien lui serrait le cœur.

Elle s'obligea à la refouler. Elle n'allait pas se rendre malade pour une nana qu'elle ne connaissait que depuis quelques jours. On ne pouvait pas dire qu'elle y tenait comme à la prunelle de ses yeux.

Marcus était mort.

Elle s'arrêta net en prenant conscience qu'elle ne le reverrait plus jamais. Elle eut du mal à respirer, l'air humide lui parut soudain suffocant.

Pourtant, elle n'avait pas été amoureuse de Marcus. Pour tout dire, elle ne l'avait même pas apprécié en tant que personne. Marcus trompait sa femme, il mentait. Et surtout, il avait failli l'étrangler pour lui montrer qu'il était le plus fort.

Mais ce meurtre la perturbait. Elle se sentait vaguement menacée.

Une bouffée d'air frais la frappa en plein visage au moment où un couple sortait d'un restaurant appelé *Big Bubba's*. Elle saliva quelques minutes devant la photographie exposée en vitrine, celle d'un sandwich aux crevettes grises posé près d'un pichet de bière couvert de givre. Puis elle se décida à entrer.

Elle s'installa au comptoir et commanda un demi-sandwich et un Coca — un vrai, avec du sucre, de la caféine, des calories. La totale.

La serveuse déposa devant elle son Coca, avec une paille. Yvette défit le papier de la paille, la planta dans son verre et aspira une longue gorgée, tout en songeant de nouveau à Marcus.

Elle avait joué l'innocente avec les flics, mais elle s'était toujours doutée que Marcus trempait dans un truc louche. Sinon, pourquoi l'aurait-il payée autant ?

Elle avait en tout premier pensé à la drogue, bien entendu, mais elle n'avait pas posé de questions. Elle s'était toujours dit que moins elle en savait, mieux elle se porterait. Et puisque ça lui rapportait…

De la méthamphétamine. Une vraie saloperie. Elle ne touchait pas à cette merde qui rendait les gens complètement accros et paranos.

Des types qui faisaient le trafic de méthamphétamine n'hésiteraient sûrement pas à descendre une stripteaseuse pour s'assurer son silence.

Yvette aspira bruyamment la fin de sa bouteille et en commanda une deuxième. La serveuse la lui apporta avec son sandwich. Elle se mit à manger, tout en réfléchissant.

Marcus lui devait encore cinq cents dollars.

Elle songea qu'elle aurait dû se sentir coupable de penser à ça, mais non, elle ne se sentait pas coupable. Marcus s'était fourré tout seul dans le pétrin. Elle n'aurait pas souhaité sa mort, mais on ne pouvait pas se désoler de la disparition d'un être aussi abject.

Il y aurait sûrement des gens pour penser la même chose d'elle si on l'assassinait.

Cette vérité lui fit mal. La bouchée qu'elle était en train d'avaler resta coincée dans sa gorge et elle eut les larmes aux yeux.

Qu'est-ce qu'ils diraient ? « Bah... Une stripteaseuse de moins... » ou : « Cette pute l'a bien mérité. » Elle fit un effort pour déglutir. Pleurer, c'était bon pour les perdants et les gosses. C'était ce que lui avait toujours dit son père quand il l'humiliait. Parfois, il allongeait le bras et la pinçait au point qu'elle en avait les larmes aux yeux.

« Tu me remercieras plus tard, assurait-il. Tu seras forte et ce sera grâce à moi. »

Elle ne voulait plus être une petite fille triste et apeurée.

Pourquoi avait-elle menti au sujet de Kitten ? Pourquoi avait-elle inventé cette histoire de lettres envoyées par l'Artiste ?

Pour qu'on s'intéresse à elle, pour attirer l'attention, pour qu'on la trouve intelligente. Pour être enfin regardée autrement que comme une putain sans cervelle.

Et Ramone ? Pourquoi avait-elle parlé de Ramone ? Pour détourner l'attention de l'inspecteur Killian. Pour la mettre sur une fausse piste.

Elle plongea la main dans sa poche pour en sortir la carte du bel inspecteur Spencer. Spencer Malone.

Elle contempla quelques minutes le nom. Un homme comme lui ne sortirait jamais avec une femme comme elle. Elle l'avait lu dans ses yeux. Elle avait tenté de flirter avec lui, mais il n'avait pas accroché. Il avait fait mine d'être sensible à son charme, sans pour autant perdre le fil de son interrogatoire.

Contrairement à ce qu'elle avait prétendu, elle avait reconnu Franklin. Il venait de temps en temps au *Hustle*. Elle l'avait vu déambuler sur les trottoirs du quartier pour chercher des putes.

Qu'est-ce qu'il avait bien pu faire pour que les flics s'intéressent à lui ? Est-ce que ça avait un rapport avec Marcus et ses activités illicites ? Ou avec la fille de City Park ?

Elle avait menti au sujet de Franklin pour se protéger. Elle ne voulait pas qu'on l'implique dans cette histoire, de près ou de loin. Pas même comme témoin.

— Vous avez besoin d'autre chose, ma chérie ?

Yvette jeta un regard vague vers la serveuse, puis fit non de la tête.

— Non. Juste l'addition.

Elle paya rapidement et sortit. Elle trouva dehors un ciel nuageux et une température plus clémente. Elle avait toujours mal aux pieds, mais elle n'était plus qu'à quelques pâtés de maisons de chez elle.

Sa vie allait de mal en pis.

Elle repoussa cette désagréable pensée et fonça en direction d'Ursuline Street, le chemin le plus court. Il ne lui fallut que quelques minutes pour atteindre son immeuble. Elle ouvrit la porte donnant sur la cour intérieure et entra en poussant un soupir de soulagement. Il faisait quelques degrés de moins dans le patio verdoyant.

Elle ôta ses sandales et le contact de pierres froides lui fit du bien. Ses chaussures à la main, elle se dirigea en boitillant vers l'escalier.

La plupart de ses voisins travaillaient de 9 heures à 17 heures — comme les gens normaux — et il n'y avait dans la cour que Mlle Alma et Sissy, son loulou de Poméranie qui aboyait quand on approchait sa maîtresse. On disait souvent que les chiens ressemblaient à leur maître et, dans leur cas, c'était vrai. Mlle Alma et sa chienne étaient toutes deux vieilles, avec un nez pointu et des yeux d'insectes. Yvette soupçonnait Mlle Alma de se teindre les cheveux pour copier la couleur cannelle du poil de Sissy. Elle l'emmenait avec elle quand elle allait chez le coiffeur, ça c'était certain, sans doute pour que celui-ci puisse avoir le modèle sous les yeux.

— Bonjour, mademoiselle Alma, dit-elle en ignorant les grognements de Sissy.

— Plutôt bonsoir, ma chère. La journée est presque finie. Sissy, tais-toi. Elle est grognon avec tout le monde, mais elle ne ferait pas de mal à une mouche.

Sauf si la mouche passait à sa portée…

— Je sais, mademoiselle Alma. Profitez bien de cette fin d'après-midi.

Yvette grimpa l'escalier jusqu'au premier étage. Nancy était dehors, en train d'arroser ses plantes. Quand Yvette passa devant l'appartement numéro huit, le carlin qui vivait à l'intérieur se mit à aboyer.

Yvette sursauta, comme toujours, et lui cria de se taire.

— Tu n'as pas quelquefois envie de dire aux gens du numéro huit que leur chien devrait porter une muselière ? demanda Nancy.

— Ah ça oui ! s'exclama Yvette. Tous les soirs, il fait la comédie quand je rentre et ça dérange tout le monde. Le pire, c'est que Bob et Ray m'en tiennent pour responsable et qu'ils ont eu le culot de s'en plaindre à moi. Tu te rends compte ? Comme si j'allais changer mes horaires de boulot pour que leur stupide chien à face de singe ne les réveille plus en pleine nuit.

— Qu'est-ce que tu vas faire, aujourd'hui ? demanda Nancy en vidant sur ses bégonias son bidon d'eau. Je veux dire… J'espère que tu trouves le temps de sortir un peu avec ta mère ?

Yvette fronça les sourcils.

— Pardon ?

— Oui. Toi et ta mère, j'espère que vous vous amusez bien.

Elle se tourna vers Yvette.

— Elle a l'air chouette.

— Ma mère est morte, fit sèchement Yvette.

Le visage de Nancy se décomposa.

— Mais… Je l'ai vue l'autre soir.

Yvette secoua la tête.

— J'ignore qui tu as vu, mais ça ne pouvait pas être ma mère.

— Il était tard, tu étais au travail et… Samson s'est mis à aboyer et…

Elle se tut, visiblement troublée.

— Je lui ai montré où tu cachais ta clé. Elle… Elle m'a dit que tu le lui avais dit, mais qu'elle avait oublié.

Yvette lutta pour rester calme.

— Tu as montré à une étrangère l'endroit où je cachais le double de ma clé ?

— Je suis vraiment désolée. Mais elle avait l'air tellement gentille, tellement inoffensive… J'ai vraiment cru qu'il s'agissait de ta mère.

Yvette se souvint du soir où elle était rentrée plus tôt parce qu'elle avait mal au ventre à cause de ses règles. Elle avait surpris une femme devant sa porte. Elle fit un effort pour se souvenir d'elle et des quelques phrases qu'elles avaient échangées.

Je suis la mère de Nancy. Je suis chez elle pour la semaine. Elle m'a confié une clé, mais je ne comprends pas, je n'arrive pas à ouvrir.

— Ta mère à toi, elle est venue te rendre visite, cette semaine ? demanda-t-elle à Nancy.

Nancy n'eut pas besoin de répondre, Yvette comprit à son expression abasourdie.

— Ça s'est passé quand, cette histoire de clé ? demanda Yvette.

Nancy réfléchit quelques secondes.

— Lundi soir, murmura-t-elle.

— A quoi ressemblait cette femme ? demanda Yvette.

— Elle te ressemblait, justement. Je le lui ai même dit.

— Une rousse, avec des cheveux courts ? Mince, de taille moyenne, avec une veste noire et un pantalon ?

Les yeux de Nancy s'arrondirent de surprise.

— Exactement. Mais comment…

— Elle m'a eue aussi, coupa Yvette. En se faisant passer pour ta mère quand je l'ai surprise devant ma porte. C'était la première fois que tu la voyais ?

Nancy acquiesça et croisa les bras sur sa poitrine comme pour se protéger.

— Ça me fiche la trouille, murmura-t-elle. Tu penses que c'était qui ?

— Je n'en sais rien, mais j'ai bien l'intention de me renseigner.

Après avoir recommandé à Nancy de se méfier et de jeter un

œil sur les gens qui rôdaient dans le couloir, Yvette fila vers son appartement.

Elle vérifia d'abord le cache-pot. La clé n'y était plus. Elle se demanda si elle avait surpris la femme avant qu'elle s'introduise chez elle ou après.

Elle avala sa salive. Elle suffoquait. Une étrangère était peut-être entrée chez elle pour farfouiller dans ses affaires. Et elle, elle ne s'était doutée de rien…

Bizarrement, cette idée l'effrayait plus que tout.

Et cette étrangère était partie avec sa clé.

Elle eut soudain les jambes en coton et les derniers pas qui la séparaient de sa porte lui demandèrent un effort. Elle ouvrit. En entrant, elle eut la sensation que quelque chose n'allait pas.

Pas étonnant… Elle allait flipper chaque fois qu'elle passerait le seuil et ça risquait de durer.

Son regard glissa vers la porte de la cuisine, puis vers le petit couloir qui menait aux deux chambres. Son cœur se mit à battre plus fort.

— Hello ! appela-t-elle.

Une réaction idiote. Une personne entrée par effraction n'allait sûrement pas lui répondre.

Curieusement, le silence ne la rassura pas. Elle aurait préféré avoir une bonne raison de prendre ses jambes à son cou. Elle parcourut lentement la pièce des yeux. Tout paraissait à sa place, exactement comme elle l'avait laissé en partant — c'est-à-dire quand les flics l'avaient embarquée.

Ses pourboires…

Elle se précipita dans la cuisine. Elle conservait son argent liquide dans un sac en plastique, dissimulé lui-même dans une boîte enfouie dans le congélateur. Elle ouvrit le compartiment.

La boîte était bien là, le sac aussi. Elle compta les billets. Il n'en manquait pas un seul.

Elle poussa un soupir de soulagement, remit la boîte à sa place, referma la porte du congélateur et fit volte-face en poussant un soupir de soulagement.

Ce fut à ce moment-là qu'elle aperçut le mot accroché sur la porte de la cuisine.

J'ai fait ça pour toi.
A toi, pour toujours,

L'Artiste.

Yvette contempla fixement le message. Ses mains se mirent à trembler. Qu'avait-il fait pour elle ?

Elle comprit brusquement et un cri monta dans sa gorge. Elle porta une main à sa bouche pour l'étouffer.

Marcus.

Ce dingue avait tué Marcus pour elle.

26.

Mercredi 25 avril 2007
16 h 45

Patti contemplait le rapport de l'expert en odontologie avec un goût amer dans la bouche. Le dossier dentaire de Kitten Sweet prouvait qu'elle n'était pas l'inconnue de City Park.

Franklin restait bien sûr en prison pour vol et détention illégale d'arme. Pour l'instant, celui-là n'allait nulle part.

Mais ça ne résolvait pas leur problème. Ils n'avaient plus rien à se mettre sous la dent. Pas de nouvel angle d'investigation, aucun moyen de relier Franklin au meurtre de Sammy ou aux victimes du Collectionneur.

Elle avait enfreint la loi, une loi qu'elle avait juré de faire respecter. Elle avait impliqué deux de ses inspecteurs dans l'affaire, ce qui signifiait mettre leur carrière en danger. Et tout ça pour quoi ?

Vous n'avez pas le bon.

Elle avait réussi à oublier ce coup de fil anonyme, à se convaincre qu'il ne s'agissait que d'une mauvaise plaisanterie ou d'un acte de vengeance venant d'un de ses hommes. C'était plausible : le chef Howard l'avait désignée pour siéger au tribunal spécial chargé de juger les officiers de police qui avaient déserté pendant le cyclone Katrina. Patti avait parfois le cœur brisé de devoir les condamner, mais « protéger et servir » signifiait protéger et servir. Un serment était un serment, il n'y avait pas d'aménagement possible.

Patti prit la liste de ces hommes et la parcourut des yeux. Il y avait parmi eux des bleus, mais aussi des vétérans avec plus de vingt-cinq ans de service à leur actif. Elle les connaissait tous, elle pouvait mettre un visage sur chaque nom. Etait-il possible que l'un d'eux lui en veuille au point de chercher à entraver l'enquête sur le meurtre de Sammy ? Elle avait du mal à le croire.

Malheureusement, exclure l'hypothèse de la vengeance signifiait accepter l'idée que l'auteur du coup de fil anonyme ne mentait pas, et donc que Franklin n'était pas coupable et qu'il avait trouvé le revolver par hasard dans City Park.

Mais dans ce cas, qui était l'auteur du coup de fil ?

Quelqu'un qui était au courant de la petite fête organisée en son honneur chez Shannon's. Un flic ? Une personne qui avait des liens avec un agent ou quelqu'un de la police ?

— Tu n'as pas l'air ravie, fit une voix.

Patti leva les yeux. Spencer s'encadrait sur le seuil de sa porte.

— C'est le moins qu'on puisse dire, répondit-elle. Jette un œil là-dessus.

Elle poussa le rapport à l'autre bout de son bureau. Il s'approcha et le prit pour le lire.

Tony entra lentement sur ces entrefaites.

— Quelqu'un est mort ? demanda-t-il en voyant leur mine défaite.

Spencer lui tendit le document. Tony en prit connaissance, puis le lui rendit.

— Le type du coup de fil anonyme était donc bien renseigné, commenta-t-il.

Tony ignorait comment elle s'était procuré les radios dentaires de Kitten Sweet. Elle n'avait pas demandé à Spencer de mentir par omission à son partenaire, mais elle l'avait mis en position de le faire et elle se sentait coupable.

— La fouille de l'appartement de Franklin a donné quelque chose ? demanda-t-elle.

— Non, répondit Spencer. Chou blanc, là aussi. Nous avons juste trouvé une impressionnante collection de magazines pornographiques. Rien d'exceptionnel. Juste des photos de nus.

— J'ai vérifié son congélateur, précisa Tony. Il ne contenait que des steaks hachés et des glaces Eskimo Pies. Pas de mains. Par ailleurs, Franklin ne possédait pas de scie, ou d'objets tranchants qui auraient pu servir à découper un corps.

— Un ordinateur ?

— Non. Et pas de messages sur son répondeur. Son courrier se résumait à une pile de factures et à quelques publicités. Il y avait même une offre pour une Master Card. Vous vous rendez compte ? Une Master Card pour un type comme lui…

— Merde…

Patti se leva et marcha jusqu'à l'unique fenêtre pour contempler la belle lumière de cette journée de printemps.

— Franklin n'est pas coupable, murmura-t-elle.

— Avec tout le respect que je vous dois, capitaine, le revolver était en sa possession, objecta Tony. Il a spontanément avoué l'avoir trouvé près de la scène du crime.

Elle se tourna pour leur faire face.

— Ça ne prouve rien, dit-elle.

Spencer et Tony échangèrent un regard. Spencer parla le premier.

— On dit souvent que celui qui a toutes les apparences contre lui a forcément quelque chose à se reprocher. Ça me paraît adapté au cas de Franklin. Cette arme est une preuve matérielle qui le relie à la tombe et à la victime de City Park. N'oubliez pas que Franklin a déjà été condamné plusieurs fois pour viol et qu'il est aussi un voleur et un menteur.

Patti se frotta pensivement le bout du nez.

— J'ai besoin de certitudes pour aller plus loin, dit-elle.

— Que pouvons-nous faire ?

— Si on trouvait un lien entre Franklin et une autre victime du Collectionneur, je serais convaincue.

— Capitaine O'Shay, je peux vous dire un mot ?

Le chef de la police se tenait sur le seuil. Elle lui sourit et lui fit signe d'entrer.

— Bien sûr, chef, répondit-elle. Je venais juste d'en terminer avec mes inspecteurs.

Il salua Spencer et Tony.

— Comment se passe la retraite de votre père, Spencer ?

— Il ne s'est pas encore lassé de la pêche.

Le père de Spencer — et beau-frère de Patti —, avait fait sa carrière dans la police de La Nouvelle-Orléans. Il n'avait jamais réussi à devenir inspecteur, mais ça ne l'avait pas empêché de s'épanouir dans son travail. Pourtant, un an plus tôt, il avait choisi de prendre sa retraite. Le cyclone Katrina et la mort de Sammy avaient lourdement pesé dans sa décision.

Spencer et Tony quittèrent le bureau et Patti leur rappela qu'elle voulait être tenue au courant. Puis elle se tourna vers son patron.

— Que puis-je faire pour vous ? demanda-t-elle.

Il ignora sa question.

— Comment allez-vous, Patti ? fit-il d'un drôle de ton.

Un ton que Patti jugea de mauvais augure.

— Je vais très bien, merci.

— Ça a dû être un coup dur, pour vous, d'apprendre qu'on avait retrouvé le badge de Sammy sous un cadavre.

— Au risque de vous surprendre, je dois vous avouer que je me sens soulagée. J'ai enfin une idée de ce qui s'est passé et une piste pour coincer son assassin.

— Vous avez plus qu'une piste, on dirait. Vous tenez déjà le coupable. Félicitations.

Elle fronça légèrement les sourcils. Le chef Howard ne faisait rien sans une intention précise. Que pouvait donc signifier ce « Félicitations » ?

— Merci, chef, mais je ne suis pas certaine de tenir le coupable.

Il haussa des sourcils étonnés.

— Vous m'en voyez surpris, capitaine. J'ai consulté le dossier et il me paraît solide.

— Relativement solide, oui. Mais tant que nous n'avons pas établi de liens entre Franklin et l'une des victimes du Collectionneur, il n'est pas en béton.

Le chef Howard demeura un instant silencieux.

— Je suis vraiment troublé d'entendre ça, murmura-t-il. Troublé et déçu.

— Désolée, monsieur. C'est comme ça que je vois les choses.

— Patti, fit-il gentiment. Vous devez faire confiance à la justice. Si un tribunal le déclare coupable, il faudra bien que vous vous en contentiez.

— Je ne pense pas que j'en serai capable.

Son portable sonna, il le sortit pour vérifier le numéro et le remit dans sa poche sans décrocher.

— Vous êtes peut-être trop impliquée dans l'affaire, suggéra-t-il. Je me demande si je ne devrais pas la confier à quelqu'un d'autre. Personne ne trouvera rien à redire et…

— Ça n'est absolument pas nécessaire, rétorqua-t-elle. En tant que capitaine de la criminelle, je suis donc chargée de superviser cette enquête. Franklin est pour le moment accusé de vol et de détention d'arme. Nous l'avons sous la main, il ne représente aucun danger, ça nous laisse le temps de chercher.

— C'est vrai. Du moment que vous vous sentez assez forte pour ça.

Il avait l'air de dire qu'il en doutait.

Montre-toi diplomate. Et tiens bon.

— Donnez-moi encore un peu de temps, insista-t-elle. L'expert anthropologue travaille en ce moment à reconstituer le visage de l'inconnue de City Park. Nous l'aurons dans quelques jours. Ça nous permettra de publier une photo. Avec un peu de chance, quelqu'un la reconnaîtra.

— D'accord. Quoi d'autre ?

Il posait la question, mais il savait déjà pour les radios dentaires.

Et probablement aussi pour le coup de fil qu'elle avait reçu chez *Shannon's*. Rien ne lui échappait.

— Nous avions un tuyau au sujet d'une jeune femme disparue. L'expert en odontologie a comparé sa dentition avec celle de l'inconnue de City Park. Malheureusement, elles ne correspondent pas.

Il acquiesça en silence. Ça n'était visiblement pas un scoop pour lui. Coup de chance pour Patti, il ne songea pas à l'interroger sur la source du tuyau.

— Rien de plus ?

— J'ai reçu un appel anonyme. Chez *Shannon's*.

— Pendant la fête organisée en votre honneur ?

Il y avait fait une courte apparition.

— Oui. Mon interlocuteur tenait à me faire savoir que Franklin n'était pas le coupable que je recherchais.

— Il avait des preuves de ce qu'il avançait ?

— Aucune. Mais je ne peux pas me permettre d'écarter d'office la moindre hypothèse.

— Admirable, capitaine, commenta-t-il en jetant un coup d'œil à sa montre.

Puis il leva de nouveau les yeux vers elle.

— Le public sera rassuré de savoir que ce monstre est désormais sous les verrous.

— Il ne sera pas rassuré s'il apprend que nous ne sommes pas sûrs de nous à cent pour cent.

Il fronça les sourcils.

— Nous ferons en sorte qu'il ne l'apprenne pas, n'est-ce pas, capitaine O'Shay ?

Il venait officiellement de lui donner un préavis. Le compte à rebours avait commencé. Le chef tenait à ce qu'elle boucle l'enquête au plus vite. Il lui demandait de monter un dossier contre Franklin, pas de chercher d'autres suspects.

— Oui, monsieur, fit-elle. Je comprends.

Comme il s'éloignait, elle sentit qu'elle était sur le point de désobéir à un ordre explicite. Pour la première fois de sa carrière.

27.

Samedi 28 avril 2007
1 h 15

Il y avait de l'ambiance au *Hustle*. C'était le premier week-end du grand festival de jazz — celui qui suivait le mardi gras et qui attirait le plus de touristes. L'alcool coulait à flots, les pourboires étaient généreux.

Généreux au point qu'Yvette était sur le point de battre son record personnel. Pourtant elle était nerveuse, distraite et elle avait du mal à danser en mesure.

Les deux derniers jours avaient été les plus longs de sa vie. Elle avait passé son temps à regarder par-dessus son épaule, à se méfier des ombres et des coins d'ombres, à songer à la mort de Marcus.

J'ai fait ça pour toi.
A toi pour toujours,

L'Artiste

Quand elle avait découvert le message, elle avait d'abord été paralysée par la peur. Ensuite la panique avait pris le relais. Elle n'avait pas su quoi faire, qui appeler. Elle n'avait personne vers qui se tourner. Pas d'amis, pas de famille, pas de mari, pas de petit copain.

Mais elle n'avait pas voulu s'adresser à la police. Non. Tout de même pas.

Elle ne pouvait compter que sur elle-même.

Elle avait envisagé de faire ses bagages et de partir. De laisser derrière elle son appartement et ce boulot de merde.

Mais elle avait déjà tout quitté une fois. Pour fuir son père. Elle avait connu la rue, le dénuement, le désespoir. Et elle s'était juré de ne plus jamais revivre ça, de ne plus fuir. C'était ce qui l'avait poussée à rester en ville au moment de Katrina. Elle avait tenu bon face à un cyclone, elle n'allait pas craquer devant un dingue.

Elle s'était donc contentée de faire changer sa serrure et de se renseigner sur les prix des systèmes d'alarme. Elle avait également songé à s'acheter un revolver, puis elle avait repoussé cette idée.

D'autant plus qu'il ne s'était rien passé depuis. Plus de messages anonymes. Personne n'avait tenté de s'introduire chez elle. C'était peut-être terminé.

— Salut, Yvette, dit Tonya en passant sa tête dans la loge.

Ou plutôt dans le petit espace entouré de paravents qui lui servait de loge.

— C'est presque l'heure de ton passage et j'ai un message pour toi, déclara-t-elle en lui tendant une enveloppe scellée qu'Yvette reconnut aussitôt. Je te retrouve dans six minutes.

Yvette ouvrit l'enveloppe et en sortit le message. Des morceaux de papier tombèrent doucement. Yvette se pencha. Bon sang ! Ce n'était pas du papier, mais du fric. Des billets.

Cinq billets de cent dollars.

Elle les contempla fixement, le cœur battant, puis son regard glissa vers le message.

Tu trouveras dans cette enveloppe ce qu'il te devait.

Un cri monta dans sa gorge. Elle se leva d'un bond et courut après Tonya.

— Attends ! appela-t-elle. Tonya !

Tonya s'arrêta net et se retourna.

— Qui t'a donné ça ? demanda Yvette.

— Un type.
— Quel type ? A quelle table était-il installé ?
— Il était au bar.
— Montre-le-moi.
Tonya jeta un coup d'œil à sa montre et fronça les sourcils.
— Tu dois être en scène à…
— Je sais à quelle heure je dois être en scène, merde ! Montre-le-moi, c'est important !
Tonya hésita encore quelques secondes, puis elle fit signe à Yvette de la suivre. Elles quittèrent les coulisses et contournèrent les tables pour se placer de façon à avoir vue sur l'ensemble du comptoir.
Yvette serra le bras de Tonya.
— Où est-il ?
— Je ne le vois pas… Il a dû partir.
— Non, c'est impossible. Fais un effort, je t'en supplie.
Tonya dévisagea les hommes accoudés au bar, puis secoua la tête d'un air désolé.
— Que se passe-t-il, Yvette ?
Elle venait de s'apercevoir qu'Yvette était transie de peur.
— Il… Je ne peux pas… Je…
Tonya lui pressa gentiment la main.
— Je vais envoyer Jenny danser à ta place. Retourne dans ta loge et calme-toi. J'arrive tout de suite.
Yvette acquiesça en silence et fila dans les loges. Une fois à l'intérieur du petit espace ménagé par les paravents, elle s'arrêta. Les billets de cent dollars étaient toujours par terre, là où ils étaient tombés.
Cinq cents dollars. Exactement la somme que lui devait Marcus.
Comment l'Artiste avait-il pu savoir puisqu'elle n'en avait parlé à personne ?
Elle sentit la chair de poule grimper le long de ses bras et balaya sa loge du regard. Etait-il entré jusque-là en son absence ?
Tonya vint interrompre ses ruminations.
— Ce sont bien des billets de cent dollars que je vois là ?

Yvette rencontra son regard surpris et acquiesça.

— Qui te les a… ? Ils se trouvaient dans l'enveloppe que je viens de t'apporter ?

— Oui.

— Seigneur…

Yvette se pencha pour ramasser les billets. Ses mains tremblaient. Elle les glissa dans l'enveloppe en se demandant ce qu'elle allait faire.

— Tu as un problème ? fit Tonya. Tu veux en parler ?

Yvette leva les yeux vers elle.

— A quoi ressemblait le type ? demanda-t-elle.

— Incolore et inodore. Rien de spécial. Du genre inoffensif et difficile à décrire.

Ce n'était pas suffisant pour rassurer Yvette.

— Il vient souvent ici ?

Tonya plissa le front.

— Je suis à peu près sûre de l'avoir déjà vu. Toujours au bar. Mais il est du genre qui passe inaperçu, je viens de te le dire.

Elle se tut quelques minutes.

— Tu penses que… Tu ne penses tout de même pas qu'il est dangereux ?

Yvette se mordit la lèvre. Tonya retint sa respiration.

— Dis-moi ce qui se passe, insista-t-elle. Commence par le début.

Yvette lui raconta tout. D'une traite et dans les détails. Elle lui parla aussi de la femme qui était entrée chez elle.

— J'ai d'abord pensé que le type qui m'écrivait était simplement un esseulé un peu détraqué, mais pas dangereux.

— Continue…

— Et puis Marcus a été assassiné.

Tonya ne manifesta aucune surprise. Elle était au courant pour Marcus. La police était passée au *Hustle* pour poser des questions.

— Apparemment, Marcus trempait dans une sale affaire, expliqua Yvette.

— Meth, fit posément Tonya. Il en fabriquait et en vendait.

Yvette ouvrit de grands yeux étonnés.

— Comment le sais-tu ?

— Ma chérie, je sais tout ce qui se passe ici. Tôt ou tard.

— Tu savais donc que Brandi était un flic ?

— Je ne m'en suis pas aperçue tout de suite, mais je sentais qu'elle n'était pas claire et j'ai harcelé Ted qui l'avait recommandée. Cet imbécile a fini par cracher le morceau.

— Tonya, je peux te poser une question ?

— Bien sûr, ma chérie.

— Tu crois en Dieu ?

Le visage de Tonya se plissa tandis qu'elle réfléchissait.

— Je n'en sais rien, dit-elle enfin. Je crois que oui. Pourquoi ?

— Je n'avais jamais pensé à ça avant Katrina, mais maintenant je me dis qu'il y a un dieu quelque part et qu'il a tenu à ce que je reste en vie.

Yvette se rendit compte qu'elle froissait les billets dans son poing fermé et relâcha la pression de ses doigts.

— J'ai cru que c'était pour une bonne raison, qu'il avait des projets pour moi, que j'allais faire quelque chose d'important, devenir quelqu'un. Mais à présent…

Elle se racla la gorge.

— Je me demande s'il n'a pas simplement voulu de moi comme instrument de la chute de Marcus ? Ou bien pour que Marcus se serve de moi, plutôt que d'une autre femme qui vaut mieux que moi ?

Tonya demeura silencieuse un long moment.

— Je ne pense pas que ça fonctionne comme ça. Et tu sais quoi ? Même si tu as raison, ça signifie que c'est un dieu de merde.

Ces paroles auraient pu réconforter Yvette si Tonya avait été une sainte. Mais Tonya était une ex-stripteaseuse alcoolique.

28.

Samedi 28 avril 2007
3 h 30

Une insupportable sonnerie tira Spencer d'un sommeil profond. Il reconnut celle de son portable et le chercha à tâtons. Il parvint à mettre la main dessus et répondit sans même ouvrir les yeux.

— Malone, bougonna-t-il.

— Inspecteur Malone ? fit une voix de femme.

Une voix jeune et apeurée.

— Oui, qui êtes-vous ?

— Yvette Borger.

Le nom le réveilla d'un seul coup.

— Mademoiselle Borger ?

A côté de lui, Stacy qui avait entendu se hissa sur le coude en lui lançant un regard interrogateur.

— Que...

— Je crois savoir qui est l'assassin de Marcus, coupa Yvette d'une voix chevrotante. Et à présent, je crois que c'est à moi qu'il en veut.

— D'où appelez-vous ?

— De *Paulie's Place.*

— Ce petit bar près du *Dungeon* ?

Elle lui répondit que oui et il sauta du lit.

— Ne bougez pas. J'arrive tout de suite.

Stacy se redressa.

— Qu'est-ce qui se passe ? fit-elle.

— Elle dit qu'elle sait qui a tué Marcus et que le type la prend pour cible.

— Je viens avec toi.

— Je m'y attendais. L'affaire Gabrielle dépend de ta division.

— Exactement. Et d'ailleurs, je me demande pourquoi c'est toi qu'elle appelle, marmonna Stacy en repoussant les couvertures.

Il s'arrêta sur le seuil de la salle de bains et se retourna pour lui sourire.

— Parce qu'elle me trouve mignon.

— Je ne lui fais pas confiance.

— Sans blagues, répondit-il en disparaissant derrière la porte.

Quand il en ressortit, elle était déjà habillée. Elle prit sa place et revint quelques secondes plus tard. Il vit qu'elle en avait profité pour se brosser les cheveux.

— Que voulais-tu dire par « sans blagues » ? demanda-t-elle tandis qu'ils se dirigeaient ensemble vers la porte.

— Ça crève les yeux que tu ne lui fais pas confiance. Yvette Borger monnaye son physique et sa sensualité. C'est quelque chose que tu ne peux pas comprendre.

Elle s'arrêta net, les sourcils froncés.

— Je le comprends parfaitement, protesta-t-elle.

— Mais c'est à l'opposé de ton fonctionnement, expliqua-t-il en lui ouvrant la porte.

— Elle s'adresse à toi parce qu'elle pense qu'elle te manipulera plus aisément que moi.

— Avec ses ruses de femme, oui.

— Et ça ne te dérange pas ?

Ils descendirent l'escalier du porche et se dirigèrent vers la voiture de Spencer. Il déverrouilla les portières et ils s'installèrent à l'intérieur.

— Je trouve que c'est de bonne guerre, dit-il.

— Donc, tu lui fais confiance ?

Il mit le moteur en marche et démarra.

— Elle ment et elle me manipule, mais je ne me sens pas visé. Elle fait ça avec tout le monde, je suppose. C'est une seconde nature chez elle.

Il lui jeta un coup d'œil.

— Et elle paraissait vraiment effrayée, ajouta-t-il.

— Elle jouait peut-être la comédie.

— Pourquoi m'aurait-elle appelé si elle n'avait pas réellement peur ? demanda-t-il.

Elle leva un sourcil et il éclata de rire.

— Au milieu de la nuit… Voyons, Stacy…

— Elle m'a demandé si tu avais une petite amie et je lui ai répondu que je pensais que oui.

— Tu ne sais pas si j'ai ou non une petite amie ?

Elle ignora la question.

— Elle a ensuite voulu savoir si c'était sérieux entre toi et ta copine.

Il traversa le carrefour au feu orange et prit la direction de Carrolton Avenue, vers la route inter-Etats.

— Et alors ? fit-il.

— Et alors ? répéta-t-elle sur le même ton. C'est sérieux entre toi et ta copine ?

— D'après toi ?

— Tu éludes la question, fit-elle en secouant la tête et en détournant le regard.

Elle demeura silencieuse quelques minutes, puis se tourna de nouveau vers lui.

— Où allons-nous, Spencer ?

— Dans le quartier français. Pour interroger une femme dans le cadre d'une enquête pour meurtre.

— Ne fais pas l'innocent. Tu as très bien compris ce que je voulais dire. Je parlais de nous, de notre couple.

Il se rendit compte qu'il était incapable de répondre et ça l'effraya. Stacy avait raison. Quelque chose clochait dans leur couple. Ils se fréquentaient depuis deux ans et ils avaient très vite vécu ensemble.

Il aurait dû savoir ce qu'il ressentait vraiment pour elle et s'il était prêt à s'engager.

— Dis-le moi, Stacy.

— Je l'ignore, murmura-t-elle. Je crois bien que je n'en ai pas la moindre idée.

Ils se turent et n'ouvrirent plus la bouche pendant le reste du trajet. Spencer s'arrêta en face du *Paulie's Place*, sur Toulouse Street et abaissa son pare-soleil pour faire apparaître sa carte de police.

Ils traversèrent et entrèrent dans le bar. Yvette était installée au comptoir. On lui avait servi une bière qu'elle n'avait pas touchée. Elle vit d'abord Spencer et elle eut l'air un peu déçue quand elle reconnut Stacy, mais à peine. Elle savait se tenir.

Elle se laissa glisser du tabouret et les attendit debout. Spencer remarqua qu'elle ne cessait de regarder de tous côtés et de nouer et dénouer ses mains.

Elle avait l'air réellement terrifiée. Et si elle jouait la comédie, elle pouvait abandonner le strip-tease et tenter une carrière à Hollywood.

Bien sûr, cela ne signifiait pas qu'elle était réellement en danger, seulement qu'elle en était persuadée. Elle se demanda si cette fille était complètement cinglée, si elle n'avait pas le crâne aussi fourré de fruits confits qu'un cake de Noël.

— Ça va ? lui demanda-t-il.

Elle acquiesça.

— Merci d'être venu. Je suis désolée de vous avoir dérangé en pleine nuit.

— Sortons. Nous serons plus tranquilles pour parler.

Elle ne se fit pas prier. Elle tira aussitôt quatre dollars de sa poche, les déposa sur le comptoir du bar et attrapa son sac.

— Merci, Jackie, lança-t-elle au barman.

A l'extérieur, la rue était presque vide. La plupart des bars et des clubs étaient déjà fermés.

— Vous n'avez pas froid ? demanda galamment Spencer. Nous pouvons nous installer dans la voiture.

Elle secoua la tête.

— Non, j'ai besoin d'une cigarette.

Elle sortit son paquet et tenta d'en allumer une avec ses mains qui tremblaient.

— Permettez-moi, dit-il.

Elle lui jeta un regard reconnaissant et lui tendit les allumettes.

Quelques secondes plus tard, le papier et le tabac rougeoyèrent et elle put inspirer une profonde bouffée.

Spencer lui accorda un peu de répit, puis il murmura :

— Alors, comme ça, vous sauriez qui a tué Marcus ?

— En effet, répondit-elle en tirant de nouveau sur sa cigarette. Mais vous n'allez pas me croire, bien entendu.

— Donnez-nous une chance, fit Stacy d'une voix douce. Vous serez peut-être surprise.

— J'en doute, mais je veux bien vous donner une chance, rétorqua Yvette en relevant le menton d'un air de défi. C'est l'Artiste.

Stacy haussa les sourcils.

— Votre admirateur ?

— Je vous avais dit que vous ne me croiriez pas.

Spencer intervint.

— Ça suffit comme ça, Yvette. Il y a quelques jours à peine, vous nous avez affirmé que l'Artiste n'existait pas.

Elle tira de nouveau sur sa cigarette.

— Je vous ai simplement dit que j'avais menti en disant qu'il avait écrit à Kitten. Mais il existe.

— Poursuivez.

— C'est moi qui reçois des lettres enflammées de ce type qui signe l'Artiste.

— Vous en avez reçu combien ?

Elle prit le temps de réfléchir.

— Cinq, en comptant celle de ce soir.

Elle se tut comme si elle attendait une question, puis reprit :

— Ça ne m'a pas vraiment tracassée jusqu'au moment où j'ai appris la mort de Marcus.

Elle s'éclaircit la gorge.

— Je pensais qu'il s'agissait d'un taré souffrant de solitude. Mais quand je suis sortie du commissariat l'autre jour, j'ai trouvé un message de lui en rentrant chez moi. A l'intérieur de mon appartement, sur la porte de la cuisine.

— Vous voulez dire qu'il était entré chez vous par effraction ? demanda Spencer.

— Oui, répondit-elle en laissant tomber sa cigarette qu'elle écrasa du bout de sa chaussure à talon aiguille. Le message disait : « J'ai fait ça pour toi. »

— Fait quoi ?

— Tué Marcus.

— Tué Marcus ? C'était précisé ?

— Non, mais je ne vois pas ce que ça pourrait être d'autre.

Spencer jeta un coup d'œil à Stacy. Elle conservait une expression neutre, mais il comprit qu'elle avait du mal à croire ce qu'Yvette racontait. Elle n'était pas la seule.

— Mademoiselle Borger, fit-il patiemment. Cet homme pouvait faire allusion à n'importe quoi. Au fait qu'il s'était masturbé, qu'il avait avalé un flacon de médicaments, battu son chien… N'importe quoi…

— Non, coupa-t-elle. Cette nuit-là, il était venu au club et il avait donné à Tonya une enveloppe pour moi.

Elle fouilla dans son sac à dos et en sortit une liasse de billets et une lettre.

— Cinq cents dollars, annonça-t-elle.

Comme ils ne répondaient pas, elle laissa échapper un soupir de découragement.

— Marcus me devait cinq cents dollars.

Elle regarda Stacy droit dans les yeux.

— C'est pour ça que nous nous sommes disputés dans l'allée,

le soir où vous êtes intervenue, celui où il a voulu m'étrangler. Et regardez…

Elle tendit le message à Spencer qui le lut tout haut.

— « Tu trouveras dans cette enveloppe ce qu'il te devait. »

Il passa le papier à Stacy qui le parcourut des yeux en fronçant les sourcils.

— Ce n'est pas signé, fit-elle remarquer.

— C'est impossible ! s'exclama Yvette en arborant une mine décomposée. J'ai cru pourtant… Il a toujours signé ses messages, je le jure…

— Vous avez toujours les autres ? demanda Spencer.

— Pas sur moi, mais je les ai conservés, oui. Ils sont dans mon appartement.

— Allons les chercher.

Ils n'échangèrent pas un mot durant le court trajet. Devant l'immeuble d'Yvette, quand ils sortirent de la voiture, Spencer remarqua que la lumière de l'aube commençait à éclairer l'horizon.

La journée promettait d'être longue et pénible.

Yvette ouvrit la porte de l'immeuble, ils entrèrent dans la cour et la suivirent dans l'escalier. Un chien se manifesta quand ils passèrent dans le couloir — en émettant un son entre l'aboiement et le hurlement. Spencer se sentit désolé pour les malheureux que cette affreuse bête était en train de réveiller.

Yvette les fit entrer chez elle, actionna l'interrupteur près de la porte, puis resta plantée dans l'entrée.

— Yvette ? dit Spencer.

Elle lui jeta un regard apeuré.

— Depuis qu'il s'est introduit ici, il me faut un certain temps quand j'arrive avant de trouver le courage de… Je sais que c'est idiot, mais…

— Ce n'est pas du tout idiot. Nous allons vérifier que tout est normal.

Il ne leur fallut que quelques minutes pour se rendre compte que le petit appartement était bien vide.

— Merci, dit Yvette. J'ai fait changer la serrure… Un truc dont j'ai oublié de vous parler… J'ai reçu la visite d'une femme.

— Une femme ? s'étonna Spencer en fronçant les sourcils.

— Oui. Un soir où je suis rentrée plus tôt à l'improviste, j'ai trouvé une femme devant ma porte. Elle a prétendu être la mère de ma voisine Nancy et s'être trompée de porte.

— Il s'agissait peut-être vraiment de la mère de Nancy, proposa Stacy.

— Non. Parce qu'elle a aussi rencontré Nancy et elle lui a raconté qu'elle était ma mère pour justifier sa présence dans le couloir. C'est comme ça qu'elle a réussi à entrer. Nancy lui a dit où je cachais le double de ma clé.

— C'était quel soir ? demanda Spencer.

— Lundi.

Patti. C'était donc ça le « petit accroc sans importance »…

Il s'aperçut que Stacy le considérait d'un air méfiant et se dépêcha d'enchaîner.

— Vous croyez que l'Artiste pourrait être une femme ?

Yvette arrondit les lèvres comme si elle allait dire non, puis se ravisa.

— J'ai toujours supposé qu'il s'agissait d'un homme. La plupart du temps, ce sont des hommes qui fréquentent le *Hustle*. Et Tonya m'a apporté la lettre de ce soir en me disant qu'un homme la lui avait remise.

— Tonya ?

— La femme qui supervise les danseuses et le personnel féminin du *Hustle,* expliqua Stacy.

Puis elle se tourna vers Yvette.

— Et ces lettres, où sont-elles ?

— Dans ma chambre. Je vais les chercher.

Dès qu'ils furent seuls, Stacy se tourna vers Spencer.

— Qu'est-ce qui se passe, Malone ?

— De quoi parles-tu ?

— Quand Yvette a parlé de la femme qui est venue ici, tu as eu un drôle d'air.

— Vraiment ?

Elle haussa un sourcil.

— Pas la peine de prendre ton air innocent. Tu me caches quelque…

— Elles ne sont plus là.

Ils firent volte-face avec un bel ensemble. Yvette se tenait dans l'embrasure de la porte de sa chambre, elle avait les yeux écarquillés, elle était pâle.

— Je les avais mises là, je le jure. Il a dû les reprendre.

— Montrez-nous où vous les aviez rangées, fit Spencer.

Elle les fit entrer dans la chambre et montra du doigt sa table de nuit dont le tiroir était encore grand ouvert.

— Là-dedans.

— Vous êtes sûre de ne pas les avoir changées de place ?

— Sûre, oui. Elles y étaient toutes.

— Parlez-moi un peu de Ramone, proposa Stacy.

— Qui ?

— Ramone, coupa Stacy d'un ton agacé. L'associé de Marcus. Vous ne vous souvenez pas ?

Comme elle hésitait, Stacy répondit pour elle.

— Laissez-moi deviner. Ramone n'existe pas.

— Si, mais…

— Et je suppose que vous avez aussi menti en prétendant ne pas connaître l'homme que l'inspecteur Malone vous a demandé d'identifier, poursuivit Stacy en ignorant sa protestation.

— Je l'ai déjà vu au *Hustle*. Et aussi attendre les filles à la sortie. Et après ?

— Si ce n'était que ça, pourquoi nous l'avoir caché ?

— Parce que j'étais furieuse. Parce que je ne voulais être impliqué là-dedans en aucune manière. Parce qu'une femme comme moi n'aide pas les flics.

— Vous ne cessez de nous mener en bateau, en somme. Pourquoi devrions-nous vous croire aujourd'hui ?

— Parce que je dis la vérité.

Elle serra ses bras autour d'elle.

— Tout est vrai. Les lettres, l'argent, la femme qui est entrée chez moi.

Sa voix prit un accent désespéré et son regard alla de Spencer à Stacy.

— Il a tué Marcus. Je sais que c'est lui.

— Nous n'avons pas dit que ce n'était pas lui, intervint Spencer d'un ton conciliant et plein de douceur. Mais il nous faut du concret pour prendre en compte vos déclarations. Une preuve.

— Allez vous faire foutre, cracha Yvette. J'aurais dû me douter que ce n'était pas la peine d'attendre quoi que ce soit de la police.

— Revenez sur terre, mademoiselle Borger. A quoi vous attendiez-vous ?

— Sortez ! Si vous n'êtes pas là pour m'aider, vous n'avez rien à faire chez moi.

Ils ne cherchèrent pas à la raisonner ou à la convaincre. Quelques minutes plus tard, ils sortaient du bâtiment. Ils ne pouvaient rien faire de plus pour elle.

— C'était intéressant, commenta Stacy. Qu'en penses-tu ? C'est une menteuse ou une folle ?

— Il y a au moins un peu de vrai, dans ce qu'elle dit.

Elle s'arrêta net et le contempla fixement.

— Quoi, par exemple ?

— La femme qui est entrée chez elle, répondit-il.

Il déverrouilla sa Camaro et ouvrit sa portière, mais ne fit pas mine de monter.

— Cette femme, c'était Patti, avoua-t-il.

Après avoir lâché cette bombe, il se glissa derrière le volant. Stacy se figea sur place quelques secondes, le temps d'enregistrer l'information, puis elle se glissa sur le siège du passager, attacha sa ceinture et tourna vers Spencer un visage incrédule.

— Comment ça, c'était Patti ?

— Il lui fallait un élément pour prouver que la colocataire d'Yvette était l'inconnue de City Park. Elle ne voulait pas foutre ta couverture en l'air, mais elle ne voulait pas attendre non plus. Elle a dû agir seule.

— Tu veux dire qu'elle est entrée chez Borger par effraction ?

— Oui.

Stacy demeura silencieuse, comme si elle encaissait le coup. Quand elle se remit à parler, sa voix exprimait la déception.

— Je ne peux pas croire que tu as accepté d'être complice d'un truc pareil. Si ça arrive jusqu'aux oreilles de la *Public Integrity Division*…

— Je n'ai pas été complice, je te rassure. Tante Patti ne m'avait pas prévenu de ce qu'elle projetait de faire.

— Tu as deviné ?

— Oui.

Il démarra.

— Et je lui ai dit ce que j'en pensais.

Le trafic était pratiquement inexistant et ils traversèrent le quartier français, puis Canal Street, en quelques minutes — dans la journée, il leur en aurait fallu vingt.

Ils s'engageaient sur la rampe d'accès de la voie express quand Stacy reprit la parole.

— Elle a trouvé quelque chose ?

— Le nom du dentiste de Kitten. Mais inutile de t'exciter, le dentiste avait bien des radios, mais elles ne correspondent pas à la dentition de la fille de City Park.

— Patti a donc enfreint la loi pour rien.

— La paix de l'esprit, ça n'est pas rien.

— Tu dis une connerie, là, Spencer.

— Patti est capitaine de police, elle sait ce qu'elle fait.

— Capitaine de police ou pas, elle pète les plombs.

Ils se turent, de nouveau.

— Qu'as-tu l'intention de faire ? demanda enfin Spencer.

— Tu me mets dans une position particulièrement inconfortable.

— Je suis désolé. Je ne voulais pas t'en parler, mais je n'ai pas eu le choix.

— Je ne mentirai pas. Si on me pose des questions, je dirai ce que je sais. Mais si on ne me demande rien…

— Ça me paraît correct, fit Spencer en prenant Carrolton Avenue, en direction du fleuve. D'autant plus que personne ne te posera de questions.

29.

Samedi 28 avril 2007
6 h 35

Stacy ne parvenait pas à trouver le sommeil. Les idées se bousculaient dans sa tête et tournaient en boucle, comme un hamster dans une roue.

Le capitaine Patti O'Shay avait transgressé la loi. Et Spencer s'en était aperçu. Pourtant, il n'avait ressenti aucune culpabilité. Ni sur le moment, ni après.

De plus, il le lui avait caché. Et elle ne s'était doutée de rien.

Elle se demandait ce qui l'avait le plus secouée. Qu'il ne lui confie pas tout ou qu'il puisse lui mentir sans qu'elle le sente.

Pouvait-on imaginer une relation épanouissante basée sur des secrets et des mensonges ? Non. Dans un couple, il fallait de l'honnêteté et une confiance absolue.

Exactement comme entre deux policiers qui faisaient équipe. En pleine action, vous n'aviez pas le temps de vous demander si votre partenaire vous couvrait correctement. Sinon vous étiez fichu.

Spencer ronflait doucement auprès d'elle, mais ce bruit familier ne la dérangeait pas. Il avait même quelque chose de réconfortant.

Elle roula sur le côté pour le contempler. Au fond, ça n'était pas étonnant qu'aucun d'eux ne sache où ils allaient. Comment auraient-ils pu savoir ?

— Pourquoi me fixes-tu comme ça ? demanda-t-il sans ouvrir les yeux.

— Je ne te fixe pas.

Il souleva une paupière.

— Menteuse.

Elle se pencha pour l'embrasser.

— Rendors-toi. Je vais me lever.

— Tu es folle, grommela-t-il.

— Sans blagues.

Elle se glissa hors du lit et enfila un sweat-shirt sur son pyjama de coton.

— Stacy ?

Elle s'arrêta sur le seuil de la porte et se retourna.

— Oui ?

— Epouse-moi.

Elle le contempla d'un air abasourdi. Il lui fallut quelques secondes pour retrouver sa voix.

— J'ai mal entendu… Tu viens de dire…

— Je viens de te demander de m'épouser.

La nuit dernière ils avaient admis ensemble qu'ils ne savaient pas où les menait leur relation.

— Tu me prends au dépourvu, Spencer. Pourquoi me demandes-tu en mariage ?

— Je l'ignore. Mais tu as le droit de réfléchir avant de répondre, bien entendu.

Elle acquiesça et sortit de la pièce en refermant doucement la porte derrière elle.

Comme toutes les jeunes femmes, elle avait souvent rêvé du jour où l'homme qu'elle aimait la demanderait en mariage. Il s'agenouillerait pour faire sa déclaration, une douce musique jouerait en fond, il lèverait vers elle un visage éclairé par la faible et douce lueur d'une bougie et il lui promettrait un amour éternel en lui passant une bague de fiançailles au doigt.

Evidemment, la déclaration de Spencer ne répondait à aucun de ces critères, mais, étrangement, le « Je l'ignore » lancé d'un ton désinvolte et entendu par une héroïne en pyjama et sweat-shirt faisait très bien l'affaire.

Elle mit la cafetière en marche et sortit pour ramasser le journal. Il faisait une journée magnifique, avec un ciel très bleu, des nuages joufflus et un air relativement sec pour la région. Mais ça ne voulait rien dire. Le temps pouvait changer d'un seul coup à La Nouvelle-Orléans.

Quand elle rentra avec le journal, les borborygmes de la cafetière annonçaient que le breuvage était prêt. Spencer était debout, appuyé au comptoir, comme s'il avait du mal à tenir sur ses jambes. Il paraissait hypnotisé par l'appareil.

— Tu t'es levé, fit-elle remarquer.

— J'ai senti le délicieux arôme du café et je n'ai pas pu résister.

Elle haussa un sourcil. Le pourquoi de cette demande en mariage saugrenue ne suffisait pas à le tirer du lit, mais l'odeur du café frais, oui.

Décidément, la question du mariage ne le mettait pas sur des charbons ardents. Pourtant il s'agissait d'une décision dont toute leur vie allait dépendre.

Il se servit une tasse, mit un peu de sucre, se dirigea vers la table en traînant les pieds et se laissa tomber sur une chaise.

— Qu'est-ce que tu as de prévu, aujourd'hui ? demanda-t-il.

— Je dois faire le tour des propriétés de Gabrielle avec Baxter pour vérifier que nous n'avons rien laissé passer. Nous pensons emmener avec nous un maître-chien.

Les chiens dressés à détecter la drogue pouvaient déceler des particules microscopiques et donc d'anciennes caches.

— Pas bête, approuva-t-il en buvant une gorgée. Ce que vous avez pris chez Gabrielle vous a donné des pistes ?

— Hélas non. C'était un malin. Rien dans son agenda, pas plus que dans son Palm ou dans son ordinateur. Le labo s'occupe de son téléphone portable.

Un utilisateur de téléphone cellulaire ne se doutait pas que son appareil conservait encore quelque temps les informations qu'il croyait effacées. Les experts spécialistes des mobiles étaient capables de faire resurgir des éléments inestimables pour l'avancée d'une enquête — comme la liste de contacts, les numéros appelés, la durée des appels, les messages, les images reçues ou envoyées, les vidéos enregistrées, les sonneries sélectionnées... On pouvait tout retrouver. Certains programmes traduisaient même l'arabe et le chinois.

— On ne peut pas prouver qu'il était mêlé à un trafic de méthamphétamine, poursuivit Stacy. Nous n'avons rien à part les déclarations du barman du *Hustle*.

— Et pourtant on l'a assassiné un soir de semaine, dans l'allée de sa belle maison, commenta Spencer en bâillant. Tu voudrais bien sortir acheter des petits pains ?

— Je n'arrive pas à croire que tu penses à manger dans un moment pareil.

— Mais j'ai faim, moi !

— Te souviens-tu d'avoir lâché une bombe il y a quelques minutes à peine ?

— Oui, je m'en souviens. Je me souviens même que la bombe se trouve maintenant dans ton camp.

— Tu ne crois pas que nous devrions parler de ça, plutôt que de petits pains ?

— Si tu veux. Mais la réponse est simple. C'est oui ou c'est non.

— Tu me rends dingue ! s'écria Stacy en croisant ses bras sur sa poitrine. Complètement chèvre.

Il but une autre gorgée de café en retenant un sourire.

— Eh bien, voilà une bonne raison de dire oui. Ce n'est pas tous les jours qu'on a l'occasion d'épouser un type qui vous rend dingue.

Pas la peine de rêver, il n'était pas parti pour une déclaration romantique. Elle songea avec amertume à ces filles qui avaient toutes les chances.

Quelque chose dans son expression décida Spencer à cesser de faire de l'humour.

— Je suis comme je suis, Stacy.

Elle aussi.

— Non, répondit-elle doucement. Non, je ne t'épouserai pas.

Le visage de Spencer demeura impassible. Il se contenta d'acquiescer.

— Tu veux quitter cette maison ?

— C'est là que tu voulais en venir ? Tu aurais dû me le demander, tout simplement.

Il fronça les sourcils.

— Je crois que tu te méprends sur mes intentions.

— Dans ce cas, tu vas m'expliquer ce qui t'a pris de me proposer le mariage. Et ne me dis pas que tu n'en sais rien, c'est une réponse que je n'accepterai pas.

— Nous avons parlé hier soir de l'avenir de notre relation et ce matin il m'a semblé que nous marier était la meilleure chose à faire.

— La meilleure chose à faire ?

— Oui, que c'était le moment… Tu vois ce que je veux dire… Qu'il était temps de…

— Se décider ou de passer à autre chose.

— Je ne l'aurais pas dit comme ça, mais oui, si tu veux.

Il s'enfonçait…

— Je crois que je vais en effet quitter cette maison, fit Stacy.

— Stacy, je n'avais pas l'intention de…

— Oh, si…

Elle pinça la bouche quelques minutes, le temps de rassembler ses esprits.

— Tu as raison, Spencer. Il est peut-être temps d'affronter l'idée que tout ça ne nous mène à rien.

Il ne répondit pas. Elle marcha jusqu'à la porte, s'arrêta et se retourna pour le regarder. Il n'avait pas bougé de sa chaise et fixait un point dans le vide, quelque part derrière elle. Elle se demanda s'il souffrait, s'il avait comme elle la sensation qu'une main de fer lui broyait le cœur.

Il n'en donnait pas l'impression.

Elle poussa un long soupir.

— Il va me falloir quelques semaines pour trouver un logement. Je commence à chercher dès aujourd'hui.

30.

Samedi 28 avril 2007
11 h 15

Yvette avait fourni la liste des locaux commerciaux qu'elle avait « ouverts » pour Gabrielle depuis le début de l'année. Coup de chance, elle avait noté les adresses sur son calendrier. Une pratique que Gabrielle n'aurait sûrement pas approuvée.

Elle avait jeté son agenda de l'année précédente et les noms et les numéros de rues de 2006 se mélangeaient dans sa tête. Stacy en possédait la liste, mais elle prévoyait de l'utiliser uniquement au cas où Yvette sécherait complètement.

Rene Baxter était le partenaire de Stacy pour cette enquête. Il avait proposé de prendre le volant et elle avait accepté. Ils possédaient un mandat de perquisition pour chacune des adresses et un agent du bureau de Gabrielle avait accepté de les accompagner, en tant que représentant du propriétaire.

Rene suivait la Camry couleur chamois de l'agent en question. Buster, un gros labrador du labo et son maître, Bob, roulaient derrière dans une voiture de patrouille K-9. On les avait surnommés B&B.

Ils venaient de traverser Poydras Street et se dirigeaient dans Warehouse District.

— Quand j'étais enfant, ce quartier était plein d'entrepôts. Et regarde maintenant… Il n'y a plus que des appartements de luxe, des galeries d'art et des clubs branchés.

Et aussi des restaurants, d'après ce que Stacy voyait. Et des galeries d'art. Très branchés aussi.

— Ici, un appartement peut coûter jusqu'à cinq cent mille dollars. Tu ne trouves pas que c'est se foutre du monde ?

Comme Stacy ne disait rien, il lui jeta un regard en coin.

— Tu es bien silencieuse aujourd'hui, commenta-t-il.

Je suis préoccupée par le tournant que ma vie a pris ce matin.

— Un peu fatiguée, mentit-elle.

— Tu as faim ?

Elle se tourna vers lui.

— Aujourd'hui c'est pas Grincheux, c'est Gourmand ?

Il rit de se voir comparé aux nains de Blanche-Neige.

— Il faut bien que je mange, j'ai faim, protesta-t-il.

— Mais nous venons à peine de commencer, fit-elle remarquer.

— Nous avons commencé tard, pratiquement à l'heure du déjeuner.

Elle sourit.

Rene Baxter était petit et maigre, mais il avait un appétit d'ogre. A se demander où passait ce qu'il avalait.

— On en fait encore deux et puis ce sera la pause, promit-elle.

— Ça marche. *Tacos*, beignet de poulets ou *burger* ?

— Je suis sûre que Buster apprécierait les trois, mais je penche pour les *tacos*.

— Tu ne peux pas cacher que tu viens du Texas.

— Tu l'as dit.

La Camry s'arrêta devant un immeuble de briques de deux étages.

Une grande pancarte « A vendre », celle de l'agence de Gabrielle, était accrochée à l'une des fenêtres de façade. Rene se gara juste en dessous et ils sortirent de la voiture.

Buster tirait sur sa laisse, il avait visiblement hâte de commencer. Il passait son temps à s'entraîner pour ce genre d'exercice. Il était heureux de se trouver sur le terrain.

— A toi de jouer, mon grand.

L'agent immobilier ouvrit la porte et ils entrèrent. Stacy balaya l'espace du regard. Il s'agissait d'une salle de bar ou de club.

Bob détacha la laisse de Buster qui entreprit aussitôt d'appliquer ce qu'on lui avait appris. Elle le suivit des yeux tandis qu'il flairait minutieusement les moindres recoins. Quand il sentirait une odeur suspecte, il les préviendrait. Stacy savait qu'il existait deux types d'alertes : l'alerte passive, quand le chien s'asseyait, et l'agressive, quand il grattait.

— Il a trouvé quelque chose, dit soudain Bob.

Il ne s'était pas trompé, l'animal donna aussitôt des coups de pattes sur une grille de climatisation.

Buster était donc plutôt du genre à gratter.

Stacy et Rene se précipitèrent vers l'endroit désigné par le chien. La grille se trouvait dans le couloir menant aux toilettes. Elle était descellée et ils n'eurent aucun mal à l'ôter. Stacy enleva le filtre. Il était crasseux.

— Lampe torche, demanda-t-elle.

Bob lui en tendit une et elle promena le mince faisceau dans le réduit.

— C'est vide, annonça-t-elle au bout de quelques secondes.

— Il y a eu de la drogue là-dedans, c'est certain, assura Bob.

— Comment as-tu deviné ? s'étonna Rene. Il n'avait encore rien manifesté.

Bob rit tout en flattant la grosse tête de son chien.

— Sa respiration avait changé, expliqua-t-il.

Le téléphone portable de Stacy vibra et elle s'éloigna du groupe pour répondre. C'était Spencer.

— Salut, dit-il.

— Salut à toi aussi.

— Comment ça se passe ?

— Plutôt bien. Le chien vient de nous signaler une cache.

— Où ça ?

— Dans ce qui devait être une sorte de restaurant huppé. Dans South Peters, Warehouse District.

Il se tut et elle s'éclaircit la gorge.

— Tu avais quelque chose à me dire ? demanda-t-elle.

— Je ne veux pas que tu t'en ailles.

Sa main se crispa sur le téléphone.

— Je ne peux pas parler de ça maintenant.

— Je sais. Je… Je tenais simplement à ce que tu le saches.

— Merci, dit-elle doucement. Nous en discuterons plus tard.

Elle raccrocha et rangea l'appareil dans son étui. Au même instant, il vibra. Elle le reprit, jeta un coup d'œil au cadran et vit qu'il s'agissait de nouveau de Spencer.

— Oui ?

— Comment s'appelait ce restaurant ?

— Je l'ignore. L'enseigne n'y est plus. Pourquoi ?

— Par curiosité. Demande à Baxter s'il le sait.

Elle le fit. Rene parut d'abord perplexe, puis il sourit.

— Le *Cosmopolitan*, dit-il. Ça a été l'endroit à la mode pendant un an. Il y avait un bar taillé dans la glace.

Elle le répéta à Spencer. Il émit un long sifflement.

— Cet endroit appartenait à June, l'amie de tante Patti. Et aussi à son frère, Riley. Ils l'ont fermé après Katrina. Je ne sais pas ce qui les a décidés à vendre.

— Je parierais qu'ils ignoraient que leur agent immobilier était un dealer. Je vais tout de même devoir les interroger. Tu as leur numéro ?

Il le lui donna et elle raccrocha.

Pendant qu'elle parlait avec Spencer, Buster avait terminé de fouiller l'endroit. Il n'avait rien trouvé de plus.

— Prochaine adresse ? demanda Stacy qui avait hâte de partir.

Rene n'avait pas envie de traîner non plus. Il fit signe qu'il voulait y aller, mais sans mentionner les *tacos*.

Trois heures et demie plus tard, ils avaient visité quinze des trente adresses. Buster avait détecté partout des traces de drogues et toujours dans les bouches d'aération. Ils étaient certains à présent que Gabrielle s'était servi de ces locaux pour cacher de la drogue.

C'était plutôt ingénieux. Un « agent immobilier » rencontrait de nombreux « acheteurs potentiels ». Les va-et-vient n'avaient pas dû éveiller la méfiance des voisins.

Stacy regretta que Gabrielle soit mort. Ça la privait du plaisir de le coincer.

Quant à Borger, elle était à présent leur unique lien avec le commerce illicite de Gabrielle.

Tout en dévorant leurs *tacos*, ils décidèrent de se séparer pour la suite. Baxter continuerait avec Buster et Bob pendant qu'elle s'occuperait de questionner les propriétaires des endroits à louer, plus par acquit de conscience qu'autre chose.

Les amis de Patti possédaient trois des propriétés figurant sur la liste d'Yvette. Elle décida de commencer par eux.

Par correction, elle informa Patti de ses intentions.

— Je pense qu'ils doivent être dans leur galerie, *Pieces,* sur Julia Street, expliqua Patti. Si ça ne te dérange pas, je te retrouve là-bas.

— Pas de problème. J'y vais tout de suite.

Patti attendait dans sa voiture quand Stacy arriva. Elles se dirigèrent d'un même pas vers la double porte vitrée de l'entrée qu'elles franchirent ensemble.

June et Riley accueillaient en ce moment une exposition de grandes peintures abstraites exécutées d'un trait large et vigoureux et censées représenter des portraits ou des paysages. Avec une sœur artiste peintre, Stacy avait l'habitude de hanter les galeries et celle-ci était comme toutes les autres : dépouillée, avec des murs blancs et un sol neutre — ici du béton strié et moucheté.

Rien ne devait jurer avec les œuvres ni attirer l'attention à leur détriment.

June était debout derrière un élégant secrétaire placé entre deux salles. Elle répondait au téléphone. Quand elle les aperçut, son visage s'éclaira et elle s'empressa de raccrocher.

— Patti ! s'écria-t-elle en se précipitant pour serrer son amie dans ses bras. Quelle bonne surprise !

Puis elle se tourna vers Stacy et lui adressa un sourire chaleureux.

— Ça me fait plaisir de te voir, Stacy.

Stacy lui rendit son sourire.

— Ça me fait plaisir aussi, assura Stacy.

Le regard de June revint vers Patti.

— Dis-moi que tu as enfin décidé d'accrocher chez toi une toile colorée pour égayer tes murs. Autre chose qu'un poster du festival de jazz ou du mardi gras.

— Comme si mon salaire de fonctionnaire me permettait de me payer une de ces toiles, riposta Patti.

— Je te ferais un prix.

— Je n'en doute pas. Mais ça resterait encore trop cher pour moi.

Stacy intervint.

— En fait, nous sommes venues vous poser des questions au sujet des locaux commerciaux dont vous avez confié…

Riley sortit de l'arrière-boutique, son portable à la main.

— June ! J'ai vendu cette pièce à…

Il s'arrêta net en les voyant et un grand sourire étira son visage.

— Tante Patti ! Quelle bonne surprise !

Il vint l'embrasser sur la joue puis se tourna vers Stacy et lui sourit.

— Je ne savais pas que tu appréciais la peinture, Stacy.

— J'ai intérêt à l'apprécier. Une de mes sœurs est peintre.

— Ta sœur ?

— Jane.

Il la dévisagea quelques secondes d'un air abasourdi.

— Jane Killian est ta sœur ?

— Je croyais que tu le savais.

Le visage de Riley s'illumina.

— Seigneur, non, je l'ignorais. Sais-tu que j'adore son travail ? Cette fille est un génie.

Stacy éclata de rire. Autrefois, cela l'aurait dérangée que quelqu'un exprime tout haut son admiration pour sa sœur. Mais leur relation avait beaucoup évolué depuis quelques années.

Il avait fallu pour ça que Jane échappe de justesse à un maniaque qui avait failli la tuer.

— Ça lui sera répété, dit-elle.

— Elle a trouvé quelqu'un pour l'exposer à La Nouvelle-Orléans ?

Son enthousiasme lui rappela celui du chien Buster.

Il lui prit les deux mains.

— Nous avons un vernissage samedi soir. Je serais ravi de vous y voir.

— Riley ! gronda June. Cesse ce flirter avec elle. Elle est déjà prise.

— Elle ne porte pas de bague, plaisanta Riley avec un grand sourire. Donc elle est libre.

Décidément… C'était la deuxième fois en quelques jours qu'elle entendait la remarque. Pas de bague, pas d'engagement.

— Je te prie d'excuser l'enthousiasme de mon frère, fit June en jetant un regard mauvais du côté de Riley.

— Ne t'excuse pas. Il a raison, je ne porte pas de bague.

La bouche de Patti s'affaissa et June eut l'air effondrée. Stacy s'éclaircit la gorge.

— Je voulais juste dire que je n'étais pas froissée par sa remarque, précisa-t-elle.

— Merci, fit Riley d'un ton appuyé. Donc, tu viens samedi ?

— C'est le vernissage de Shauna, non ? J'avais de toute façon prévu d'y assister. Avec Spencer et tout le clan Malone.

Riley poussa un soupir désolé et lâcha les mains de Stacy.

— Les Malone ont toujours les meilleures femmes. Il ne reste plus rien pour moi.

— Ça suffit, gronda June. Patti et Stacy sont ici pour leur travail. Il s'agit d'une visite officielle. Laisse-les tranquille.

Il parut ravi de cette réprimande.

— Je ne voudrais surtout pas me mettre en travers de la justice, railla-t-il.

Patti profita de l'occasion pour entrer dans le vif du sujet.

— Vous possédez trois propriétés commerciales à vendre que vous avez confiées à l'agence immobilière Gabrielle, c'est exact ?

— C'est exact, répondit June. Après Katrina, nous nous sommes aperçus que nous avions perdu les gérants de certains de nos biens. Et comme il fallait en plus se battre avec les compagnies d'assurances pour les réparations, nous avons décidé de nous en débarrasser. Ça nous a paru plus simple et plus léger que de tout remettre en route.

— Ça ne valait pas le coup de se donner tout ce mal, expliqua Riley. La vie est trop courte.

— Pourquoi vous êtes-vous adressés à Marcus Gabrielle ?

June parut mal à l'aise.

— J'ai lu dans les journaux qu'on l'avait assassiné. C'est... C'est affreux. Se faire tirer dessus dans sa propre allée...

Elle se frictionna les avant-bras, comme si elle avait soudain froid.

— Je croyais que ça ne pouvait plus se produire dans notre ville. Il me semblait que le passage de Katrina nous avait appris quelque chose.

Stacy songea qu'elle prenait ses rêves pour des réalités. *Les criminels ne s'amendaient jamais longtemps. Les meurtres avaient même augmenté ces derniers temps, en raison de règlements de comptes entre bandes rivales.*

June soupira.

— Gabrielle était un de nos clients. Il appréciait l'art. C'était un mécène. Quand nous avons décidé de vendre, nous avons trouvé tout naturel de lui renvoyer l'ascenseur.

— Je l'appréciais énormément, renchérit Riley. Il me faisait l'effet d'un brave type.

Stacy ne chercha pas à le détromper, mais elle trouva son jugement comique. Le brave type trompait sa femme, se conduisait comme une brute avec sa maîtresse et trempait dans un trafic de drogue.

— L'avez-vous déjà vu avec des gens louches ?

— Non, répondit June. Il venait le plus souvent seul ou avec sa femme.

— Personne d'autre ?

— Il s'est montré une fois avec l'une de ses employées. Comment s'appelait-elle déjà ? demanda-t-elle en se tournant vers son frère.

— Trudy, répondit-il. Une femme avec des cheveux courts et gris.

Il s'agissait de l'agent immobilier qui les avait accompagnés aujourd'hui dans leur tournée des locaux.

— Pourquoi nous posez-vous toutes ces questions ? demanda June comme si elle s'étonnait brusquement de leur visite.

— Nous cherchons des renseignements dans toutes les directions, répondit calmement Stacy.

— Des suspects ? fit Riley.

— Bientôt, j'espère…

— J'ai beaucoup pensé à la femme et aux enfants de Gabrielle ces derniers jours, murmura June. Sa mort est une véritable tragédie.

Le téléphone de la galerie sonna. Riley s'excusa et alla répondre.

— Si tu penses à quoi que ce soit qui pourrait nous être utile, June, n'hésite pas à nous appeler.

— Bien entendu, fit June en les raccompagnant jusqu'à la porte. Toujours O.K. pour le brunch de demain ? ajouta-t-elle à l'intention de Patti.

— Bien sûr. Tu nous feras des œufs pochés, comme prévu ?

Elle répondit que oui. Riley l'appela de l'intérieur.

— A samedi, dit-elle en les laissant.

Dehors, elles se retrouvèrent brusquement baignées dans la généreuse lumière du crépuscule. Patti s'arrêta pour dévisager Stacy avec un drôle d'air.

— Tu peux m'expliquer ce qui se passe ? demanda-t-elle.

— De quoi parles-tu ?

— De toi et Spencer.

— Rien. Il ne se passe rien de spécial.

— Vous vous êtes disputés ?

Stacy secoua la tête.

— Malgré tout le respect que je te dois, Patti, je vais tout simplement te répondre que c'est personnel.

— Dans notre famille, rien n'est vraiment personnel.

Elle avait raison. Dans le clan, tout le monde était au courant de tout sur tout le monde.

— Nous ne nous sommes pas disputés, répondit Stacy. Mais il est question que je déménage pour me louer un appartement.

— Ça fait pourtant un moment que nous lui répétons que tu finiras par le quitter s'il ne se décide pas à s'engager.

Ça expliquait sa demande en mariage. Il avait cédé à la pression familiale.

— Tu te trompes, Patti. Il m'a proposé le mariage et j'ai refusé.

Cette révélation parut déboussoler Patti.

— Mais vous...

— Il ne m'aime pas, murmura Stacy. Et je mérite d'épouser un homme qui m'aime.

Le téléphone de Patti sonna. Elle décrocha en lançant à Stacy un regard d'excuse.

— Capitaine O'Shay, fit-elle.

Elle écouta sans un mot et Stacy remarqua que son visage se crispait.

— Merci de m'avoir prévenue, fit-elle enfin. J'arrive tout de suite.

Elle referma le téléphone d'un coup sec et contempla Stacy.

— C'était Allison Mackensie, l'expert anthropologue. Elle a terminé la reconstitution du visage de l'inconnue de City Park.

31.

Samedi 28 avril 2007
20 h 45

Yvette pointa au *Hustle* avec un quart d'heure de retard et la sensation qu'elle avait déjà eu sa dose d'indignation de la journée. Bien sûr, les inspecteurs Malone et Killian ne l'avaient pas crue. Si un enseignant, une infirmière ou une bibliothécaire leur avait servi la même histoire, ils auraient probablement sauté dessus. Mais une stripteaseuse ? Non. Avec une stripteaseuse, il leur fallait des preuves.

Ça ne l'étonnait pas de la part des flics.

Qu'est-ce qui lui avait pris de se tourner vers eux ? Comment avait-elle pu croire qu'ils la protégeraient ?

L'Artiste avait tué Marcus — pour elle. Il faisait une fixation sur elle et il s'était introduit à plusieurs reprises dans son appartement.

Elle ignorait pourquoi, mais elle avait besoin que ces deux guignols d'inspecteurs la croient. Ils voulaient des preuves, elle allait leur en donner.

Tonya passa sa tête dans la loge d'Yvette.

— Je venais juste m'assurer que tu allais bien, dit-elle.

Yvette sourit tristement.

— Je n'ai plus eu de nouvelles du dingue, si c'est ça que tu me demandes.

— Je surveille l'entrée. S'il vient, je le saurai tout de suite.

— Si tu le vois, appelle-moi, je veux savoir à quoi il ressemble.

Tonya acquiesça.

— J'ai réfléchi à la question et je suis à peu près sûre de l'avoir déjà vu ici. Avant Katrina.

Yvette avait été engagée au *Hustle* après le cyclone. Le *Hustle* était un des premiers clubs à avoir repris son activité après la catastrophe. Ils avaient besoin de filles et ce travail avait représenté pour elle un bond en avant.

— Il avait jeté son dévolu sur une des danseuses, poursuivit Tonya.

— Qui ?

— Jessica Skye. Elle plaisait beaucoup. Elle était blonde, avec des yeux bleus, et elle avait un corps superbe.

Yvette eut la chair de poule. Elle se frictionna les bras pour se réchauffer.

— Où est-elle à présent ?

— Elle est partie. Elle a fui au moment de l'évacuation de la ville.

— Elle ne t'a jamais parlé d'un type qui lui fichait la trouille ?

— Jamais.

Tonya fit mine de sortir, puis elle s'arrêta net et se tourna vers Yvette.

— Que comptes-tu faire s'il vient ce soir ?

— Je n'en sais rien, mais je veux voir sa tête.

— Tout ce que je peux te dire, c'est qu'il n'a pas l'air effrayant. Il est petit et gros, plutôt moche. Il porte de grosses lunettes. Tu sais, comme Clark Kent ou Peter Parker.

Yvette hocha la tête et remercia Tonya. Une fois seule, elle se concentra sur son maquillage qu'elle n'avait pas terminé.

Parmi les filles qui travaillaient en ce moment au *Hustle*, seules Autumn et Gia avaient connu l'établissement avant le cyclone.

Yvette se demanda si elles se souviendraient de Jessica et, si c'était le cas, si Jessica leur avait parlé d'un admirateur se faisant appeler l'Artiste.

Elles étaient là ce soir et Yvette se promit de leur parler avant qu'elles partent.

Le reste de la soirée fut morne. Yvette comprenait maintenant ce que signifiait être sur des charbons ardents. Elle avait les nerfs à fleur de peau, elle s'attendait à chaque instant à voir apparaître Tonya qui lui annoncerait la présence de l'Artiste. Pendant son numéro, elle ne cessa de penser à lui. La regardait-il en ce moment ? Etait-il en train de préparer quelque chose ? Prenait-il son pied à l'idée qu'elle était morte de peur ?

Mais le signal ne Tonya ne vint pas. Yvette en fut soulagée autant que frustrée. Elle aurait tant voulu le regarder droit dans les yeux pour savoir à qui elle avait affaire.

Mais il lui faudrait se contenter des renseignements qu'elle parviendrait peut-être à tirer de Gia et Autumn. Elle se mit à leur recherche et tomba d'abord sur Gia qui s'était installée au bar après la fermeture.

Yvette prit le tabouret voisin du sien.

— Salut, Gia.

— Salut, Yvette, répondit la jeune femme d'une voix douce et traînante. La soirée a été bonne ?

— J'ai fait mieux, mais ça va. Et toi ?

— Pareil. Et c'est beaucoup plus que ce que j'aurais pu gagner chez *Dillard's.*

Elle faisait référence à une chaîne locale de grands magasins.

— J'ai une question à te poser au sujet d'une fille qui travaillait ici avant Katrina. Jessica Skye. Tu te souviens d'elle ?

— Bien sûr. Jessica était un amour.

— Tu as eu de ses nouvelles depuis qu'elle a quitté le *Hustle* ?

— Non. Elle a fui le cyclone. Et ensuite je n'ai plus jamais entendu parler d'elle.

Elle tira une longue bouffée de sa cigarette.

— Pourquoi tu t'intéresses à elle ?

— Je reçois des lettres d'un taré qui signe l'Artiste et Tonya pense qu'il est déjà venu avant et qu'il avait craqué pour Jessica.

— Tonya t'a dit ça ?

Yvette acquiesça.

— J'aurais voulu savoir s'il lui envoyait des lettres à elle aussi.

— Elle ne m'en a jamais parlé. Mais nous n'étions pas très proches.

— Elle n'a jamais mentionné le fait d'être harcelée, effrayée par un type, ou quelque chose dans le genre ?

— Non, désolée.

— Elle avait un petit ami ?

— Pas à ma connaissance, mais ça m'étonnerait. C'est difficile d'avoir une relation sérieuse avec un garçon quand on est strip-teaseuse.

Gia prit encore une longue bouffée de sa cigarette, puis termina son cocktail.

— Je suis crevée, fit-elle. A demain.

Comme elle se levait pour partir, Yvette la retint par le bras.

— Autumn est toujours là ? demanda-t-elle.

— Non, ça fait un moment qu'elle a filé, répondit Gia.

Elle fronça légèrement les sourcils et allongea la tête vers Yvette.

— Tu veux un conseil ? murmura-t-elle.

Yvette se tourna pour la regarder droit dans les yeux et acquiesça en silence.

— Méfie-toi tout de même de Tonya, dit-elle.

Après le départ de la jeune femme, Yvette resta un long moment au comptoir, à siroter son verre. Les paroles de Gia résonnaient dans sa tête.

Méfie-toi tout de même de Tonya. C'est difficile d'avoir une relation sérieuse avec un garçon quand on est stripteaseuse.

Gia avait raison. Elle n'avait pas de petit ami. Pas même une amie vers laquelle elle pouvait se tourner pour chercher de l'aide ou du réconfort. Pas de famille non plus.

Elle songea à Marcus et eut envie de rire. Il n'y avait eu entre eux ni sentiments sincères ni respect. Elle était allée vers lui pour l'argent, et lui vers elle pour le sexe.

Les hommes qu'elle rencontrait au *Hustle* cherchaient le plus souvent une bouffée d'air frais. Et ceux qui n'étaient pas mariés ou fiancés étaient des tordus, comme l'Artiste.

Et s'il arrivait qu'un type normal s'égare au *Hustle*, il ne voudrait certainement pas d'elle.

Qu'est-ce que fait ta copine ? Elle est stripteaseuse au Hustle.

Quand un gars était excité à l'idée de sortir avec une stripteaseuse, ça signifiait qu'il avait un problème.

Mais Yvette avait beau remuer ses seins et ses fesses devant les hommes, elle avait une conception très romantique de l'amour.

Elle songea qu'elle n'était peut-être pas la seule au *Hustle*.

Tonya vint s'asseoir sur le tabouret que Gia avait quitté quelques instants auparavant.

— Tu as parlé avec Gia, dit-elle.

Il ne s'agissait pas d'une question, mais Yvette répondit tout de même.

— Elle se souvenait de Jessica, mais pas de l'avoir entendue mentionner des messages inquiétants d'un type se faisant appeler l'Artiste.

— Et Autumn ?

— Je n'ai pas pu l'interroger. Elle était déjà partie.

— Elle danse demain soir, fit Tonya en se levant. Viens. Je vais te raccompagner jusque chez toi.

Yvette hésita.

Méfie-toi de Tonya.

Elle ouvrit la bouche pour lui demander pourquoi elle se montrait soudainement si gentille, puis la referma. La vérité, c'était qu'elle avait besoin de faire confiance à quelqu'un. Et ce soir elle n'avait que Tonya.

32.

Dimanche 29 avril, 2007
12 heures

Yvette n'avait pas bien dormi. Elle s'était tournée et retournée dans son lit toute la nuit, troublée par des cauchemars où des femmes couraient pour sauver leur vie. Et quand ces femmes se retournaient, elle reconnaissait son propre visage.

Elle entendait gronder le tonnerre derrière la vitre de sa cuisine. Il pleuvait depuis longtemps, depuis bien avant l'aube. Le temps n'allait pas lui remonter le moral.

L'Interphone de l'entrée sonna. Yvette répondit.

— C'est Tonya, fit une voix tremblante. Je peux monter ?

— Je t'ouvre.

Tonya était trempée et essoufflée quand elle entra. Elle serrait contre sa poitrine une page de journal.

— Tu as quelque chose à boire ?

— Jus de fruit ou caf… ?

— Non, coupa Tonya. J'ai besoin d'un remontant. Tu pourrais me préparer un Bloody Mary ?

— Je n'ai plus de jus de tomate. Une vodka orange ?

Tony se laissa tomber sur une chaise de la cuisine.

— Bien tassée, s'il te plaît.

Yvette servit à Tonya une bonne dose de vodka avec du jus d'orange et s'installa en face d'elle.

Tonya but la moitié de son verre d'une seule lampée, puis posa la feuille de journal sur la table, face à Yvette.

Il s'agissait de la page locale. Yvette la contempla sans comprendre.

Tonya allongea le bras et tambourina sur la feuille.

— C'est elle, murmura-t-elle. Jessica. La fille dont je t'ai parlé hier.

Yvette contempla l'image, une photographie d'un modelage en argile réalisé par un expert de la police. Elle lut en diagonale le paragraphe où l'on décrivait la jeune femme. Il s'agissait de l'inconnue de City Park. La police cherchait à l'identifier et lançait un appel à témoins.

Yvette ne supportait plus de voir ce visage sur le journal. Elle leva les yeux vers Tonya.

— Tu es certaine que c'est bien Jessica ?

— Absolument. Et ça me fiche la trouille.

— Mais ça signifie que…

— Qu'elle est morte, oui, fit Tonya en vidant son verre.

Elle le montra à Yvette.

— Ça t'ennuie si je me prépare un autre verre ?

Celui qu'elle venait d'avaler n'était pas son premier, mais Yvette ne la dissuada pas de se resservir. Elle se demanda si Tonya picolait toujours à ce rythme ou si elle était secouée à ce point d'avoir reconnu Jessica sur la photographie du journal.

Tonya mélangea son jus d'orange et sa vodka, puis s'adressa de nouveau à Yvette.

— Ça ne signifie pas seulement qu'elle est morte, reprit-elle. Elle a été assassinée. Sinon la police ne lancerait pas un appel à témoins pour l'identifier.

Yvette la dévisagea en silence. Elle commençait à comprendre pourquoi Tonya s'était précipitée chez elle.

— Seigneur…, murmura-t-elle. Tu ne penses tout de même pas que… Que c'est l'Artiste qui l'a tuée ?

— Ce n'est pas impossible. Après tout, s'il a tué Marcus, il peut avoir tué Jessica.

Yvette se sentit mal.

— Tu es certaine que c'est bien le visage de Jessica ?

Tonya acquiesça.

— Lis la description. Tout correspond. L'âge, la taille…

— Mais ça pourrait correspondre à beaucoup d'autres femmes.

— Non. Relis. Jessica avait des dents qui se chevauchaient. Elle souriait rarement à cause de ça.

Tonya but quelques gorgées de vodka, en contemplant Yvette avec une expression fervente.

— Elle était très belle, excepté ces dents qui gâchaient un peu le tableau. Elle avait songé à un appareil dentaire, mais elle craignait que ça fasse fuir les mecs.

Yvette repoussa la page de journal. Elle ne supportait plus de poser le regard sur ce visage. Elle se rendit compte qu'elle tremblait. De peur.

— Qu'est-ce qu'on fait maintenant ? demanda-t-elle. On va voir les flics ?

Tout en posant la question, elle se demanda si la parole de Tonya suffirait à convaincre les deux inspecteurs.

La réplique de Tonya sembla répondre à cette crainte silencieuse.

— Si seulement nous avions la preuve que ce cinglé écrivait aussi à Jessica.

— Comment faire pour se procurer une telle preuve ?

— Ce soir, tu interrogeras Autumn et moi j'essayerai de me renseigner de mon côté.

33.

Samedi 5 mai 2007
20 h 25

La semaine avait été calme. Yvette n'avait pas reçu de messages ni aucun autre envoi de l'Artiste. Aucune femme ne s'était présentée devant sa porte en se faisant passer pour la mère d'une voisine. On ne lui avait plus volé ses clés, personne ne s'était introduit chez elle.

Yvette se demanda si le cinglé se tenait tranquille à cause de la photo publiée dans le journal. Peut-être avait-il eu peur ? Si c'était bien lui qui avait tué Jessica Skye, le fait de savoir qu'on avait identifié son corps et que la police menait une enquête sérieuse l'avait sans doute incité à se calmer.

Elle se tenait toujours sur ses gardes, mais elle était plus détendue.

Elle avait parlé à Autumn qui se souvenait parfaitement de Jess, mais, comme Gia, pas de l'avoir entendue parler d'un homme qui la harcelait. Elle n'avait plus eu de nouvelles de sa camarade depuis Katrina, mais elle supposait que celle-ci avait tout simplement fui avant la catastrophe. Comme beaucoup de gens de Big Easy.

Quant au visage reconstitué publié dans le journal, elle l'avait trouvé ressemblant, mais d'après elle Jessica était beaucoup plus jolie.

Yvette se promit de ne plus penser à l'Artiste aujourd'hui. Elle avait pris un service d'après-midi pour avoir sa soirée libre et flânait dans son quartier. Ce soir, c'était le dernier festival portes ouvertes de l'année, une manifestation qu'elle ne voulait manquer à aucun prix. Les amateurs d'art se baladaient de buffet en buffet, d'une exposition à l'autre. Jeunes et vieux, riches et pauvres, bourgeois et camés — et aussi tous les intermédiaires entre ces extrêmes —, se côtoyaient allègrement pour partager leur amour de la peinture.

Yvette avait l'impression d'être enfin ce qu'elle avait toujours voulu être : une femme sophistiquée, délicate, intelligente.

Elle abandonna la Galerie 1-1-1 en compagnie d'un couple avec lequel elle venait d'apprécier des gravures inspirées du cyclone Katrina.

Elle avait déjà un peu trop bu. Sa tête bourdonnait légèrement et ses pieds lui paraissaient légers. Elle se sépara du couple et entra dans *Pieces*, la galerie voisine.

On y exposait des œuvres de Shauna M.

Il s'agissait de grandes toiles à l'huile, aux couleurs vives, pleines d'énergie et de mouvement. Yvette décida aussitôt d'en acheter une — une petite parce qu'elle n'avait plus beaucoup de place sur ses murs.

Elle repéra aisément l'artiste au groupe d'admirateurs qui l'entouraient. Shauna était jolie et petite, avec des cheveux brillants et un sourire radieux. Elle avait à peu près le même âge qu'elle.

Yvette la contempla avec une pointe d'envie au creux du ventre. Elle-même dessinait régulièrement. Elle avait toujours dessiné. En classe, au lieu d'écouter le cours de ses professeurs. A la maison, quand ses parents la laissaient seule. Après l'accident de sa mère, pour lutter contre son chagrin — et contre sa peur.

Elle aussi avait rêvé d'être une artiste.

Mais ç'aurait été stupide de sa part d'insister. Elle ne possédait pas le dixième du talent de Shauna. Ses dessins se réduisaient à des gribouillages d'enfant. Quand elle avait eu le malheur de confier ses ambitions à son père, il ne s'était pas gêné pour le lui expliquer. Soi-disant pour lui éviter de cruelles déceptions.

Ce souvenir lui fit du mal. Elle n'oublierait jamais son regard condescendant, plein de mépris et de pitié. Il l'avait taquinée avec ça pendant des années.

Yvette avala péniblement sa salive et détourna le regard de Shauna M. Il y avait près d'elle un homme qui lui entourait les épaules en arborant un air de propriétaire. Il était d'une beauté étrange et magnétique. Avec des yeux et des cheveux noirs, un visage anguleux et ciselé. Elle supposa que c'était un artiste lui aussi. Il en avait l'allure

Yvette se rendit compte à quel point elle aurait voulu être Shauna M. Posséder ce qu'elle possédait. Du talent, une exposition, un homme comme celui-ci.

Soudain, l'homme tourna la tête et la contempla fixement, comme s'il la sondait du regard. Ils se dévisagèrent longuement. Elle se sentit rougir et, comme s'il avait lu dans ses pensées, ses lèvres s'étirèrent en un sourire moqueur.

Gênée, elle se détourna vivement, en faisant mine de s'intéresser à quelqu'un d'autre. Elle repéra le bar et se dirigea vers le comptoir. Elle traversait la foule, quand elle entendit une voix qu'elle reconnut aussitôt.

L'inspecteur Killian.

Elle s'arrêta net et se tourna en direction de la voix. Stacy Killian se trouvait à quelques mètres d'elle. Elle était avec l'inspecteur Malone. Ils s'étaient arrêtés devant un tableau qu'ils paraissaient admirer. Elle se demanda s'ils se trouvaient là par hasard ou s'ils l'avaient suivie. Mais pourquoi auraient-ils éprouvé le besoin de la surveiller ?

Elle les observa du coin de l'œil. Ils se tenaient très près l'un de l'autre. Beaucoup trop près pour de simples collègues. Puis elle vit Malone caresser tendrement le bas du dos de Killian — un geste intime et familier.

Ils formaient donc un couple. Ils étaient peut-être même mariés.

Brandi lui avait décidément menti sur toute la ligne.

Cette découverte acheva de lui gâcher la soirée. Au diable les galeries et l'art. Elle n'avait rien à voir avec cette belle assemblée. Il ne lui restait plus qu'à aller boire un verre ailleurs, dans un endroit fréquenté par des gens comme elle.

Elle fit volte-face et faillit heurter le brun qui était tout à l'heure près de Shauna. Il lui prit le bras pour l'aider à retrouver son équilibre.

— Désolé, dit-il.

— C'est ma faute, répondit-elle. Ce serait plutôt à moi de m'excuser.

Il sourit en révélant de magnifiques dents blanches parfaitement alignées. Elle ne put s'empêcher de penser à Jessica Skye qui n'osait pas sourire à cause de ses dents.

— Rich Ruston, dit l'homme en lui tendant la main.

Elle la prit.

— Yvette Borger.

— L'exposition vous plaît, Yvette ?

— Beaucoup.

Elle essaya d'ignorer le nœud qu'elle avait à l'estomac.

— Vous êtes un ami de l'artiste ? demanda-t-elle.

— Oui. Et vous ?

— Non. Juste une femme qui apprécie la peinture.

— Vous n'êtes pas une artiste ?

Elle hésita, puis répondit que non, en regrettant amèrement de ne pas pouvoir affirmer le contraire.

— Vous, vous êtes un artiste, murmura-t-elle.

— En effet, approuva-t-il en souriant de nouveau. Comment le savez-vous ?

— Ça se voit.

— Puis-je aller vous chercher un verre de vin ?

— Je veux bien, merci. Du blanc, si c'est possible.

Il revint quelques minutes plus tard avec deux gobelets en plastique, l'un contenant du vin rouge et l'autre du blanc. Il lui tendit le chardonnay. Elle y trempa ses lèvres.

— Vous voulez que je vous montre mon tableau préféré ? dit-il.

Il la guida à travers la galerie. Elle ne se sentait pas très solide sur ses jambes et dut se concentrer pour mettre un pied devant l'autre. Elle ne se souvenait plus combien de verres elle avait bus depuis le début de la soirée.

Ils s'arrêtèrent devant une petite toile, qui ne faisait pas plus de vingt-cinq centimètres carrés. Elle but une autre gorgée. Puis une autre. Quelqu'un la bouscula et quelques gouttes de vin débordèrent du gobelet.

Elle se tourna et battit des paupières.

La femme qui avait prétendu être sa mère, puis celle de Nancy, se tenait devant elle.

— … un joyau, disait la voix de Rich Ruston. Puissant et intime.

Sa tête bourdonna. Elle suivit des yeux la femme qui se dirigeait vers Malone et Killian qu'elle serra dans ses bras.

Elle les serrait dans ses bras ?

Mais qu'est-ce que ça signifiait ? Ils étaient de mèche ? A quoi jouaient-ils avec elle ?

— Que se passe-t-il ? s'étonna Rich tandis qu'elle vacillait contre lui.

Il lui prit le coude pour la soutenir.

— Vous vous sentez bien ?

— Cette femme, parvint-elle à bredouiller. Je la reconnais…

Elle porta une main à son front.

— Yvette ? Vous ne vous sentez pas bien ? Vous devriez vous…

— Je crois que… J'ai bu un peu trop de…

Le bourdonnement dans sa tête devint un grondement. Ses genoux se dérobèrent.

Et tout devint noir.

34.

Samedi 5 mai, 2007
21 heures

Yvette reprit conscience allongée sur le sol et entourée d'une demi-douzaine de personnes. Elle cligna des yeux. Que lui était-il arrivé ? Elle était en train de parler à ce beau garçon, Rich… Elle avait vu la femme… Celle qui…

— Yvette ? Ça va ?

La question était venue de l'inspecteur Malone. Elle fit un effort pour se concentrer. Pour ne plus voir flou. L'inspecteur Killian était agenouillé auprès de Malone.

Elle ne répondit pas et passa en revue les visages penchés sur elle. Rich avait disparu. La femme aussi.

— Vous vous êtes évanouie, expliqua Malone.

— Je l'ai vue, dit-elle. Elle était là.

— Qui ?

— Celle qui est entrée chez moi.

Les deux inspecteurs échangèrent un regard, puis se tournèrent vers une femme au visage doux qui se tenait un peu à l'écart du groupe.

— June, tu pourrais nous donner un peu d'air ? demanda Spencer.

La femme acquiesça et dispersa les curieux.

— Elle était là, répéta Yvette en s'agitant pour se lever. Elle était là et vous la laissez par…

Elle se souvint brusquement que la femme en question les avait serrés dans ses bras pour les saluer.

— Calmez-vous, dit doucement Spencer.

— Vous la connaissez ! s'exclama-t-elle en tentant de se remettre sur ses pieds, avec la sensation d'avoir la tête vide. A quoi jouez-vous avec moi ?

Elle avait élevé la voix. Elle prit brusquement conscience que son chemisier et son pantalon étaient mouillés. Elle avait dû renverser son verre de vin sur elle quand elle s'était évanouie.

L'inspecteur Killian fit un pas vers elle, la main tendue.

— Calme-toi, Yvette. Tu as eu un choc.

— Ça, vous pouvez le dire ! répondit-elle en reculant. Ne vous approchez pas de moi, vous n'êtes que de sales menteurs.

La femme nommée June posa une main sur le bras de l'inspecteur.

— Tu ne fais que l'énerver encore plus, murmura-t-elle. Laisse-moi m'en occuper.

Ils lui laissèrent la place.

— Je m'appelle June Benson, fit la femme. Et voici mon frère, Riley, ajouta-t-elle en montrant un grand jeune homme aux cheveux frisés. Nous sommes les propriétaires de cette galerie. Que puis-je faire pour vous aider ?

Yvette se rendit brusquement compte qu'il y avait encore beaucoup de monde et qu'elle était le centre d'attraction. L'artiste elle-même la contemplait d'un air horrifié. Elle sentit ses joues devenir brûlantes.

— Ne laissez pas ces deux flics m'approcher, supplia-t-elle.

— Ils ne vous approcheront plus, répondit la femme en souriant gentiment. Voulez-vous un verre d'eau ou un Coca ?

— Je veux bien un Coca, oui, merci.

June Benson la conduisit dans une pièce au fond de la galerie qui servait probablement de salon aux employés.

— Asseyez-vous, je vous prie, dit-elle.

Yvette s'installa avec gratitude.

— Vous vous sentez mieux ?

Elle acquiesça.

— Vous êtes sujette aux évanouissements ?

— Non, je… Non.

— Vous êtes malade ?

Yvette fronça les sourcils.

— Je crois que j'ai simplement bu trop de vin, mais… C'est la première fois que…

— Vous avez mangé ?

— Oui. J'ai grignoté du fromage et des biscuits apéritifs tout en faisant le parcours des galeries. Et j'ai avalé un bol de céréales avant de partir de chez moi.

— Que faisiez-vous, juste avant votre syncope ?

— Je parlais avec Rich Ruston. Il m'a apporté un verre et…

— Vraiment ? interrompit la femme d'un air soucieux. Vous croyez qu'il aurait pu glisser quelque chose dans ce verre ?

— C'est possible, je ne l'ai pas vu quand il m'a servie. Mais pourquoi aurait-il…

La question était stupide. Elle savait très bien pourquoi. Certains hommes mettaient dans le verre des femmes une drogue qui les rendait dociles. Elles se réveillaient en s'apercevant qu'on les avait violées, mais ne se souvenaient plus de rien. Elle était une proie facile. Une femme seule et déjà éméchée…

Comment avait-elle pu croire qu'elle courait moins de danger dans un vernissage que dans un quelconque bar ?

Riley Benson apparut sur le seuil de la porte, il paraissait inquiet.

— Ça va ? demanda-t-il.

— Oui, merci. Désolée pour le scandale.

— Ne vous en faites pas pour ça. Ce n'était pas votre faute.

Son regard glissa vers June.

— Nell Nolan du *Times-Picayune* te cherche. Il voudrait t'interviewer.

— Nell Nolan ? Le journaliste mondain ?

— En personne. Et il est accompagné d'un photographe.

— Tu ne pourrais pas… ?

— Tu es bien meilleure que moi à ce petit jeu, rétorqua Riley.

Comme elle hésitait, il lui fit signe d'y aller.

— Je m'occupe d'elle, ajouta-t-il.

June accepta d'un hochement de tête, mais elle n'avait pas l'air ravie.

— Je reviens, dit-elle à Yvette. Buvez votre Coca en attendant, le sucre vous fera du bien.

— Elle est vraiment gentille, déclara Yvette à Riley quand June eut disparu.

— Gentille et douce comme le miel, répondit-il d'un ton qui semblait signifier qu'il ne partageait pas l'opinion d'Yvette.

Elle songea que la grande sœur ne se gênait pas pour tirer les oreilles de son petit frère chaque fois qu'elle le jugeait nécessaire.

— Je devrais y aller, murmura-t-elle. Je me sens mieux.

— Finissez d'abord votre verre. Le temps que la foule se disperse.

Il ne voulait pas qu'elle souffre des regards curieux en retraversant la galerie.

Tant de sollicitude lui donna envie de pleurer. Elle eut honte de sa sensiblerie, mais c'était plus fort qu'elle, elle n'avait pas l'habitude que les gens lui manifestent de l'attention.

— Vous avez apprécié l'exposition ?

— Le peu que j'en ai vu, oui.

— Shauna est une amie. Je la connais depuis que nous sommes enfants. Elle possède un réel talent.

Ne sachant quoi répondre, elle but une gorgée de Coca.

— Et vous, que faites-vous dans la vie ? poursuivit-il.

— Je suis danseuse.

— C'est super.

Il lui sourit et elle songea qu'il avait le plus gentil sourire qu'elle ait jamais vu. Chaleureux. Agréable. Attendrissant. Avec une fossette qui se creusait au milieu de la joue droite.

— On dit que tous les arts sont liés. L'écriture, la musique, la danse, les arts plastiques.

— Autrefois, je dessinais.

— Vous voyez… Quand on a une âme d'artiste…

Elle n'eut pas le cœur de lui avouer qu'elle se déshabillait devant des hommes surexcités. Inutile de gâcher sa belle théorie.

— On dirait que c'est silencieux, à côté, murmura-t-elle.

— Je vais jeter un coup d'œil.

Il se leva, traversa la pièce, et passa la tête à la porte. Puis il se tourna vers elle et lui sourit.

— Il reste encore quelques traînards. Et Nell ne regarde pas dans notre direction, vous ne risquez rien.

Elle lui rendit son sourire et se leva.

— Merci.

— Je vous raccompagne jusqu'à votre voiture, proposa-t-il.

— Je vais appeler un taxi.

— Dans ce cas, je vous raccompagne chez vous avec ma voiture.

— Non, je n'ai déjà que trop abusé de votre temps.

— Ça ne me dérange pas. Je vous dois bien ça. Vous avez failli mourir dans ma galerie.

Elle ne put s'empêcher de rire.

— Si vous insistez, mais ce n'est vraiment pas néces…

— J'insiste, oui.

Ils rejoignirent la salle d'exposition. June était en train de parler avec Shauna et un homme grand et mince qui portait un bouc et gribouillait sur un carnet à spirales.

Quand Shauna les aperçut, elle s'excusa auprès de June et de l'homme et s'approcha d'eux.

— Vous vous sentez mieux ? demanda-t-elle.

Yvette rougit.

— Oui. Beaucoup mieux. Je suis vraiment désolée d'avoir perturbé votre exposition. Je ne comprends pas ce qui m'est arrivé.

— Ce n'est pas votre faute, répondit Shauna avec un sourire forcé. Vraiment.

— En tout cas, je tenais à vous dire que j'adore votre travail. Je trouve vos toiles magnifiques.

— Merci. Je…

— Shauna ? interrompit June qui venait de les rejoindre. Tu devrais raccompagner Robert jusqu'à la porte. Je crois qu'il a encore des questions à te poser.

Shauna s'éloigna aussitôt.

— Robert est un critique d'art qui écrit pour le *T-P*, expliqua June à Yvette. Vous vous sentez mieux ? demanda-t-elle en la dévisageant.

— Elle se sent beaucoup mieux, répondit Riley à sa place. Elle n'a pas de voiture, je vais la raccompagner.

June fronça imperceptiblement les sourcils.

— Je ne voudrais pas vous déranger, s'empressa Yvette.

— Vous ne me dérangez pas, je vous l'ai déjà dit, insista Riley. Ce qui me dérangerait, ce serait que vous attendiez un taxi pendant une heure. N'oubliez pas que nous sommes dans La Nouvelle-Orléans de l'après Katrina.

June ne protesta pas, mais elle n'était visiblement pas ravie de la tournure que prenaient les événements et cela n'échappa pas à Yvette. Elle la remercia une dernière fois de sa gentillesse et quitta la galerie en compagnie de Riley.

Il la conduisit jusqu'à un petit parking privé dont il ouvrit la porte avec une commande à distance. Puis ils se dirigèrent vers sa voiture, une berline noire Infiniti.

Il lui ouvrit la portière du passager, puis fit le tour pour s'installer derrière le volant.

— Je vous emmène où ? demanda-t-il.

— Pas très loin. Dans le quartier français. Entre Dauphine et Governor Nicholls Street.

Il parut déçu et elle fronça les sourcils.

— Qu'y a-t-il ?

— J'espérais que vous habitiez à l'autre bout de la ville.

Yvette sentit quelque chose de chaud dans sa poitrine.

— Votre sœur n'apprécierait pas, dit-elle.

— Elle me surprotège.

— Elle pense qu'il faut vous protéger de moi ?

Il rit.

— C'est ça. Et pour être plus précis, elle a aussi une certaine tendance à vouloir tout diriger.

— Je n'en doute pas.

— Ça vous dirait de manger quelque chose ?

Elle lui jeta un regard surpris.

— D'accord.

— Le *Camelia Grill's* est ouvert très tard.

Elle répondit que c'était une excellente idée et quelques minutes plus tard ils s'installaient l'un en face de l'autre dans un box et épluchaient le menu avec des mines affamées.

Après qu'ils eurent passé commande, Yvette reprit la parole.

— Shauna m'en veut.

— Non. Vous vous trompez.

— Qu'en savez-vous ? Elle avait l'air…

— Un peu agacée, c'est vrai. Je vous rassure, ce n'était pas contre vous qu'elle en avait, mais contre son petit ami. L'homme avec lequel vous parliez quand vous vous êtes évanouie.

— Rich ?

— C'est ça, Rich, fit-il d'un ton méprisant.

Elle comprit qu'il n'avait pas une très haute opinion du Rich en question. Ils demeurèrent silencieux un instant, puis Yvette s'éclaircit la gorge.

— C'est lui qui est venu vers moi, murmura-t-elle.

— Je sais. Je l'ai vu manœuvrer.

Elle plongea le nez dans sa tasse de café, en se demandant s'il avait remarqué également qu'elle contemplait Shauna avec envie.

— Vous n'avez rien fait de mal, insista-t-il d'une voix douce.

— Je me doutais qu'ils étaient ensemble, mais j'ai quand même accepté de boire un verre avec lui et...

— C'est un sale type. Je l'avais déjà dit à Shauna. Ce soir, elle a eu l'occasion de le constater par elle-même.

— Je suis désolée.

— Pourquoi ne cessez-vous de répéter que vous êtes désolée ? fit-il en fronçant les sourcils.

— Il faut croire que j'ai mes raisons.

— J'en doute.

Elle ignora sa protestation et allongea le bras vers la carafe d'eau.

— Et puis je suis désolée pour Shauna. Ce qu'elle a vécu ce soir, ça fait mal. Je suis passée par là. J'en sais quelque chose.

— Oui, ça fait mal, murmura-t-il d'un air sombre.

De nouveau, le silence s'installa entre eux. Yvette but son eau à petites gorgées et Riley se détourna pour regarder à travers la vitrine.

— Qu'est-ce qui s'est passé avec Spencer et Stacy ? demanda-t-il brusquement.

— Qui ?

— Les inspecteurs. Spencer Malone et Stacy Killian.

— Vous les connaissez ?

— Bien entendu. Ce sont même de vieux amis. Spencer, du moins. C'est le frère de Shauna.

Bien entendu... Shauna M. M pour Malone.

— Et vous ? reprit-il. Comment se fait-il que vous les connaissiez ?

— Une personne de mon entourage a été assassinée. Ils sont venus m'interroger.

— Vous interroger au sujet d'un meurtre ? s'écria-t-il en haussant les sourcils. Ils ne pensent tout de même pas que vous êtes mêlée à...

— Non, rassura-t-elle en secouant la tête. Non, pas du tout. Il se trouve simplement qu'il m'arrivait de faire visiter des locaux que cette personne était chargée de vendre. Ils m'ont demandé le nom de ses associés et d'autres renseignements du même genre.

— Vous parlez de Gabrielle Marcus, n'est-ce pas ?

Elle sentit le sang lui quitter le visage.

— Comment le savez-vous ?

— Ma sœur et moi avions confié à Gabrielle la vente de certains de nos biens immobiliers. Nous le connaissions parce qu'il nous achetait régulièrement des toiles. La police est venue chez nous aussi.

— Nous vivons dans une petite ville.

— Et elle a encore rétréci depuis le cyclone.

La serveuse leur apporta de grandes assiettes remplies d'un hachis gras aux oignons et au poivre, recouvert de fromage. Avec le sien, Riley avait commandé deux œufs frits et des toasts.

Tandis qu'ils se mettaient à dévorer, il demanda :

— Qu'est-ce qui s'est passé, exactement, tout à l'heure ? Vous avez parlé d'une femme qui était entrée chez vous.

Yvette envisagea un instant de lui répondre qu'elle avait dit n'importe quoi parce qu'elle était dans les vapes, puis elle décida brusquement de lui confier la vérité.

Elle ne savait pas pourquoi, mais il lui inspirait confiance.

Elle posa sa fourchette et se pencha vers lui.

— Une femme s'est fait passer pour ma mère auprès de ma voisine qui lui a montré où je cachais le double de la clé de mon appartement. Je l'ai coincée juste au moment où elle partait, mais elle m'a dit qu'elle s'était trompée de porte et je l'ai crue.

Elle lui raconta l'épisode en détail, puis ajouta :

— Ce soir, cette femme se trouvait dans votre galerie. Je l'ai repérée au moment où elle embrassait Spencer et Stacy.

— A quoi ressemblait-elle ?

— Mince, de taille moyenne. Avec des cheveux roux plutôt courts. La cinquantaine.

Il enfourna une bouchée de pommes de terre et mâchonna avec une expression rêveuse.

— Je crois que vous venez de décrire tante Patti, déclara-t-il enfin.

— Tante Patti ? répéta-t-elle avec la sensation d'être une parfaite idiote.

— Elle n'est pas vraiment ma tante. Mais c'est une très vieille amie de June et elle fait presque partie de la famille. Elle est la tante de l'inspecteur Spencer et aussi son supérieur hiérarchique.

— C'est un flic ?

Le ton incrédule le fit sourire.

— Oui, cette femme est un capitaine respecté et craint de ses hommes.

Mais qu'est-ce que ça signifiait ?

— C'est impossible qu'elle soit entrée chez vous en employant le procédé que vous m'avez décrit, ajouta Riley.

— Je l'ai parfaitement reconnue, protesta-t-elle.

Il haussa les épaules.

— La Patti O'Shay que je connais est à cheval sur le règlement et les principes. Mais je peux demander à June…

— Non, non, coupa-t-elle. N'en faites rien. Oubliez ce que je vous ai dit. Vous avez sûrement raison. J'avais bu un peu trop de vin tout à l'heure et je n'avais plus l'esprit très clair.

Il se pencha vers elle.

— Que comptez-vous faire pour retrouver la femme qui s'est introduite chez vous ?

Elle l'avait déjà retrouvée. Et le capitaine O'Shay allait bientôt avoir une drôle de surprise.

— Je n'en sais rien, répondit-elle. Je ne la retrouverai peut-être jamais. Tant pis. Je me ferai une raison.

— Soyez prudente, Yvette. Certaines personnes peuvent être réellement dangereuses.

Et le fait d'être flic les rendait encore plus redoutables.

— Je serai prudente, promit-elle. Vous pouvez me croire.

35.

Dimanche 6 mai 2007
9 h 25

Yvette se réveilla fraîche comme une rose et d'excellente humeur. Elle sourit et s'étira en pensant à Riley.

Elle l'avait invité à monter chez elle. Ils avaient parlé jusque tard dans la nuit. Parlé. Rien de plus.

Il n'avait pas tenté de coucher avec elle. Il n'avait pas non plus paru déçu qu'elle ne prenne pas les devants.

Mais il l'avait tout de même embrassée au moment de partir. Longuement, tendrement. Et ce baiser lui avait mis la tête à l'envers.

Elle avait envie de se laisser aller à l'aimer et de se fier à sa première impression : Riley était un vrai gentleman et il l'appréciait — elle, Yvette.

Ne sois pas stupide, Yvette. C'est tout simplement trop beau pour être vrai.

Elle sortit de son lit et fila dans la salle de bains pour se brosser les dents. Ensuite elle alla dans la cuisine se servir un Coca. Elle ouvrit la canette et but une longue gorgée.

Le petit déjeuner des champions…

Du coin de l'œil, elle remarqua que son téléphone portable clignotait et alla consulter l'écran pour voir qui l'avait appelée. Elle reconnut le numéro de Tonya qui avait tenté de la joindre vers

1 heure du matin. En pleine nuit. Yvette composa le numéro du répondeur, puis son code.

« C'est moi. Il est venu ce soir. J'ai un plan. Appelle-moi sur mon portable dès que tu auras ce message. »

Yvette effaça le message et rappela aussitôt Tonya. Elle tomba sur le répondeur, ce qui ne la surprit pas. Avant midi, ça faisait un peu tôt pour quelqu'un qui travaillait jusqu'à 2 heures du matin.

— Salut, Tonya, dit-elle. J'ai eu ton message. J'ai hâte de savoir ce que tu as fait quand tu l'as vu et comment il a réagi quand il s'est aperçu que je n'étais pas là. J'attends de tes nouvelles.

Elle mit le téléphone dans sa poche, puis rejoignit le salon d'un pas traînant pour s'écrouler dans le canapé. Elle but lentement le reste de son Coca en songeant à ce que Riley lui avait appris : la femme qui était entrée chez elle était un flic. Et pas n'importe quel flic. Un gradé. Un capitaine.

Le capitaine Patti O'Shay. La tante de l'inspecteur Spencer Malone.

Mais qu'est-ce qu'elle était venue faire ici ? Est-ce que ça avait un rapport avec Marcus et son trafic de drogues ?

Elle essaya de nouveau de joindre de Tonya, mais cette fois encore elle n'eut que le répondeur et laissa un deuxième message.

— J'ai oublié de te dire que moi aussi j'ai des trucs intéressants à t'apprendre. Je connais l'identité de la femme qui a visité mon appartement en se faisant passer pour ma mère. C'est un flic ! Rappelle-moi vite !

Elle raccrocha et se remit à penser à Riley. Il lui plaisait décidément beaucoup. Elle décida de s'accorder le droit de se bercer de l'illusion qu'elle lui plaisait aussi. Au moins pour aujourd'hui.

Elle sauta d'un bond sur ses pieds, bien décidée à commencer tout de suite.

Elle passa une merveilleuse journée. Elle fit quelques courses au marché français, puis du lèche-vitrine sur Royal Street. Ensuite elle s'offrit des *doughnuts* et du café au *Café du monde*. Pendant tout ce temps, elle garda son téléphone portable à portée de main pour ne pas rater un appel de Tonya ou de Riley.

Mais ils la déçurent tous les deux.

Elle ne s'inquiéta pas vraiment du silence de Tonya parce qu'elle était certaine de la voir ce soir au *Hustle*. Par contre, celui de Riley l'attrista. Elle aurait tant voulu qu'il se manifeste après ce délicieux baiser tellement romantique.

Il avait peut-être appris depuis quel genre de danseuse elle était.

Ça ne lui avait probablement pas été difficile. Il lui avait suffi d'un coup de fil à ses amis Killian et Malone. Elle se rendit compte qu'elle n'entendrait probablement plus jamais parler de lui. Elle pouvait l'oublier tout de suite.

Elle s'efforça de se convaincre que ça n'avait pas grande importance. Mais sans résultats.

Yvette arriva au *Hustle* avec trente minutes d'avance dans l'espoir d'employer ce temps à discuter avec Tonya.

— Salut, Dante, dit-elle au videur, un grand type aux cheveux blonds décolorés et aux muscles gonflés aux hormones.

— Salut, Yvette, répondit-il.

— Tonya est là ?

— Je ne l'ai pas vue passer.

— Vraiment ? s'étonna-t-elle en jetant un coup d'œil à sa montre. C'est bizarre, elle n'est jamais en retard.

— J'ai pu la manquer. Vérifie la pointeuse.

Elle vérifia, mais Tonya n'était pas arrivée. Un sentiment de malaise l'envahit. Tonya lui avait laissé un message pressant, elle lui avait demandé de la rappeler d'urgence, puis elle ne s'était plus manifestée. C'était tout de même étrange.

Quelque chose clochait.

Yvette repoussa cette idée. Le meurtre de Marcus et les lettres de l'Artiste lui tapaient sur les nerfs. Du coup, son imagination se mettait à galoper.

Tonya n'allait pas tarder à se montrer et elle aurait sûrement une bonne raison pour expliquer son retard.

Yvette décida de ne plus l'appeler. Il ne fallait pas exagérer. Elle ne voulait pas se sentir idiote quand Tonya arriverait.

Mais elle ne put s'empêcher de faire encore une tentative. Puis une autre. Et encore une autre. A chaque message — avec les heures qui s'écoulaient inexorablement et Tonya qui demeurait invisible — son angoisse ne cessait d'augmenter.

A la fermeture, elle dut se rendre à l'évidence. Tonya ne s'était pas présentée à son poste. Elle n'avait pas non plus prévenu de son absence.

On ne savait rien d'elle.

Il lui était arrivé quelque chose.

L'Artiste…

Il était venu au *Hustle* la veille. Tonya avait-elle tenté de lui parler ? L'avait-elle suivi ? Lui avait-elle posé des questions au sujet de Jessica ?

Elle se rendit compte qu'elle tremblait et se frictionna les bras. Elle pouvait peut-être attendre jusqu'à demain matin pour réagir. Si Tonya n'avait pas donné de ses nouvelles d'ici le lendemain, elle prendrait une décision.

36.

Lundi 7 mai 2007
10 heures

Yvette avait mis du temps avant de se résoudre à appeler un taxi. Tonya était propriétaire d'un appartement près de City Park, dans Bayou St John, avec un balcon qui dominait le fleuve. Avant Katrina, elle n'aurait jamais pu s'offrir un logement pareil, mais après, elle l'avait eu pour une bouchée de pain.

Yvette le savait parce que Tonya n'avait cessé de s'en vanter.

Elle espérait la trouver chez elle, parce que si elle n'y était pas, elle ne savait pas où la chercher.

Quand le chauffeur la déposa, elle vit la VW New Beetle orange de Tonya garée en face de l'immeuble. La chance lui souriait.

Yvette se précipita vers l'Interphone de l'entrée et appuya sur le bouton correspondant au nom de Tonya. Le signal sonore annonçait occupé et elle se sentit immensément soulagée. Elle s'était donc inquiétée pour rien. Tonya aurait sûrement une explication. Elle était sans doute malade, ou fatiguée, ou les deux. Ou bien elle avait décidé qu'elle en avait marre du *Hustle* et elle avait trouvé un nouveau boulot.

Yvette avait l'intention de lui botter les fesses pour lui apprendre à fiche des trouilles pareilles à ses copines.

Elle sonna de nouveau. Et obtint le même signal. Au moment où elle raccrochait, un homme et une femme sortaient. Ils se disputaient au sujet d'un certain Tim et ne firent pas attention à elle.

Elle en profita pour attraper la porte avant qu'elle se referme et se faufiler dans le hall.

Elle trouva sans difficulté l'appartement de Tonya et frappa. Comme elle n'obtenait pas de réponse, elle sonna de nouveau.

— Tonya ! C'est moi, Yvette, appela-t-elle.

Mais Tonya ne se manifesta pas.

Yvette essaya d'ouvrir, mais c'était fermé. Elle se baissa pour regarder sous le paillasson dans l'espoir de trouver une clé. Comme il n'y en avait pas, elle se décida à frapper à la porte voisine.

Un vieil homme aux cheveux blancs, ratatiné et voûté, ouvrit. Yvette lui donna dans les quatre-vingt-dix ans.

— Bonjour, fit-elle. Je suis une amie de Tonya. L'avez-vous vue aujourd'hui ?

Il secoua la tête.

— Non. Et je ne l'ai pas entendue non plus. Elle a été aussi silencieuse qu'une souris.

Il sourit tout en reluquant ses seins.

— Mais il faut vous dire que lorsque j'enlève mon appareil auditif, je n'entends rien.

— Elle ne s'est pas présentée à son travail hier soir et je me fais du souci pour elle.

— Vous avez essayé d'entrer chez elle ?

— C'est fermé et elle ne répond pas quand on sonne. Pourtant sa voiture est garée en face de l'immeuble.

Le vieil homme fronça les sourcils.

— Vous avez raison, c'est inquiétant. Elle a peut-être besoin d'aide.

— Exactement.

— Je peux vous laisser jeter un coup d'œil à l'intérieur, annonça-t-il fièrement. Pas de problème.

— Vous pouvez ? Vraiment ?

Elle battit des cils.

— Ce serait formidable.

Il se rengorgea.

— Attendez-moi, fit-il.

Quelques secondes plus tard, il réapparut avec une clé.

— Tonya me laisse un double. Pour vérifier que tout va bien quand elle s'absente, pour prendre les livraisons, pour les petits services qu'on se rend entre voisins, quoi. Je suis sûre qu'elle ne m'en voudrait pas de vous ouvrir dans de telles circonstances.

Puisqu'il le disait.

— Elle n'est pas la seule à me confier une clé, ajouta-t-il en avançant d'un pas traînant. Mais enfin, ce que nous faisons, là, ce n'est pas très correct.

C'était même carrément incorrect.

— Mais puisque vous vous faites tant de souci…

Elle se pencha pour lui offrir une vue encore plus profonde de son décolleté.

— Merci beaucoup, minauda-t-elle. Vous êtes mon sauveur.

Il ouvrit la porte.

— Je vous attends ici, dit-il. Je surveille le couloir.

Elle le remercia de nouveau et passa la tête à l'intérieur.

— Tonya, appela-t-elle. C'est Yvette.

Elle entra. A première vue, tout paraissait normal. Il régnait un désordre relatif, celui que l'on s'attend à trouver chez une femme qui n'était ni une maniaque de la propreté ni une souillon.

Yvette appela de nouveau, tout en avançant précautionneusement à l'intérieur. Elle passa du salon dans la cuisine, de la cuisine à la première chambre — une chambre d'amis, de toute évidence, impeccable, avec un placard vide.

Elle passa donc dans la deuxième chambre, beaucoup plus grande que la première. Le lit était défait, un pyjama de soie de couleur vive gisait sur le sol, roulé en boule. Le placard était plein à craquer.

Pas de corps. Pas de sang.

Merci, mon Dieu.

Yvette inspira profondément et se dirigea vers la salle de bains attenante à la chambre, la dernière pièce de la maison. La porte était fermée, elle tourna la poignée.

De nouveau, elle éprouva le besoin de respirer avant d'entrer.

Mais la salle de bains était vide, elle aussi.

Elle ressentit aussitôt une telle vague de soulagement que ses genoux en faiblirent. Elle alla vers les toilettes, abaissa le couvercle et se laissa tomber en prenant sa tête dans ses mains.

Merci, mon Dieu... Merci, mon Dieu... Elle avait cru trouver Tonya baignant dans une mare de sang. Ou au moins des traces de lutte.

Elle avait décidément une imagination débordante. Tout ça à cause des lettres de l'Artiste qui commençaient à lui taper sur le système.

— Tout va bien ? fit la voix inquiète du voisin.

— Très bien, répondit-elle. J'arrive.

Elle se leva et se dirigea vers la porte d'entrée. Elle se sentait un peu ridicule. Bientôt, elle pourrait en rire avec Tonya...

Elle s'arrêta net.

Pas de quoi être soulagée. Tonya avait tout de même mystérieusement disparu.

Elle fit demi-tour et se précipita de nouveau dans la salle de bains. La brosse à dents était à sa place, le dentifrice et le maquillage aussi. Le coffret à bijoux était ouvert, des boucles d'oreilles et des bracelets en débordaient. Et la voiture était garée en face de l'immeuble.

Tonya avait pu prendre un taxi, mais pour aller où ? Certainement pas à l'aéroport ou à la gare, puisqu'elle n'avait pas emporté ses affaires de toilettes. Elle ne serait sûrement pas partie sans son maquillage et ses bijoux.

— Mademoiselle ? fit le voisin.

Il se tenait sur le seuil de la porte et la dévisageait d'un drôle d'air.

— Qu'est-ce qui ne va pas ? insista-t-il comme elle ne répondait pas.

— Je n'en sais rien, répondit-elle d'une voix qui tremblait. Mais c'est sûr que quelque chose ne va pas.

— Je peux vous aider ?

Yvette eut un petit rire nerveux. Elle se rendit compte qu'il devait la trouver bizarre.

— Je…

Elle pressa ses deux mains l'une contre l'autre et rencontra le regard du vieil homme.

— Je ne sais pas quoi faire, avoua-t-elle.

37.

Lundi 7 mai 2007
11 h 25

Le vieux Bill — il lui avait demandé de l'appeler par son prénom — lui avait offert un café pour l'aider à se calmer et à réfléchir. Elle lui avait brièvement exposé la situation et il avait admis qu'il y avait de quoi s'interroger. D'après lui, si elle s'inquiétait à ce point-là pour son amie, elle n'avait qu'à aller trouver la police. A ce sujet, il avait été catégorique. Il avait également insisté sur le fait que chaque minute comptait et qu'il ne fallait pas perdre de temps si elle voulait aider Tonya.

Voilà pourquoi elle se présentait devant le comptoir d'informations du commissariat avec l'intention de demander à être reçue par le capitaine Patti O'Shay.

Elle avait décidé de s'adresser à elle pour deux raisons. La première, c'était qu'elle avait une monnaie d'échange pour l'obliger à intervenir. La seconde, c'était que les inspecteurs Spencer et Malone ne l'avaient pas crue quand elle leur avait parlé de l'Artiste et qu'elle ne voyait pas pourquoi la récente disparition de Tonya les convaincrait brusquement.

Elle se rendait compte que sa démarche était osée. Et peut-être même stupide, si l'on considérait que le capitaine O'Shay s'était introduite chez elle en utilisant des méthodes discutables. Après tout, elle pouvait très bien être l'Artiste. Et, Artiste ou pas, elle n'apprécierait sans doute pas qu'on fasse pression sur elle.

Tout ça pouvait tourner très mal. Mais Yvette tenait quand même à tenter sa chance.

— J'ai des informations au sujet d'une enquête en cours, annonça-t-elle à l'officier de service à l'accueil. Celle du Collectionneur.

— La personne chargée de cette enquête est…

— Je ne parlerai qu'au capitaine O'Shay, fit-elle d'un ton ferme.

L'officier la dévisagea d'un air méfiant.

— Pièce d'identité ? fit-il.

Merde.

Elle aurait dû s'en douter. Elle avait prévu de donner un faux nom, de peur que le capitaine O'Shay refuse de la recevoir.

Elle tira son permis de conduire de son portefeuille et le fit glisser vers l'agent. Il le regarda, puis leva les yeux vers elle. A la fin, il lui passa un porte-bloc à pinces.

— Signez, mademoiselle Borger. Je vais voir si elle est disponible.

Elle attendit en croisant les doigts. Elle s'attendait à se faire rembarrer ou à être dirigée vers un inspecteur, aussi, quand l'officier lui annonça que le capitaine la recevrait, elle eut du mal à dissimuler sa surprise.

— Troisième étage, dit-il. Prenez l'ascenseur. Le capitaine O'Shay vous attendra là-haut.

Yvette prit la direction qu'il lui indiquait en luttant contre la boule qui se formait dans son estomac. Elle savait qu'elle s'apprêtait à jouer avec le feu.

Mais elle n'avait pas le choix.

La porte de l'ascenseur s'ouvrit. Le capitaine Patti O'Shay attendait de l'autre côté.

— Mademoiselle Borger… Quelle surprise !

Yvette sourit et prit un air assuré.

— Je suis certaine au contraire que vous n'êtes pas si surprise que ça. Il faut que nous parlions. Seules.

Le capitaine O'Shay hocha la tête et fit signe à Yvette de la suivre.

Elles marchèrent en silence jusqu'à son bureau et le capitaine referma soigneusement la porte derrière elles.

— Asseyez-vous, mademoiselle Borger, dit-elle.

Yvette s'installa et croisa les jambes.

— J'irai droit au but, commença-t-elle. Je sais ce que vous avez fait.

Le capitaine ne cilla pas.

— Vraiment ? Et qu'ai-je donc fait ?

— Vous avez prétendu être ma mère pour que ma voisine vous indique l'endroit où je cachais la clé de mon appartement. Vous êtes donc entrée chez moi illégalement. Je vous ai surprise au moment où vous sortiez. Pas de chance que je sois rentrée plus tôt ce jour-là, n'est-ce pas ?

— Que voulez-vous, au juste ?

Elle était subtile. Elle acceptait d'engager le dialogue, mais elle n'avait rien avoué.

— Je pourrais vous créer pas mal d'ennuis. Je vous ai vue et ma voisine aussi. Elle pourra en témoigner.

— En effet, vous pourriez. Donc, que voulez-vous ?

— Pour commencer, je veux savoir ce que vous cherchiez chez moi.

— Des informations au sujet de votre ancienne colocataire.

Yvette ne savait pas à quoi elle s'était attendue, mais en tout cas pas à cette réponse-là.

— Kitten ?

— Oui. Vous avez dit à l'inspecteur Killian que vous pensiez qu'elle était l'inconnue de City Park. Je m'intéresse beaucoup à l'enquête sur le meurtre de City Park.

Yvette était soulagée d'apprendre que le capitaine était entrée chez elle pour des raisons qui ne la concernaient pas. Mais elle lui en voulait terriblement de l'avoir effrayée.

— Et comme je ne pouvais pas vous convoquer pour vous interroger…

— Je comprends ça, interrompit Yvette d'un ton amer. Vous auriez fichu en l'air la couverture de Brandi.

— Et j'étais pressée, ajouta le capitaine en acquiesçant d'un imperceptible signe de tête.

— Et vous pensez que ça suffit à justifier votre acte ?

— En quelque sorte, oui.

C'était bien les flics. Le respect de la loi, c'était pour les autres. Pour eux, ils trouvaient des aménagements.

— Je peux vous griller. Je devrais.

— Si ça vous amuse..., répondit le capitaine O'Shay.

Elle se pencha légèrement en avant.

— Vous n'avez pas l'air de comprendre, chère mademoiselle, que je n'ai pas grand-chose à perdre. Si peu, en fait, que je n'hésiterais pas à recommencer si ça pouvait m'aider à coincer ce salaud.

Bienvenue au club. Yvette comprenait très bien ce que signifiait n'avoir rien à perdre. Elle avait ressenti ça toute sa vie.

— Vous attendez quelque chose de moi ? demanda le capitaine O'Shay.

— Oui. Votre aide.

Le capitaine O'Shay leva un sourcil interrogateur et Yvette se lança.

— La directrice artistique du *Hustle* a disparu. J'ai de bonnes raisons de penser qu'elle a de sérieux ennuis.

— Et en quoi suis-je concernée... ?

— Je viens vous demander de tirer la sonnette d'alarme. De la retrouver. De la sauver.

— Vous avez déclaré officiellement sa disparition ?

— Non ! Il ne s'agit pas de...

Elle se tut et décida de changer de tactique.

— L'inspecteur Malone vous a parlé de l'Artiste ?

— Le soi-disant amoureux transi qui vous harcèle en écrivant des lettres ?

— Pourquoi soi-disant ? Je ne l'ai pas inventé. Il m'écrit et il me fait peur. J'ai dit au début que c'était à Kitten qu'il envoyait des messages, mais c'est à moi. Et à présent… J'ai peur…

Elle se tut.

— Il a tué Marcus.

— Gabrielle ?

— Oui. Pour moi.

Elle lui parla du message scotché sur la porte de sa cuisine.

— Il disait : « Je l'ai fait pour toi. » Il n'avait pas signé, mais je suis sûre que ça venait de lui.

Le capitaine fronça les sourcils.

— Vous en avez parlé aux inspecteurs Malone et Killian ?

— Oui, mais ils ne m'ont pas crue.

— Ils pensaient probablement que vous les meniez en bateau.

— Dans quel but ? Pourquoi mentir et…

Elle se mordit la lèvre. Mieux valait se taire. Elle avait avoué avoir menti une fois. Elle n'était plus crédible.

— A présent, je pense que cet homme s'en est pris à Tonya, poursuivit-elle. Tonya Messinger. Parce qu'elle essayait de m'aider.

Le capitaine O'Shay croisa les mains sur son bureau, mais elle ne prononça pas un mot et se contenta de fixer intensément Yvette.

— Tonya est la directrice artistique du *Hustle,* répéta Yvette.

Elle croisa les mains.

— Comme je vous l'ai dit, elle tentait de m'aider.

— Comment ?

— Je lui avais parlé de l'Artiste, de ses messages, de son intrusion chez moi. Elle avait vu un des messages et l'argent…

— Si vous commenciez par le commencement, mademoiselle Borger ? coupa le capitaine O'Shay.

Yvette lui raconta tout depuis le début, jusqu'au moment où Tonya avait reconnu Jessica.

— Elle avait déjà vu au *Hustle* le type qui m'écrivait et elle s'est souvenue qu'il s'était intéressé à une autre fille…

Elle s'interrompit pour fouiller dans son sac et en sortit la feuille de journal avec la photo du visage reconstitué de l'inconnue de City Park.

— Cette fille-là, dit-elle.

— Seigneur, murmura le capitaine. Vous connaissez l'identité de cette jeune femme ?

— Oui. Mais je ne vous le dirai que si vous promettez de m'aider.

— Je vous le promets. Comment s'appelle-t-elle ?

— Jessica Skye. Elle était danseuse au *Hustle*. Elle a disparu au moment du cyclone Katrina.

— Elle aussi se plaignait de recevoir des lettres de l'Artiste ?

Yvette secoua la tête.

— Non, du moins elle n'en a jamais rien dit à Tonya. J'ai posé la question aux deux filles du *Hustle* qui la connaissaient, mais elles n'en savaient pas plus que Tonya.

— Vous ne l'avez pas connue ?

— Non. Je ne travaillais pas au *Hustle* à ce moment-là.

— Donc, ce n'est pas vous qui l'avez reconnue.

— C'est Tonya.

— Et les deux filles du *Hustle* ? Elles l'ont reconnue aussi ?

— Elles ont trouvé une ressemblance, mais elles n'étaient sûres de rien. Tonya, par contre, a été catégorique.

— Vous parlez bien de la Tonya qui a disparu ?

Yvette se raidit.

— Je sais ce que vous pensez. Vous vous trompez.

— Et qu'est-ce que je pense, d'après vous, mademoiselle Borger ?

— Que je vous raconte n'importe quoi.

— Et c'est le cas ? demanda posément le capitaine.

— Non ! Tonya était censée me prévenir quand l'Artiste se montrerait.

— Et il s'est montré ?

— Oui. La nuit où je vous ai reconnue dans la galerie de vos amis.

Elle m'a laissé un message sur mon portable pour que je la rappelle de toute urgence. Elle disait qu'elle avait un plan d'action.

— Lequel ?

— Je l'ignore. Je l'ai rappelée, plusieurs fois, mais je n'ai pas pu la joindre.

— Ce message, vous l'avez toujours ?

— Je l'ai malheureusement effacé. Je ne voyais pas l'intérêt de le conserver.

Yvette se rendit compte qu'elle avait les mains moites et s'essuya les paumes contre son jean.

— Dimanche soir, Tonya n'est pas venue travailler. Donc je suis allée chez elle ce matin.

— Et ?

Yvette avala sa salive pour faire glisser le nœud qui lui serrait la gorge.

— Sa voiture était là. Toutes ses affaires aussi. Mais pas elle.

Le capitaine O'Shay se leva et marcha jusqu'à l'unique petite fenêtre de son bureau. Elle contempla rêveusement la rue pendant quelques minutes.

Après ce qui parut une éternité à Yvette, elle se tourna vers elle.

— J'ai une question à vous poser, lui dit-elle.

— Je vous écoute.

— Avez-vous peur ?

Comme Yvette la regardait d'un air de ne pas comprendre, elle poursuivit :

— Vous êtes venue demander de l'aide pour votre amie, mais si ce que vous dites est vrai, il faut en conclure qu'un tueur en série s'intéresse beaucoup à vous. Ça ne vous inquiète pas ?

Un tueur en série s'intéresse beaucoup à vous.

Yvette se sentit glacée. Obsédée par l'idée de retrouver Tonya, elle n'avait pas pris le temps de réfléchir au danger qu'elle courait.

Elle était peut-être la prochaine victime sur la liste de l'Artiste.

Le capitaine la contemplait intensément. Elle se rendait probablement compte qu'elle était transie de peur.

— Il vous vénère à distance, mais il s'est arrangé pour être au courant de certains détails de votre vie privée. Il sait où vous travaillez et où vous habitez. Il savait qui était votre petit ami et il connaît probablement vos amis. Et on peut supposer qu'il connaît aussi le chemin que vous empruntez pour rentrer chez vous et votre emploi du temps.

— Pourquoi cherchez-vous à me faire peur ? demanda Yvette d'une voix qui tremblait.

— Mon but n'est pas de vous faire peur, mais de vous secouer. Vous devez prendre conscience du danger que vous courez.

Yvette se raidit.

— Vous allez m'aider ?

— Oui. Mais il faut que je réfléchisse à la meilleure façon de procéder.

— Ça va vous prendre combien de temps ?

— La journée, je suppose.

— Comment puis-je être certaine que vous ne me laisserez pas tomber dès que j'aurai franchi cette porte ?

Le capitaine sourit.

— Vous devez me faire confiance.

— Donnez-moi une bonne raison de vous faire confiance.

— Vous n'avez pas le choix, mademoiselle Borger. Vous allez me faire confiance parce que vous avez besoin de moi.

38.

Lundi 7 mai 2007
12 h 45

Installée à son bureau, Patti réfléchissait. Elle n'avait pas menti à Yvette, la jeune femme avait besoin de la protection de la police. Mais ce qu'elle ne lui avait pas dit, c'était qu'elle-même, Patti O'Shay, capitaine de la division criminelle de la police de La Nouvelle-Orléans, avait terriblement besoin d'Yvette Borger.

Parce qu'Yvette Borger pouvait la mener jusqu'au Collectionneur.

C'est-à-dire jusqu'à l'assassin de Sammy.

Et ça, elle le désirait par-dessus tout. Elle le désirait si fort qu'elle avait l'impression de le tenir.

Borger ne lui avait apporté aucune preuve de ce qu'elle avançait, mais, étrangement, elle la croyait. Après une vie passée à évaluer la crédibilité des preuves et des indices, celle des témoins et des suspects, elle décidait de se fier uniquement à son instinct. Et elle accordait sa confiance à une femme qui avait déjà menti plusieurs fois à la police.

Spencer avait refusé de croire Yvette parce qu'elle avait raconté des salades à propos de Kitten. Quand Marcus Gabrielle avait été tué, elle lui avait inventé un associé pour mettre la police sur une fausse piste. Et à présent, elle se présentait au commissariat pour parler de nouveau de l'Artiste, toujours sans témoin ni preuve.

Si on ajoutait à cela qu'elle avait un casier judiciaire et une aversion non dissimulée pour les flics… Il fallait être stupide pour croire, ne fût-ce qu'un mot, de ce qu'elle racontait.

Capitaine Patti O'Shay, à votre service.

Elle hésita… Elle pouvait tout expliquer à son supérieur et lui demander de lui accorder une chance. Mais s'il refusait, elle serait coincée.

Et il allait refuser. Il jugeait que Franklin faisait un coupable idéal et elle ne pouvait pas lui en vouloir. Franklin était un ancien détenu et on avait trouvé l'arme du crime en sa possession. Si elle ne lui présentait pas du sérieux, il ne se laisserait pas convaincre.

Elle allait devoir agir seule. Vraiment seule. Sans même impliquer Spencer pour ne pas le compromettre.

Mais elle mènerait son enquête. Et elle monterait un dossier irréprochable.

Elle comptait envoyer un inspecteur pour interroger les deux danseuses qui avaient connu Jessica Skye. Elle avait déjà appelé là-bas et obtenu quelques renseignements du gérant.

Elle se leva et sortit de son bureau. Qui était disponible aujourd'hui ? Tony Sciame passa dans son champ de vision, un sac Taco Bell dans la main gauche.

— Inspecteur Sciame, je peux vous voir une minute ? Venez avec votre déjeuner, pas de problème.

— Bien sûr, capitaine.

Il la suivit dans son bureau et se laissa tomber dans un fauteuil. Une odeur de viande épicée et de graisse envahit la pièce.

— Ça ne vous dérange vraiment pas que je mange ?

— Je vous en prie.

Elle le regarda sortir un *taco* et mordre dedans. Le spectacle n'était pas ragoûtant ! La viande et la sauce débordaient, il en avait sur les doigts. Ça ne parut pas le déranger et il mordit une deuxième fois tout en la fixant et en attendant qu'elle se mette à parler.

— Je voudrais que vous interrogiez ces deux femmes, Gia Stile et Autumn Wind, fit-elle en glissant vers lui une feuille sur laquelle elle avait noté leurs coordonnées. Ce sont des danseuses du *Hustle.*

J'ai des raisons de croire qu'une de leurs anciennes collègues, Jessica Skye, est notre inconnue de City Park.

Tony acquiesça tout en froissant dans sa main l'emballage du *taco*. Puis il fourra sa main dans le sachet pour en sortir un autre.

— Qu'est-ce que je dois faire exactement ? demanda-t-il.

— Voyez ce que vous pouvez trouver sur Skye. Essayez d'obtenir son ancienne adresse, les noms de ses amis, de ses amoureux, des membres de sa famille.

Le second *taco* ne fit pas long feu. Quand il l'eut terminé, Tony s'essuya les doigts avec une serviette en papier, puis sortit son carnet à spirales de la poche de sa chemise et prit un stylo dans un pot à crayons, sur le bureau de Patti.

— Procurez-vous aussi les coordonnées de son médecin et de son dentiste. L'idéal serait d'obtenir des radios dentaires. Et rapportez-moi tout ça d'urgence.

— Vous voulez que je demande à Spencer de m'accompagner ?

— Non, c'est inutile.

Il la regarda d'un drôle d'air. Il était flic depuis suffisamment longtemps pour lire entre les lignes et il avait compris que ce refus cachait quelque chose. Il savait par ailleurs qu'elle n'en dirait pas plus.

Il s'abstint donc de tout commentaire et se leva.

— Je vous tiens au courant, dit-il.

— Bien entendu, inspecteur. Et fermez la porte derrière vous en sortant, s'il vous plaît.

Une fois seule, elle décrocha son téléphone et composa le numéro d'Yvette Borger.

— Yvette, dit-elle quand la jeune femme répondit. C'est le capitaine O'Shay.

— Oui ? murmura Yvette d'une toute petite voix.

— J'ai décidé de vous aider.

Yvette se tut. Patti fronça les sourcils.

— Mademoiselle Borger, vous êtes toujours en ligne ?

— Oui. Je... Je suis surprise.

— Surprise ? Vous deviez pourtant vous attendre à ce que j'accepte votre proposition, avec l'épée de Damoclès que vous tenez au-dessus de ma tête.

— Vous êtes de la police, dit simplement Yvette. Je pensais que vous étiez au-dessus des lois et que mes menaces ne vous avaient pas impressionnée.

Voilà qui en disait long sur ce qu'elle pensait des officiers de police.

— Vous pourriez me faire entrer dans l'appartement de Tonya ? demanda-t-elle.

— Je pense. Son voisin possède une clé. C'est lui qui m'a ouvert.

— Parfait, fit Patti en jetant un coup d'œil à sa montre. Je vous retrouve là-bas à 14 heures.

Quand Patti arriva sur place, Yvette l'attendait déjà. Elle paraissait nerveuse.

— Merci d'être venue, lui dit-elle.

— J'espère que ça nous sera utile à toutes les deux, répondit Patti.

Elles se dirigèrent vers l'entrée de l'immeuble.

— Que savez-vous de son voisin ? demanda Patti.

— Rien, à part qu'il est son voisin, justement. Comme Tonya ne m'ouvrait pas, j'ai frappé chez lui.

— Comment s'appelle-t-il ?

— Bill. Je ne connais que son prénom.

— Vous croyez qu'il pourrait être impliqué dans la disparition de votre amie ?

— Je ne pense pas. C'est un vieillard.

L'argument ne convainquit pas Patti. Un « vieillard », pour Yvette, c'était peut-être un homme plus jeune qu'elle.

— Mais vieux ou pas, il aime les gros seins, poursuivit Yvette. Il n'a pas cessé de reluquer les miens.

Patti faillit s'étrangler de rire. Le franc-parler d'Yvette avait quelque chose de rafraîchissant.

Elles entrèrent dans l'immeuble et se présentèrent devant la porte de Bill qui ouvrit dès la première sonnerie. Patti dut reconnaître qu'Yvette ne s'était pas trompée. Il s'agissait bien d'un vieillard. Il avait en effet dans les quatre-vingt-dix ans.

Il sourit à Yvette.

— Vous êtes revenue me voir. Avec une amie. C'est très gentil à vous.

— Je suis le capitaine O'Shay, annonça Patti en sortant son badge. Mlle Borger aimerait bien savoir ce qui a pu arriver à son amie et elle s'est adressée à moi.

— Bill Young.

— Ravie de vous rencontrer, Bill. Je sais que c'est grâce à vous que Mlle Borger a pu entrer dans l'appartement de son amie ce matin.

— En effet. Tonya m'a confié une clé pour les livraisons et ce genre de choses, vous voyez…

Ce genre de choses… Eh bien, oui, justement, leur démarche entrait dans cette catégorie.

— Mlle Borger s'inquiète pour son amie. J'ai pensé que ce serait utile que je jette un coup d'œil chez elle, moi aussi.

S'il trouva sa requête inhabituelle, il ne le montra pas.

— Attendez, dit-il. Je vais chercher la clé.

Il leur ouvrit et Patti découvrit un appartement légèrement en désordre, mais bien entretenu, comme Yvette le lui avait décrit. Rien ne lui parut suspect.

Jusqu'à ce qu'elle entre dans la cuisine. Un porte-clé rose en forme de cœur était posé sur le comptoir, près du téléphone. Elle le prit.

— Vous le connaissez ? demanda-t-elle à Yvette.

Yvette fronça les sourcils.

— Non, mais je sais qu'elle adore le rose, c'est probablement son trousseau.

Patti dénombra six clés. Cinq étaient des clés banales, la sixième était accrochée à un porte-clés récent muni d'une mini commande à distance et d'une clé télescopique.

Chouette gadget.

Elle se tourna vers Yvette.

— Vous connaissez sa voiture ?

— C'est une VW New Beetle orange. Elle est garée en face.

Le porte-clés arborait le logo bleu et blanc des VW. Elle le montra à Yvette.

— Il s'agit peut-être d'un double complet de son trousseau ? fit Yvette d'un ton plein d'espoir.

— Peut-être. Mais la plupart des gens ne possèdent pas de double de leur clé de voiture. De plus, on ne livre pas deux systèmes de verrouillage à distance pour l'achat d'une voiture.

Patti balaya du regard les comptoirs, la table, les chaises. Elle ouvrit le garde-manger pour regarder à l'intérieur, puis ouvrit les grands tiroirs, ceux qui pouvaient contenir un sac à main.

Mais ils ne contenaient pas de sac à main.

Intéressant. Cette femme était partie avec son sac, mais sans ses clés.

— A quoi pensez-vous ? demanda Yvette.

Patti secoua la tête et se dirigea vers le répondeur de Tonya. La lumière clignotante indiquait des messages en attente. Elle appuya sur le bouton *Play*. La voix d'Yvette résonna dans la pièce.

« J'ai eu ton message. J'ai hâte de savoir ce que tu as fait quand tu l'as vu et comment il a réagi quand il s'est aperçu que je n'étais pas là. J'attends de tes nouvelles. »

La machine émit un petit bip aigu et le message suivant se mit en route. De nouveau, c'était la voix d'Yvette.

« J'ai oublié de te dire que moi aussi j'ai des trucs intéressants à t'apprendre. Je connais l'identité de la femme qui a visité mon appartement en se faisant passer pour ma mère. C'est un flic ! Rappelle-moi vite ! »

Il y en avait d'autres et chaque fois la voix d'Yvette semblait plus angoissée. Ils furent suivis d'une bonne demi-douzaine d'appels sans messages.

Patti contempla Yvette qui releva le menton d'un air de défi.

— Je vous avais dit que je l'avais appelée.

— En effet, vous me l'aviez dit.

Patti prit un crayon et fit défiler les numéros des appels sans messages. Ils provenaient tous du portable d'Yvette, sauf un. Elle le nota.

— J'en ai vu assez, dit-elle. Jetons un œil à sa voiture, à présent.

Les clés ouvraient bien la voiture de Tonya, mais elles ne remarquèrent rien de particulier à l'intérieur. Patti rapporta les clés, referma la porte de l'appartement de Tonya et remercia Bill. Il parut déçu quand elles refusèrent de prendre un thé avec lui, mais il promit tout de même de prévenir Yvette si Tonya rentrait ou s'il voyait quelqu'un rôder autour de son appartement.

— Quelle est la prochaine étape ? demanda Yvette quand elles quittèrent l'immeuble.

— Je vais faire quelques recherches. En attendant, tenez-vous tranquille.

— Pendant combien de temps ?

— Je n'en sais rien. Pas trop longtemps, j'espère. Où se trouve votre voiture ?

Elle montra une Cadillac circa 1970 de couleur rose. Patti leva un sourcil étonné.

— Ce n'est pas une voiture, c'est un bateau. Un grand bateau rose.

Yvette rit.

— Je l'ai empruntée à Mlle Alma. Elle habite dans mon immeuble. Elle était représentante en cosmétiques Mary Kay ou quelque chose comme ça, en 1974. Elle a remporté un prix parce qu'elle était une vendeuse de choc et elle en est très fière.

— Et elle vous a quand même prêté ce bijou ?

— J'ai promis de rapporter des biscuits pour son loulou de Poméranie. Il s'appelle Sissy et Sissy arrive en premier dans son cœur, juste avant la voiture.

Patti comprenait ce qu'elle voulait dire.

— Je vous donnerai bientôt de mes nouvelles.

— Promis ?

— Oui, promis, affirma Patti.

Elle se dirigea vers sa propre voiture, puis s'arrêta et fit volte-face.

— N'hésitez pas à m'appeler, à n'importe quelle heure du jour ou de la nuit. Et ne prenez aucun risque. Si vous ne vous trompez pas au sujet de cet homme, vous êtes en danger.

39.

Lundi 7 mai 2007
20 h 45

Il avançait dans le silence. Il n'entendait que le vent qui se faufilait entre les branches mortes et le craquement des décombres sous ses pieds.

Une terre désertique. La mort. Le désespoir.

Tous ces efforts vains… Elle n'en vaut pas la peine.

— Non. Je crois en elle.

Tu disais la même chose de la précédente. Une putain de bas étage qui t'a brisé le cœur.

— Tais-toi ! C'est la faute de l'autre, cette grosse pute trop curieuse. C'est elle qui a semé le doute dans son esprit.

Tu es idiot. Idiot et aveugle.

— Seulement quand il est question d'amour. Seul l'amour compte.

Dans ce cas, fais en sorte qu'elle t'aime. Donne-lui une bonne raison.

— Oui, une bonne raison. Bien sûr. Pour qu'elle n'oublie pas ce qui est important. Pour qu'elle se souvienne que son cœur m'appartient. Pour qu'elle ne soit plus une brebis égarée.

40.

Mardi 8 mai 2007
8 h 40

Tony Sciame frappa à la porte entrebâillée.

— Capitaine ?

Patti lui fit signe d'entrer.

— Alors ?

Il se laissa tomber dans un fauteuil, en face de son bureau.

— J'ai parlé aux deux danseuses du *Hustle*. Aucune des deux n'a formellement identifié Skye comme l'inconnue de City Park. Elles admettent que la ressemblance est troublante, mais sans plus. Mais elles m'ont donné l'adresse de son ancien appartement.

— Et ?

— J'ai vu le propriétaire. Il se souvenait parfaitement d'elle. Il s'est débarrassé de toutes ses affaires après le cyclone. Bien entendu, il m'a assuré qu'il avait fait ça dans les règles, en respectant le délai de quarante-cinq jours. Il a même payé un garde-meuble pour les entreposer.

— Il n'a plus eu de ses nouvelles ?

— Non.

— Il l'a reconnue ?

— Lui non plus n'était pas catégorique, fit Tony en se raclant la gorge. Et ça ne l'étonne pas plus que ça qu'elle n'ait pas pris la peine de revenir pour récupérer ses affaires. D'après lui, elle ne possédait rien qui en valait la peine. Elle a peut-être simplement déménagé.

— Ou alors elle est morte.

— Oui, concéda-t-il. C'est possible.

— Et du côté des médecins ?

— J'ai trouvé son médecin traitant. C'est le Dr Nathan Geist et figurez-vous qu'il est fiché au *Hustle*. J'ai laissé un message à son assistante.

— Essayez de l'appeler chez lui si vous n'arrivez pas à le joindre à son cabinet.

— D'accord, capitaine.

Il se leva pour sortir, mais elle le retint.

— Inspecteur ?

— Oui ?

— Pour le moment, j'aimerais que tout ça reste entre vous et moi.

Il leva un sourcil interrogateur.

— Je répondrai à vos questions en temps voulu, répondit-elle à sa requête silencieuse. Pour l'instant, je préfère me taire.

Il acquiesça en silence et sortit.

Dès qu'il eut franchi la porte, Patti appela le capitaine du sixième district, celui de Stacy.

— Capitaine Cooper, annonça-t-elle quand il décrocha. Ici Patti O'Shay.

— Capitaine O'Shay ! s'exclama-t-il de sa voix profonde. J'ai appris que vous aviez eu récemment d'excellentes nouvelles. Permettez-moi de vous féliciter. Sammy était un sacré type.

Patti en eut les larmes aux yeux.

— Oui, murmura-t-elle en s'efforçant de dissimuler son émotion. C'était un sacré type.

— Qu'est-ce que je peux faire pour vous ?

— Nous avons peut-être une piste pour l'affaire du Collectionneur. Par le *Hustle*.

— Bon sang, ça m'arrangerait.

— J'ai l'intention d'envoyer quelqu'un sur place.

De façon officieuse…

— Vous voulez le nom des gens à contacter ?

— Ça me ferait gagner du temps.

Il lui donna le nom du propriétaire et celui du gérant, ainsi que leurs numéros de téléphone, puis ils discutèrent à bâtons rompus quelques minutes avant de raccrocher.

Cinq minutes plus tard, Patti avait déjà pris contact avec le propriétaire du *Hustle*. Il n'avait pas été ravi d'apprendre que les flics s'intéressaient une fois de plus à son établissement, mais il accepta qu'elle s'adresse au gérant pour les détails.

Du gérant, elle avait appris que Tonya n'était pas encore remplacée.

Donc, elle avait décidé de prendre sa place en tant que directrice artistique.

Au moment où elle reposait son téléphone portable, il se mit à vibrer.

— Capitaine Patti O'Shay, fit-elle.

— C'est moi, Yvette.

Elle paraissait secouée. Patti fronça les sourcils.

— Qu'est-ce qui ne va pas ?

— Il est venu ici, bredouilla Yvette. Dans mon appartement. Pendant que je dormais.

— Comment le savez-vous ?

— Il a laissé un message sur la coiffeuse de ma salle de bains.

— Pouvez-vous me lire ce message ?

Elle entendit un bruit de papier qu'on froisse.

— « Quand comprendras-tu que je suis l'homme qu'il te faut ? Comment faire pour te prouver mon amour ? »

— C'est tout ? demanda posément Patti.

— Non. Il…

La voix d'Yvette se brisa.

— Il m'a laissé aussi un médaillon avec la photo de Tonya à l'intérieur.

Patti jeta un coup d'œil à sa montre.

— J'arrive tout de suite, dit-elle.

41.

Mardi 8 mai 2007
10 h 30

Yvette attrapa ses cigarettes, son sac et ses clés. Elle ne pouvait plus rester une minute de plus dans cet appartement et avait décidé d'attendre Patti O'Shay à l'extérieur. Ce salaud était venu ici. Encore.

Et elle n'avait rien entendu.

La cour était vide. Mlle Alma et son chien Sissy ne s'y trouvaient pas. Yvette la traversa le plus vite possible et sortit sur le trottoir en poussant un soupir de soulagement.

Merci, mon Dieu, merci mon, Dieu…

Il faisait très beau. Elle inspira profondément. Ça sentait la pâtisserie. Le flot constant des véhicules lui procura un enivrant sentiment de mouvement.

Elle était en vie. En vie…

Dire qu'il aurait pu la tuer. Il l'avait peut-être même regardée dormir. Elle frissonna à l'idée qu'il s'était approché de son lit.

Quand comprendras-tu que je suis l'homme qu'il te faut ?

Elle fourragea dans son sac pour chercher ses cigarettes. Ses mains tremblaient tellement que le paquet lui échappa deux fois. Elle parvint tout de même à en sortir une, l'alluma, aspira une longue bouffée.

Ce geste familier l'apaisa un peu. Tonya était morte, elle n'avait pas besoin de voir son corps pour le savoir. Le cinglé avait compris que Tonya le surveillait, il avait eu peur qu'elle le dénonce. Il l'avait éliminée.

Des larmes lui piquèrent les yeux. Elle avait à peine connu Tonya et, jusqu'aux récents événements qui les avaient rapprochés, elle n'avait pas éprouvé beaucoup de sympathie pour elle. Mais Tonya avait pris des risques pour lui venir en aide.

De gros risques, puisqu'elle en était morte.

Elle tira de nouveau sur sa cigarette, tout en réfléchissant. Que devait-elle faire ? Rester ou partir ?

Cours. Aussi vite que tu peux. Pars sans te retourner.

Le bruit d'une portière qu'on claque attira son attention. Patti O'Shay venait de sortir de sa voiture et traversait la rue dans sa direction.

— Ces trucs-là vous tueront, vous savez, dit-elle en montrant la cigarette.

Yvette cracha un nuage de fumée.

— Pas si l'Artiste me tue avant, rétorqua-t-elle.

— Il ne vous tuera pas, assura Patti. Je l'en empêcherai.

Yvette aurait bien voulu la croire. Elle aurait bien voulu avoir confiance en elle autant que la veille. Elle jeta sa cigarette et montra l'immeuble de son appartement.

— Je ne veux plus rester seule là-dedans.

— Je comprends. Vous avez le message et le médaillon sur vous ?

Elle acquiesça, les sortit de sa poche, et les tendit à Patti. Patti prit d'abord le message, avec précaution, en l'attrapant du bout des doigts. Puis elle le déplia et le lut. Ensuite, elle s'intéressa au médaillon.

Il contenait en effet une photo de femme. Elle la contempla, les sourcils froncés.

— Qu'est-ce qu'il y a ? demanda Yvette.

— Vous avez déjà vu ce bijou sur Tonya ?

Yvette prit le temps de réfléchir, le visage plissé par la concentration.

— Non, dit-elle enfin.

— Vous ne trouvez pas étrange qu'une femme porte un médaillon avec une photo d'elle à l'intérieur et pas d'autre photo en regard ?

Yvette la dévisagea d'un air troublé.

— Mais s'il me l'a laissé, c'est bien parce qu'il appartient à Tonya, non ?

— Possible. Mais vous n'avez pas répondu à ma question. Ça vous paraît bizarre, oui ou non ?

— Oui, avoua Yvette. Mais s'il n'appartient pas à Tonya, à qui… ?

— Inutile de spéculer là-dessus pour l'instant. Allons chez vous. Je voudrais jeter un coup d'œil.

Elles entrèrent dans l'immeuble et grimpèrent jusqu'au premier étage.

Elles approchaient de l'appartement de Samson, quand la porte s'ouvrit et Ray en sortit en courant, les yeux exorbités, en tenue débraillée. A l'intérieur, quelqu'un sanglotait.

— Tu n'as rien entendu ? pleurnicha Ray.

— Ray ? Que se passe…

— Tu n'as vu personne ? insista-t-il en lui saisissant le bras. Cette nuit, quand tu es rentrée, tu n'as rien entendu ?

Il la serrait à lui faire mal, elle le repoussa.

— Je ne travaillais pas. Je suis rentrée tôt.

— Quelqu'un a empoisonné Samson ! En lui donnant un hamburger avec de l'antigel.

Yvette se figea. Elle porta une main à sa bouche pour étouffer un cri.

L'Artiste. Ça ne pouvait venir que de lui.

Elle secoua la tête.

— Mais comment est-ce possible ? Samson est toujours à l'intérieur et il ne sort qu'avec toi ou avec Bob.

— On ne comprend pas, fit Ray d'une voix suraiguë. Nous sommes sortis la nuit dernière. En rentrant, nous l'avons trouvé… C'était… C'était affreux…

— Vous êtes sûrs qu'il ne s'agit pas d'un accident ?

— Un accident ? dit-il d'un ton incrédule. Il aurait absorbé de l'antigel par accident ? Impossible. Le vétérinaire nous a confirmé que l'antigel était bien la cause de son empoisonnement. Nous avons appelé la police, mais personne n'est venu pour l'instant.

— Je suis officier de police, intervint Patti. Je peux peut-être faire quelque chose.

Il la dévisagea d'un air étonné, comme s'il venait tout juste de remarquer sa présence.

— Vous aviez fermé votre porte et vos fenêtres ? demanda Patti.

— Oui. Enfin, je crois.

— Vous permettez que je jette un coup d'œil ?

— Merci, Seigneur ! s'exclama Ray en lui prenant la main pour l'attirer à l'intérieur. Bob, appela-t-il. Je suis avec un officier de police. Elle va nous aider.

Bob était effondré sur une chaise. Il paraissait très malheureux. Il leva les yeux vers Patti.

— Qui a pu faire une chose pareille ? Et pourquoi ?

Il lui tendit une photographie encadrée du chien.

— Pourquoi faire du mal à un animal doux et inoffensif ?

Yvette avait toujours trouvé que Samson était probablement le chien le plus laid de la terre, mais elle devait reconnaître qu'il ne s'était jamais montré agressif — il aboyait, mais ne mordait pas. Pas comme le soi-disant adorable loulou de Poméranie de Mlle Alma dont elle se méfiait comme de la peste.

Elle eut de la peine pour ses voisins qui adoraient leur chien et le considéraient presque comme leur enfant.

Pendant que Ray et Patti vérifiaient les fenêtres, elle alla s'asseoir près de Bob et passa un bras autour de ses épaules.

— Comment est-il ? Il est… ?

— Vivant ? bredouilla-t-il. Oui, mais il va vraiment très mal. Le Dr Morgan a dit que nous l'avions trouvé à temps…

Il se remit à pleurer et Yvette lui tapota le dos pour manifester sa sympathie tout en se demandant quel effet ça faisait d'aimer un être à ce point. Et aussi quel effet ça faisait de se sentir aimé à ce point.

Est-ce que l'Artiste l'aimait ainsi ?

Une surprenante sensation se nicha au creux de son estomac. Pendant un instant elle eut le vertige et s'imagina succombant à l'Artiste, acceptant de se laisser consumer par sa terrible dévotion.

Pour enfin savoir ce que c'était que d'être vraiment aimée.

Ray et Patti revenaient.

— Les fenêtres étaient fermées, dit Patti. Et la porte n'a pas été forcée. Vous êtes sûrs de l'avoir verrouillée en partant ?

— Oui, fit Ray d'un ton emphatique.

Patti interrogea Bob du regard. Comme il ne répondait pas, Ray poussa un petit cri incrédule.

— Bob ! Tu n'as pas... Nous en avons pourtant discuté plus d'une fois !

— Je sais. Je suis désolé.

Il se frotta les mains et se tourna vers Patti, puis vers Yvette, avec une expression coupable.

— Je ne pensais pas que c'était si important de fermer sa porte à clé en partant. L'accès à l'immeuble est réglementé et nous avions Samson. Il y a tant d'appartements dans cette résidence, pourquoi un voleur aurait-il choisi justement le nôtre ?

— On vous a pris quelque chose ? demanda Patti.

— Rien. Tout est exactement comme nous l'avons laissé en partant. Excepté...

— Excepté Samson, acheva pour lui Ray en rougissant de colère. C'est un voisin qui a fait le coup, j'en suis sûr. Parce que notre chien aboyait. Certains s'en étaient plaints et...

— Mais qui serait capable d'un geste aussi vil et cruel ? s'étonna Bob.

L'Artiste. Pour faire taire Samson. Pour la terroriser sans être dérangé.

Yvette se leva, elle avait les jambes en coton.

— Je ne me sens pas très bien, dit-elle.

Elle parvint à rejoindre son appartement pour aller vomir copieusement au-dessus de la cuvette des toilettes — en ayant conscience de la présence de Patti qui l'observait depuis le pas de la porte.

— Ça va mieux ? lui demanda-t-elle quand elle se redressa.

— Non, répondit Yvette.

Elle alla se rincer la bouche au lavabo. Puis elle se tourna vers Patti.

— Ça va très mal, insista-t-elle.

Elle se rendit compte qu'elle grelottait et attrapa sa robe de chambre suspendue à une patère, derrière la porte de la salle de bains. Elle l'enfila et regarda Patti droit dans les yeux.

— C'est l'Artiste qui a empoisonné Samson. Pour l'empêcher d'aboyer.

— C'est aussi mon avis.

— Je ne pouvais pas le leur dire.

— Non.

— J'ai besoin de m'asseoir.

Elle se dirigea vers le salon et s'installa sur le canapé. Quelques minutes plus tard, Patti la rejoignit avec une lavette trempée dans l'eau fraîche.

— Ça vous ferait peut-être du bien de boire quelque chose, suggéra-t-elle.

— Du Coca, répondit Yvette. Vous en trouverez dans le réfrigérateur.

Patti revint bientôt avec une canette qu'elle lui tendit.

— Vous êtes si gentille avec moi, murmura Yvette.

— Ça vous étonne ?

Yvette haussa les épaules et but avidement une gorgée de Coca.

— Oui. Vous ne me connaissez pas. Je ne suis rien pour vous.

Patti fronça les sourcils comme si elle avait du mal à comprendre la remarque.

— Vous êtes malade. C'est normal que je vous soutienne.

— Vous considérez sans doute que c'est une question d'humanité ?

Patti fit mine de ne pas avoir remarqué le ton sarcastique.

— C'est ça, dit-elle.

Comme si c'était tout naturel et que ça arrivait tous les jours.

— J'apprécie que vous soyez venue jusqu'ici pour m'offrir votre aide et aussi que vous me preniez au sérieux.

— Mais ?

— Mais je crois que je n'ai plus besoin de vous. Samson m'a ouvert les yeux.

— C'est-à-dire ?

— Je vais filer d'ici au plus vite. Sans laisser d'adresse. Sans prévenir personne, pas même au *Hustle*.

— Et vous croyez que ça résoudra votre problème ?

— Evidemment. Ce salaud ne pourra pas me retrouver.

— D'accord. Ça résoudra le problème pour vous, mais ça ne l'empêchera pas de jeter son dévolu sur une autre fille.

— Et je suis supposée m'inquiéter de ça ?

— Ce n'est pas le cas ? fit sèchement Patti.

Yvette rougit.

— Ne venez pas m'emmerder avec les bons sentiments et toutes ces conneries. Tonya est morte à cause de moi. Samson est à l'agonie à cause de moi. On dirait bien que c'est dangereux de m'approcher en ce moment. Si j'étais vous, je me tiendrais à distance.

— Je n'ai pas peur. Et pas la moindre intention de m'enfuir.

— Vous êtes un bon flic courageux, bravo !

Elle se leva et alla dans sa chambre où elle s'agenouilla pour tirer de dessous le lit une grande valise. Elle l'ouvrit. Il y en avait une autre à l'intérieur, plus petite.

— Fuir ne résoudra rien, objecta Patti qui l'avait suivie.

— C'est vous qui le dites, rétorqua Yvette en déposant les deux valises sur le matelas. Moi, je pense que ça va me sauver la vie.

Elle se dirigea vers la commode, ouvrit le tiroir du haut et ramassa tout ce qu'il contenait.

— Vous pensez vraiment pouvoir lui échapper aussi aisément ?

— Je peux essayer.

— Il est obsédé par vous et il est malade. Vous avez affaire à un psychopathe. Il ne laissera personne se mettre en travers de sa route ou l'empêcher de faire ce qu'il a décidé. Pas même vous.

— Ça n'a pas de sens.

— Vous croyez qu'il faut chercher du sens aux actes d'un dingue ? Il est le seul à comprendre ce qu'il a fait et je suis persuadé qu'il le justifie.

— Et pourtant, vous prétendez contrarier ses projets. Vous n'avez donc peur de rien ?

— Je suis en colère. Et déterminée à l'empêcher de faire du mal. A vous ou à qui que ce soit. Déterminée à le traîner devant un tribunal.

— Je ne suis pas comme vous, soupira Yvette. Moi, j'ai peur. Et j'ai eu ma dose.

Elle ouvrit en grand le second tiroir et fouilla à l'intérieur pour y prendre les vêtements qu'elle tenait à emporter.

— Si vous restez, je vous promets une protection vingt-quatre heures sur vingt-quatre.

— Bien sûr.

— Je m'en chargerai moi-même.

— Qu'est-ce que je gagnerais à rester, à part le risque de me faire tuer ?

— Qu'est-ce que vous voudriez gagner ?

Une nouvelle vie. Un moyen de repartir de zéro.

— Qu'est-ce que vous pouvez m'offrir ?

— Ça ne vous suffit pas de savoir que vous m'aideriez à coincer un meurtrier ? Et surtout à l'empêcher de continuer ?

— Vous me proposez de risquer ma peau pour sauver des étrangères ?

— Oui, on peut le dire comme ça.

— Ça ne m'intéresse pas.

— Et cinquante mille dollars, ça vous intéresserait ?

Yvette arrêta de manipuler ses vêtements et la regarda droit dans les yeux.

— Vous avez cinquante mille dollars ?

— Oui. Une assurance m'a versé pas mal d'argent.

— Je veux voir votre relevé bancaire.

— Pas de problème.

Yvette plissa les yeux.

— Et la moitié tout de suite.

— Dix pour cent.

— Vingt. Avec une protection rapprochée de jour comme de nuit.

— C'est d'accord, fit Patti en lui tendant la main. Marché conclu ?

Yvette contempla cette main tendue. Elle allait palper dix mille dollars. Si ça devenait trop difficile, elle pourrait toujours se tirer avec.

Dix mille dollars, putain !

— Marché conclu ! s'exclama-t-elle en tapant dans la paume de Patti. Mais je veux d'abord que vous répondiez à une question.

— Je vous écoute.

— Pourquoi est-ce si important pour vous de coincer ce Collectionneur ?

Le visage de Patti se figea.

— Parce qu'il a tué mon mari, murmura-t-elle avec une expression féroce.

42.

Mardi 8 mai 2007
12 h 15

Patti avait promis à Yvette de la protéger vingt-quatre heures sur vingt-quatre et elle ne voyait qu'un moyen de tenir parole : assurer elle-même sa protection.

Et pour ça elle devait se libérer de ses obligations professionnelles. Le chef de la police n'était pas un idiot, elle n'avait aucune chance de le rouler et il ne permettrait pas à l'un de ses capitaines de mener une enquête personnelle.

Le chef Howard était un excellent flic, un Afro-Américain élevé à La Nouvelle-Orléans, défenseur de la communauté noire et aussi des hommes qu'il avait sous ses ordres — mais il ne les dorlotait pas et exigeait d'eux plus que le maximum.

Patti avait appelé pour annoncer sa visite. Il l'attendait. Sa secrétaire l'avait prévenu de son arrivée.

— Entrez, capitaine O'Shay, dit-elle. Il est prêt à vous recevoir.

Patti la remercia, puis prit une profonde inspiration. Le marché qu'elle avait conclu avec Yvette allait vider son bas de laine.

Et il risquait aussi de lui coûter sa carrière.

Mais s'il la menait au meurtrier de Sammy, elle était prête à courir ce risque.

— Chef ? appela-t-elle en frappant doucement à sa porte avant d'entrer.

Elle fit un pas dans le bureau.

— Merci de m'accorder un peu de votre temps, dit-elle.

Il sourit.

— Je trouverai toujours du temps à vous accorder, capitaine.

— Je viens solliciter une autorisation d'absence.

Il ne parut pas surpris et elle eut la sensation qu'il s'y était attendu. Elle n'était certainement pas la première gradée à faire une telle demande depuis le cyclone Katrina. Et, dans son cas, c'était même surprenant qu'elle ne l'ait pas faite plus tôt.

— Puis-je vous demander pourquoi ?

— J'ai besoin d'une pause. La mort de Sammy, le cyclone… Je crois que je suis un peu à bout.

— Et vous vous en rendez compte maintenant ?

— Oui.

Il la dévisagea longuement.

— C'est étrange. Juste au moment où vous tenez un suspect pour le meurtre de Sammy.

Elle aurait pu se servir de cet argument pour se justifier. Prétendre que le soulagement l'avait précisément amenée à relâcher la pression. Mais elle se savait piètre menteuse. Et elle savait aussi que le chef était particulièrement perspicace.

Elle le regarda droit dans les yeux.

— J'ai de sérieux doutes quant à la culpabilité de Franklin.

— Vous pourriez essayer de me convaincre.

Je m'y emploie, mais pour ça je vais devoir enfreindre quelques règles de base.

— Je n'ai pas d'arguments convaincants. Juste mon instinct.

— Quand ? demanda-t-il.

— Le plus tôt possible. Laissez-moi simplement le temps de prévenir mon équipe. Je pense que la journée me suffira.

— Combien de temps ?

— Au moins un mois. Ce n'est pas grand-chose.

— Je ne peux pas me passer de vous pendant un mois. Je vous accorde deux semaines.

S'il avait eu la moindre idée de ce qu'elle mijotait, il lui aurait probablement accordé un congé à vie.

— Trois, marchanda-t-elle.

— D'accord.

Son téléphone portable vibra. Il jeta un coup d'œil à l'écran, mais ne décrocha pas.

— Qui est votre plus ancien inspecteur ?

— Sciame.

Il acquiesça.

— Un très bon élément. Fiable. Vous pensez qu'il sera partant pour endosser votre rôle pendant votre absence ?

— Absolument.

— C'est entendu, capitaine O'Shay. Faites le nécessaire.

Il prit son téléphone pour répondre, signe que l'entretien était terminé. Elle sortit. Elle se sentait partagée entre l'excitation et le désespoir.

A présent, elle ne pouvait plus reculer. Elle venait de se mouiller jusqu'au cou.

Patti annonça officiellement son départ à la fin de la journée. Elle avait pris soin de prévenir Tony Sciame quelques minutes avant tout le monde. Il se tenait debout, près d'elle.

Quand elle eut fini, il y eut un long silence. Elle parcourut du regard les visages des hommes et des femmes de sa division. Certains exprimaient la sympathie, d'autres la surprise ou l'angoisse.

Elle s'attarda un peu plus sur Spencer. Il paraissait blessé qu'elle ne se soit pas confiée à lui.

Pardon, Spencer. Mais je dois agir seule.

— Vous avez des questions ? demanda-t-elle.

Un inspecteur réputé pour ses blagues stupides rompit le silence.

— Vous avez perdu l'esprit, capitaine ? Vous nous laissez à la merci de Sciame... Vous croyez que notre budget supportera tous les *doughnuts* qu'il engouffre ?

— Je t'emmerde, petit plaisantin, rétorqua Tony. Et je te préviens que tu as intérêt à me manifester un peu plus de respect. Je suis ton supérieur, maintenant.

Plaisantin sourit et l'envoya paître d'un geste éloquent, tandis qu'un rire courait dans l'assemblée.

Patti s'efforça de dissimuler à quel point elle était soulagée que cet incident soit venu détendre l'atmosphère.

— Je fais entièrement confiance à l'inspecteur Sciame, dit-elle. Si ça n'était pas le cas, je ne lui aurais pas laissé la direction du service. Et pour vous rassurer tout à fait, j'ajouterai que nous resterons quotidiennement en contact pendant mon absence et qu'il me tiendra au courant des progrès des enquêtes en cours.

Elle sourit.

— Je prends juste un peu de repos. Je ne pars pas pour la Sibérie. D'autres questions ?

Il n'y avait pas d'autres questions et le groupe ne tarda pas à se disperser. Patti retourna dans son bureau. Il lui restait une foule de détails à régler avant de passer les rênes à Tony.

Spencer la suivit.

— Qu'est-ce qui se passe ? demanda-t-il.

— Je viens de l'expliquer. Tu as parfaitement entendu, comme tout le monde.

— J'ai entendu des conneries, oui.

— Je suis désolée que tu le prennes comme ça, Spencer. Mais je crois que tu ne peux pas comprendre ce que j'ai traversé et...

— Garde tes excuses bidons pour le chef. Cette absence n'a rien à voir avec la mort de Sammy. Elle cache une manœuvre.

— M'accuserais-tu de mentir ?

— De mentir, non. De nous mener en bateau, oui.

— Eh bien, tu te trompes, fit-elle en le regardant d'un air innocent. J'ai besoin de prendre du recul. Et maintenant, excuse-moi, j'ai du travail.

— Tu ne penses pas que je mérite la vérité, tante Patti ? insista-t-il en baissant la voix.

Patti reçut ces mots comme un coup de poing à l'estomac, mais elle lutta contre le désir de tout lui dire. Elle le tenait à l'écart pour son bien, elle ne devait pas céder.

— Je n'ai rien à dire de plus, dit-elle. Je regrette.

Elle regrettait vraiment et elle espéra qu'il l'avait compris au ton de sa voix.

Elle se détourna pour entrer dans son bureau, mais il la retint par le bras.

— Yvette Borger est venue te voir lundi. Que voulait-elle ?

Elle le regarda droit dans les yeux.

— Pardon, inspecteur ?

— Vous m'avez très bien compris, capitaine. Yvette Borger est venue dans votre bureau lundi. Que voulait-elle ?

Elle plissa les yeux.

— Les officiers qui posent ce genre de questions à leurs supérieurs ne grimpent pas rapidement les échelons de la hiérarchie.

— Je me fous de grimper les échelons, répondit-il doucement. Et il s'agit d'une question personnelle.

— Yvette Borger n'a rien à voir avec ma décision, assura-t-elle.

Dans le fond, c'était vrai. Elle s'absentait pour Sammy.

— Cette femme est complètement mythomane, tante Patti. N'entre pas dans son jeu. Ne la laisse pas…

— Je suis désolée, Spencer, coupa-t-elle gentiment. Je n'ai pas le temps de discuter de ça.

Elle entra dans son bureau et referma la porte derrière elle pour couper court à ses questions.

43.

Mardi 8 mai 2007
13 h 45

Comme Patti le lui avait conseillé, Yvette préparait sa valise en emportant des affaires pour une semaine. Elle allait s'installer chez elle. Une protection de tous les instants exigeait qu'elles vivent ensemble, qu'elles travaillent ensemble, qu'elles prennent ensemble leur jour de repos.

Patti s'était arrangée avec le propriétaire du *Hustle* pour prendre le poste de Tonya. Elle pensait que le meilleur moyen de coincer l'Artiste était de l'attendre au club où il venait voir Yvette. De plus, le *Hustle* étant un endroit public, elle assurait que la jeune femme y serait moins en danger que nulle part ailleurs.

Incroyable ! Yvette Borger faisait équipe avec un flic.

Au moment où elle bouclait sa valise, il lui vint à l'esprit qu'il était encore temps de filer pour de bon. Elle avait des économies, de quoi attendre. Atlanta était une grande ville où l'on passait facilement inaperçue, on y vivait beaucoup la nuit, elle n'aurait aucun problème pour trouver un appartement et un travail.

Mais cinquante mille dollars…

C'était assez pour démarrer une nouvelle vie. Aller à l'université. Apprendre un vrai métier qui ne l'obligerait pas à se déshabiller.

Patti avait promis de lui verser dix mille tout de suite. Elle avait également promis de lui apporter la preuve qu'elle possédait le reste de la somme.

Yvette songea à la réponse du capitaine quand elle lui avait demandé pourquoi elle tenait tant à arrêter le Collectionneur.

Il a tué mon mari.

Cette femme était prête à se délester de cinquante mille dollars pour retrouver le meurtrier de son mari.

Elle avait parlé du montant d'une assurance… Bon sang, mais c'était l'assurance vie du mari.

Yvette venait de le comprendre et elle en resta saisie. Elle s'assit sur le lit, près de la grande valise. Patti O'Shay avait donc aimé à ce point-là…

Elle avait du mal à le croire, ça cachait peut-être un piège. Plus personne ne faisait des trucs pareils de nos jours.

Donc, elle n'allait pas tomber dans le piège. Elle allait se barrer avec les dix mille d'acompte. Patti O'Shay irait se faire foutre avec le reste.

Sauf que… Patti était un flic. Elle pouvait l'écraser comme une mouche.

Elle imagina le chagrin de ses voisins s'il lui arrivait malheur et songea au cri angoissé de Ray à propos de l'empoisonnement de son chien : « Qui a pu faire une chose pareille et pourquoi ? »

Mais sur quelle planète vivait-il ? Le monstre qui la poursuivait avait tué Marcus, empoisonner un chien ne lui avait sûrement pas embarrassé la conscience. Il avait assassiné six femmes et un capitaine de police. Et elle était sans doute la prochaine sur sa liste.

Sauve ta peau. File sans demander ton reste.

Elle bondit sur ses pieds, termina de boucler sa valise et la fit rouler jusqu'à la porte d'entrée. Elle allait poser la main sur la poignée quand son Interphone sonna.

Elle se figea. Patti ? Déjà ?

Si c'était elle, Yvette avait l'intention de jouer le jeu et de la suivre. Et de filer en douce à la première occasion.

Elle répondit dans l'Interphone.

— Je suis prête, dit-elle.

— J'aime bien cette entrée en matière, plaisanta une voix d'homme. Je suppose que c'est mon jour de chance.

— Riley ! s'exclama-t-elle. J'attendais quelqu'un d'autre.

— Zut !

Elle sourit. Avec tout ce qui s'était passé depuis samedi soir, elle avait à peine pensé à lui. Mais à présent elle se souvenait brusquement qu'il lui plaisait.

— Qu'est-ce que tu veux ? demanda-t-elle.

— J'ai égaré ton numéro de téléphone. Je peux monter ?

Elle hésita. Si Patti arrivait pendant qu'il était là, elle aurait à justifier sa présence.

— Yvette ?

— Je t'ouvre.

Quelques minutes plus tard, il se présenta à sa porte. Elle lui ouvrit avant qu'il sonne et cela le fit sourire.

— Salut !

— Salut !

— Je suis content de t'avoir trouvée chez toi.

Il remarqua les valises dans l'entrée et lui jeta un coup d'œil interrogateur.

— Où vas-tu ?

Merde.

— Je m'installe quelques jours chez une amie. Pour changer d'air.

Il parut déçu.

— Je voulais te proposer de sortir ce soir.

— Je travaille.

— Mais tu viens de dire que tu rendais visite à une amie.

— Oui, fit-elle précipitamment. Elle vit de l'autre côté du lac. Sur la rive nord. Elle a une piscine.

Il sourit.

— Tu fuis la ville. Je comprends ça. Et ensuite ?

— Pardon ?

— Après ton travail, ce soir, nous pourrions sortir ensemble, toi et moi. Pour dîner, nous amuser. Flirter un peu…

Elle se sentit rougir, ce qui ne lui était pas arrivé depuis longtemps. Bon sang, il lui plaisait vraiment.

— Je finis très tard.

— Tard, ça veut dire quoi ?

— Trop tard pour sortir. Je… Je travaille comme serveuse dans un club.

— Celui où tu danses ?

Zut ! Elle avait oublié lui avoir dit qu'elle était danseuse.

— Je n'arrive pas à joindre les deux bouts avec la danse, alors entre deux contrats, je sers des cocktails dans un club.

— Où ça ? Je pourrais passer y boire un verre ?

— Non ! Mon patron est très strict avec ça.

Son sourire se figea et il fit un pas en arrière.

— Très bien. D'accord. Désolé de t'avoir dérangée.

— Tu ne m'as pas dérangée. Je meurs d'envie de passer une soirée avec toi. Il se trouve simplement que ce soir ça n'est pas possible.

— Jeudi soir, alors ?

— Ce jeudi ?

— Je passe au *Tipitina's* et ça me ferait plaisir que tu viennes m'écouter.

Il paraissait sincère. Et elle avait envie d'accepter. Vraiment envie.

Cinquante mille dollars. De quoi commencer une nouvelle vie. Une vie dont elle n'aurait pas honte et qui ne l'obligerait pas à mentir.

— Il va falloir que je me libère de mon travail. Ce n'est pas toujours facile.

— Alors la semaine prochaine. Je passe là-bas tous les jeudis de 18 heures à 20 heures.

Entre 18 heures et 20 heures, c'était possible. Mais elle allait devoir se débarrasser de Patti.

— Tu viendras ? insista-t-il.

— J'ignorais que tu étais musicien, dit-elle en éludant la question.

— Je joue en amateur. Tu viendras ?

— Je vais essayer.

— Promis ?

Elle promit et il se pencha pour l'embrasser sur la joue.

— Je t'appelle.

Il fit volte-face et s'éloigna dans le couloir. Elle allait refermer la porte quand elle se rendit compte qu'elle ne lui avait pas donné son numéro de portable.

— Riley ! appela-t-elle.

Il s'arrêta et se retourna. Elle courut vers lui.

— Tu as encore oublié…

— Oublié ?

— De noter mon numéro de téléphone. Tu as un stylo ?

Il en avait un dans sa poche de veste et le sortit.

— Je n'ai pas de papier, dit-il.

— Pas la peine, fit-elle.

Elle lui prit le stylo, puis la main qu'elle retourna pour griffonner le numéro sur sa paume.

Il parut surpris, puis éclata de rire.

— Parfait, dit-il.

Elle se détourna pour rentrer, mais il l'arrêta.

— Quoi ? demanda-t-elle.

— Mon stylo.

— Désolée…

Elle le lui rendit et il lui saisit la main au passage pour écrire son numéro à lui sur sa paume à elle.

Elle croisa son regard.

— A présent, nous sommes à égalité, fit-il en s'éloignant.

Arrivé au pied de l'escalier, il jeta un coup d'œil par-dessus son épaule.

— Jeudi soir, lança-t-il. Entre 18 heures et 20 heures.

Puis il disparut.

44.

Mardi 8 mai 2007
16 h 10

Patti avait grandi dans Bywater et, quand elle avait épousé Sammy, ils avaient acheté un cottage créole, tout près du quartier de son enfance.

Ils l'avaient amoureusement restauré, tout en prévoyant de déménager pour plus grand dès qu'ils auraient des enfants. Mais les enfants n'étaient pas venus et ils n'avaient pas déménagé.

Situé en aval du fleuve par rapport au quartier français, Bywater n'avait pas le cachet de certains quartiers historiques de la ville et il était moins chic que le Faubourg Marigny, le quartier résidentiel le plus proche. Il attirait une clientèle issue de la classe moyenne formant une communauté active et engagée qui se battait pour le réhabiliter et lui avait apporté une sorte de renaissance — du moins avant Katrina.

Mais les inondations du cyclone avaient brisé de façon apparemment irréversible cet élan. Quelques résidents avaient reconstruit, d'autres avaient vendu et déménagé, d'autres encore restaient indécis et s'étaient pour l'instant contentés de calfeutrer les ouvertures avec des planches après avoir nettoyé le plus gros. Un spectacle désolant qui empêchait d'oublier la catastrophe.

Et ce spectacle était plus douloureux pour Patti que pour quiconque. Il lui rappelait ce qu'elle avait perdu. Elle en avait mal au ventre chaque fois qu'elle le contemplait.

— C'est joli, chez vous, commenta Yvette en laissant tomber son sac sur le canapé rembourré.

— Merci.

— Vous n'avez pas eu d'inondation, ici ?

— Oh, que si…, murmura Patti.

L'eau avait ouvert une brèche dans le mur ouest du canal industriel et inondé les rives du Mississippi — là où se trouvait justement son cottage.

— Mais nous avons eu de la chance, poursuivit-elle. Seulement trente centimètres.

De la chance, oui. Rien que trente centimètres chez elle et plus de mari. Sa vie foutue à jamais.

— Vous avez tout refait, à ce que je vois.

— Je n'avais pas le choix. C'était ma maison.

Yvette la dévisagea d'un air rêveur, comme si elle étudiait une extraterrestre.

Comment expliquer à une jeune femme de vingt-deux ans qui n'avait même pas éprouvé le besoin de partager sa vie avec un animal domestique ce qu'étaient la famille, les racines ? Patti n'essaya même pas.

— Et vous ? demanda-t-elle. Pourquoi êtes-vous restée ici ?

Yvette haussa les épaules.

— Le quartier français est en hauteur et je suis restée au sec. J'ai trouvé du boulot au *Hustle.* Je ne voyais pas l'intérêt de tout recommencer ailleurs.

Dans un sens, elles étaient restées pour les mêmes raisons.

— Je crois que nous devrions définir quelques règles de vie, dit Patti.

— Des règles de vie ? fit Yvette d'un ton incrédule. Comme quoi ? Couchée à 22 heures, levée à 9 ? Pas de cigarettes ?

— Le but de la manœuvre est de vous protéger. Donc, nous ne devons pas nous quitter d'une semelle. Je vais où vous allez et vice versa.

— Aux toilettes aussi ? railla Yvette en croisant les bras sur sa poitrine. Vous tenez à me voir pisser ? Et pour la douche ? C'est la première fois que je suis en prison. Je n'ai pas l'habitude.

— Vous aurez votre salle de bains et votre chambre. Mais je vous suggère de dormir en laissant votre porte ouverte. J'insiste également pour que vous fermiez vos fenêtres. Et pour que vous suiviez mes instructions à la lettre sans discuter.

— Ça risque d'être marrant. Comme si je passais la nuit chez une copine.

Patti fronça les sourcils. Elle n'avait pas apprécié le sarcasme.

— Vous n'avez pas l'air de saisir que la situation est grave, dit-elle.

— Détrompez-vous. Il y a un dingue en liberté qui assassine les gens à tour de bras. Et ce dingue fait une fixation sur moi. Je saisis que j'ai beaucoup de chance.

Patti haussa un sourcil. Yvette continuait à plaisanter, elle n'avait pas conscience que la vie ne tenait qu'à un fil.

Et qu'une fois mort on ne revenait pas.

Elle essaya une autre méthode.

— Nous avons conclu un marché. Je vous paye pour que vous suiviez les règles que je vous impose. Si vous choisissez de faire autrement, je ne peux pas vous en empêcher légalement. Mais je ne pourrai pas vous protéger. De plus, je considérerai que vous n'avez pas respecté notre accord de départ. A vous de choisir.

Yvette soutint son regard un long moment, puis elle finit par acquiescer.

— Très bien. Votre chambre est la seconde sur la droite. Vous voulez sans doute vous y installer ?

Yvette répondit que oui et prit ses affaires. Patti la rappela.

— Yvette ?

La jeune femme se retourna.

— On ne fume pas à l'intérieur de la maison.

45.

Jeudi 10 mai 2007
12 h 15

Stacy se tenait sur le seuil d'une jolie petite cuisine bien tenue, les yeux baissés vers feu Alma Maytree. Un voisin, alerté par les aboiements du chien d'Alma et inquiet parce qu'il n'avait pas vu celle-ci depuis plusieurs jours, avait prévenu la police.

Mlle Alma était morte à l'âge de quatre-vingt-deux ans. Elle avait été une charmante vieille femme qui aimait son bébé — c'était le surnom qu'elle avait donné à son chien Sissy — et se montrait aimable avec tout le monde, même avec ceux qui ne le méritaient pas.

Celui qui avait contacté la police avait craint une crise cardiaque ou une chute.

Mais il n'avait pas imaginé le pire.

Quelqu'un l'avait frappée à la tête, sur le côté droit. Elle était tombée le visage contre les carreaux et ce n'était pas beau à voir. Elle portait une robe de chambre bleu clair en tissu chenille et des mules, sa chemise de nuit à fleur dépassait légèrement, une poêle en fonte gisait sur le sol, à quelques centimètres d'elle.

— Un bon coup de poêle en fonte sur le crâne…, commenta Baxter. C'est la vieille méthode, mais c'est efficace.

Stacy se tourna vers lui.

— En effet. On n'a pas trop de questions à se poser sur l'arme du crime.

— Ça fait longtemps que je n'avais pas vu une poêle comme ça, intervint Rene en enfilant ses gants de latex. Ma grand-mère ne cuisinait qu'avec ça. Ça me rappelle des souvenirs.

— Et elle te donnait des coups sur la tête ?

Il sourit.

— Ça expliquerait pas mal de choses, pas vrai ? Mais non, elle ne me donnait pas de coups sur la tête, même si elle menaçait régulièrement de le faire.

Le premier officier avait placé le cordon jaune pour interdire l'entrée de l'appartement. Une douzaine de voisins étaient agglutinés de l'autre côté. Ils lorgnaient vers la porte et murmuraient entre eux. L'un d'eux avait offert de prendre soin de Sissy, une proposition que Stacy avait acceptée avec empressement. Quelques officiers circulaient en ce moment au milieu du groupe pour poser les questions de rigueur.

— Tu as trouvé ton appartement ? demanda Rene tout en s'accroupissant auprès de la victime.

Stacy en fit autant. Elle avait commis l'erreur de demander à plusieurs de ses collègues s'ils n'avaient pas entendu parler d'un appartement à louer. Et maintenant tout le monde était au courant de ses affaires.

— Un qui me plairait ? Non.

— Tu veux en parler ?

— Pas vraiment.

— Si tu veux mon avis…

— Je ne le veux pas…

— Tu devrais peut-être tout de même réfléchir. Malone est un grand imbécile, mais c'est aussi un type bien.

— Ça n'a pas de sens, ce que tu me dis là.

— Je suis un mec, moi aussi. Je suis bien placé pour en parler.

— Pourrions-nous plutôt nous concentrer uniquement sur le cas de Mlle Alma ? Il me semble que ce serait légitime.

— Elle est morte, Killian. Je crois que ça ne la gêne pas vraiment que nous parlions d'autre chose.

Elle fit mine de ne pas avoir entendu.

— Cette poêle est l'arme du crime, ça ne fait aucun doute, dit-elle en montrant l'objet dont la tranche et le fond étaient tachés de sang.

Des cheveux et ce qui devait être des fragments de peau et d'os y étaient collés.

— Il ne l'a pas frappée à plat, poursuivit-elle. Il était plus grand qu'elle. Et droitier, probablement.

Un gaucher arrivant par-derrière aurait visé le côté gauche du crâne.

— Comment peux-tu savoir qu'il était plus grand ?

Stacy se leva et marcha jusqu'au placard situé près du four. Elle l'ouvrit et trouva comme elle s'y attendait les ustensiles de cuisson de Mlle Alma. Elle en prit un d'une taille équivalente à celui que l'assassin avait utilisé.

Elle fit signe à l'une des techniciennes, une femme un peu plus petite qu'elle, de s'approcher.

— Ne bougez pas, lui dit-elle.

Elle éleva la poêle à bout de bras et l'abattit en direction de la femme, en s'arrêtant juste avant de la toucher.

Son bras avait décrit un arc de cercle vers le bas, avec la main légèrement relevée. Elle répéta le geste à plusieurs reprises. Chaque fois, la poêle se présenta exactement sous le même angle par rapport au crâne.

Stacy remercia la technicienne qui n'avait pas bronché et reporta son attention sur la scène du crime. Tout était à sa place, excepté la poêle et, bien sûr, le cadavre. Elle n'avait pas encore fouillé le reste de l'appartement, mais elle y avait jeté un vague coup d'œil et il lui avait paru intact.

Apparemment, Mlle Alma préparait du thé au moment où elle avait quitté cette terre. La bouilloire était sur la cuisinière, des sachets de thé et une théière attendaient sur le comptoir, avec deux tasses vides.

Deux tasses.

Mlle Alma avait donc fait entrer son agresseur chez elle, elle l'avait accueilli comme un ami et lui avait offert un thé. Mais quand elle lui avait tourné le dos… Blam !

Pourquoi ?

— D'après la robe de chambre et les mules, je dirais qu'elle est morte avant d'aller au lit ou tôt le matin, proposa Baxter.

Stacy alla vers la poubelle dont elle souleva le couvercle pour regarder à l'intérieur.

Baxter la suivit et se pencha par-dessus son épaule.

— On apprend beaucoup de choses sur les gens en observant leurs détritus, commenta-t-il.

Oui. Et ça pouvait même renseigner sur l'heure de leur mort.

— Qui aurait cru que cette douce vieille dame appréciait la friture cajun ?

— Où vois-tu de la friture cajun ?

— Je n'en vois pas.

— Tu devais rendre ta mère chèvre, quand tu étais petit.

Il sourit.

— J'ai l'impression que le dernier repas de Mlle Alma a été un dîner, dit-il.

Stacy acquiesça. Sur le dessus du contenu de la poubelle, on voyait les restes d'un poulet au riz.

— Et un ami s'est annoncé.

— Tu parles d'un ami, murmura-t-il.

Il alla ouvrir le réfrigérateur et passa en revue ce qu'il contenait.

— Rien de particulier, là-dedans ? demanda Stacy.

— Non.

Stacy replaça le couvercle de la poubelle en fronçant les sourcils.

— Tu te souviens d'Yvette Borger ?

— La danseuse de Marcus Gabrielle ?

Elle hocha la tête.

— Elle habite cet immeuble.

— Sans blagues ?

— Tu crois que le meurtre de cette vieille femme aurait un rapport avec elle ou avec Gabrielle ?

— Je n'aime pas les coïncidences.

Le représentant du bureau du coroner arriva. Il jeta un long regard vers Alma Maytree et secoua la tête.

— Les enfants et les vieillards, je ne peux pas comprendre. Je trouve ça particulièrement abominable. Vous voyez ce que je veux dire ?

Stacy voyait parfaitement.

Il enfila des gants et s'agenouilla devant le corps.

— Le cas me paraît extrêmement simple, murmura-t-il. Mais si ce boulot m'a appris quelque chose, c'est bien de ne pas se fier aux apparences.

Il commença par inspecter soigneusement les mains et les bras de la victime.

— Elle ne s'est pas défendue. Et ses ongles me semblent propres.

— Elle est morte depuis combien de temps ?

— Quelques jours. Impossible d'en dire plus pour le moment. Je serai peut-être plus précis quand je l'aurai au labo, mais ce n'est pas sûr. On la trouve un peu tard.

Quand on découvrait une victime au bout de plusieurs jours, il devenait difficile de déterminer avec précision l'heure du décès.

— On te laisse travailler, dit Stacy. Pendant ce temps on va fouiller l'appartement.

La décoration était plutôt chargée, tout en dentelles, fleurs séchées et chintz. Dans le salon, pas un coussin n'était dérangé. Dans la chambre, le lit était fait, les vêtements dans l'armoire — pas un seul n'était suspendu à une patère ou ne traînait sur le dossier d'une chaise, encore moins par terre. Rien ne dépassait. Le seul endroit mal rangé de l'appartement de Mlle Alma était la petite mallette dans laquelle elle stockait ses lotions, crèmes, parfums, rouge à lèvres.

Stacy prit un petit pot.

— Réhydrate, raffermit, régénère, réduit les signes visibles de l'âge.

— La quête de l'éternel printemps, murmura Baxter qui lisait l'étiquette d'un autre pot. Même à plus de quatre-vingts ans…

— Quatre-vingt-deux, précisa Stacy. Je trouve ça touchant.

— Et pitoyable, aussi.

Ils retournèrent dans la cuisine. L'équipe chargée de récolter les indices triait le contenu de la poubelle.

— Faites attention, recommanda Stacy. Les couches d'ordures peuvent nous aider à déterminer l'heure du crime.

— Compris, inspecteur.

— Comment ça se passe, Mitch ?

Il avait déjà étiqueté les mains et les pieds. Il ne lui restait plus qu'à glisser la victime dans un sac pour la transporter à la morgue — on emportait rapidement le corps pour éviter de gâcher des indices.

Il leva les yeux vers Stacy.

— Je ne crois pas que vous aurez beaucoup plus de renseignements une fois qu'elle sera passée chez nous, dit-il.

— Vous nous enverrez le rapport dans combien de temps ?

— Dans quelques jours. J'en ai d'autres avant celle-ci.

Il leva une main pour stopper d'avance toute tentative de corruption.

— Et j'ai aussi une vie privée, ma femme y tient beaucoup, insista-t-il.

Stacy ébaucha un sourire tout en décrochant son téléphone portable de sa ceinture.

— J'apprécie ton abnégation, ironisa-t-elle.

Elle composa le numéro de Spencer.

— C'est moi, dit-elle quand il répondit. J'ai pensé que ça t'intéresserait de savoir que j'ai un macchabée dans l'immeuble d'Yvette Borger.

46.

Jeudi 10 mai 2007
13 h 25

Patti faisait la tournée des amies de Jessica Skye quand son portable sonna. C'était Spencer.

— On a tué une voisine d'Yvette, annonça-t-il.

— Qui ?

— Alma Maytree. D'un coup de poêle sur la tête.

Alma Maytree. Le nom lui parut familier. Yvette l'avait sans doute mentionné devant elle.

— Quand ?

— Je n'en sais rien. Je me rends sur place en ce moment même. Tu vas devoir quitter ta retraite si tu veux en savoir plus.

Patti referma le téléphone d'un coup sec, se rabattit sur la file de gauche et exécuta un demi-tour sur le bas-côté.

— Que se passe-t-il ? demanda Yvette.

— Nous rentrons.

Yvette bâilla.

— Pourquoi ?

— Je vous dépose.

La réponse eut le mérite d'attirer l'attention d'Yvette, ce qui représentait un exploit.

— Vous me laissez seule ?

— Je me rends sur la scène d'un crime. Je ne peux pas vous emmener avec moi.

— Mais c'est contraire aux règles que vous aviez établies au départ.

— Je n'ai pas le choix, répondit Patti en lui jetant un regard en coin. Et pas la peine d'arborer cet air victorieux.

— Désolée. Je ne peux pas m'en empêcher.

Elle ne paraissait pas du tout désolée et Patti en fut prodigieusement agacée. Plus le temps passait et plus Yvette rechignait à se plier aux « règles », comme elle les appelait. Elle s'ennuyait et ne le cachait pas. Elle se montrait même grognon et irritable. Elle ne voyait pas l'intérêt de tant de précautions.

Mais Patti était prête à supporter cette attitude — et bien plus encore —, si ça devait la mener à l'assassin de Sammy. Ce dont elle n'était pas certaine…

Est-ce que le meurtre de la voisine d'Yvette avait un rapport avec leur affaire ? Alma Maytree… Elle était tentée de demander à Yvette si elle la connaissait, mais elle ne voulait pas l'alerter. Cette sale gamine était capable de paniquer et de décider de filer.

Et Patti ne voulait pas prendre un tel risque. D'autant plus que l'assassinat de Mlle Alma n'avait peut-être rien à voir avec Yvette ou avec l'Artiste.

Mais ça faisait beaucoup de coïncidences.

Marcus. Samson. Alma Maytree.

Patti remonta Piety Street. Quelques instants plus tard, elle s'arrêta devant son cottage.

— Pas besoin de m'accompagner à l'intérieur, fit Yvette en tendant la main pour réclamer les clés.

Patti détacha de son trousseau la clé de la porte d'entrée mais, avant de la confier à Yvette, elle tenait à lui faire ses recommandations.

— Je ne devrais pas rester absente longtemps. Enfermez-vous et ne laissez entrer personne.

— Oui, maman.

Patti la contempla fixement.

— Vous n'avez pas l'air de comprendre que vous êtes réellement en danger…

— Si je vous dis que oui, vous me donnerez cette clé ?

Comme Patti continuait à la dévisager sans rien dire, elle éclata de rire.

— Je vous taquine… Oui, bien sûr que je comprends que je suis en danger. Que la situation est sérieuse et que j'ai intérêt à suivre vos judicieux conseils.

Patti laissa tomber la clé dans la paume de sa protégée qui fila sans demander son reste, puis elle la regarda s'éloigner en courant, ouvrir la porte, et disparaître à l'intérieur de la maison sans un regard en arrière.

Elle avait l'air bien pressée…

Elle fut tentée d'aller discrètement vérifier que la porte était bien verrouillée de l'intérieur et envisagea même de faire le tour de la maison pour espionner Yvette par la fenêtre. Mais elle se retint.

Elle se sentait un peu comme une mère qui accorde pour la première fois un peu de liberté à un adolescent et se demanda si tous les parents craignaient comme elle que leur garnement en profite pour faire des bêtises, s'ils étaient déchirés entre la méfiance et l'envie de faire confiance.

Mais Yvette était une adulte, pas une enfant. Elle gagnait sa vie en dansant dans un club de strip-tease, elle vivait seule, elle était totalement indépendante. Mais bon sang… Elle se conduisait comme une gamine. Comme une gamine égocentrique.

Patti resta encore quelques minutes à contempler rêveusement la maison, puis elle se décida à démarrer et prit la direction du quartier français.

Quelques instants plus tard, elle freinait devant l'officier de police chargé de réguler la circulation au coin de la rue d'Yvette. Elle lui tendit son badge et il lui fit signe de passer.

Elle se gara, sortit de sa voiture et rejoignit l'entrée de l'immeuble d'un pas décidé. Elle salua l'homme qui montait la garde, entra et grimpa jusqu'à l'appartement de la victime, au premier étage.

Une fois en haut, elle signa le registre et se pencha pour passer sous le cordon. A l'intérieur, la scène du crime grouillait d'experts et d'officiers de police. Chacun était concentré sur sa tâche.

Elle s'étonnait toujours de constater que tant de personnes pouvaient tenir dans un si petit espace, tout en menant à bien un travail de précision.

Elle alla droit au point central : la victime. Spencer était déjà sur place. Il était avec Stacy, Baxter et Mitch Weiner, du bureau du coroner. Ils discutaient du prochain tournoi de football américain et des matchs que le tirage au sort avait attribués aux Saints.

— Hello, Mitch ! lança-t-elle. Inspecteurs, ajouta-t-elle en se tournant vers les trois autres.

— Nous vous attendions, fit Mitch. Malone pensait que vous voudriez jeter un coup d'œil avant qu'on embarque le corps.

— Merci.

Elle considéra le corps et observa la position de la victime et la poêle.

— C'est fait, dit-elle en se tournant vers le groupe. Vos premières impressions ?

Stacy répondit la première.

— Elle n'a pas d'autres blessures que ce coup à la tête. C'est ça qui l'a tuée. Elle n'a rien vu venir et ne s'est pas défendue.

— Des suspects ?

— Pas encore. Les voisins assurent que tout le monde ici l'aimait bien.

Stacy intervint.

— Elle connaissait probablement son agresseur. Il s'est présenté chez elle alors qu'elle s'apprêtait à aller au lit. Elle lui a ouvert la porte et l'a fait entrer.

— Tu dis « il ». Comment sais-tu qu'il s'agit d'un homme ?

— Pardon ?

— Tu crois qu'une femme de cet âge ouvre en chemise de nuit à un homme ?

— Il ne s'agissait peut-être pas de n'importe quel homme, mais d'un proche, de quelqu'un de sa famille, murmura Baxter.

— Ou d'un voisin. D'un ami. En tout cas d'une personne avec laquelle elle se sentait à l'aise.

— Un officier de police ? proposa Mitch. Un prêtre ?

Ils demeurèrent silencieux pendant qu'il glissait la victime dans un sac. Il promit de les tenir rapidement au courant puis partit en emportant le corps avec son assistant.

Patti se tourna vers Spencer et Stacy.

— Je me demande si ce meurtre a un rapport avec Yvette Borger.

Spencer haussa un sourcil.

— Pourquoi ça aurait un rapport ?

— Il y a quarante-huit heures, l'Artiste est passé chez Yvette en pleine nuit. Elle était chez elle et elle dormait, mais il a réussi à rentrer et à lui laisser un message sans la réveiller. Elle a trouvé le mot le lendemain matin.

— C'est ce qu'elle dit.

Patti ignora la remarque et poursuivit.

— Le même soir, le chien d'un voisin a été empoisonné. Et maintenant on trouve le corps d'Alma Maytree qui est peut-être morte la même nuit.

— Et tu crois ce qu'Yvette raconte ? insista Spencer.

Patti fronça les sourcils. Ce ton de défi lui déplaisait.

— Oui, affirma-t-elle. Je la crois.

— Tu la crois au point d'avoir pris un congé pour l'aider. Tu as perdu l'esprit ou quoi ?

Les hommes qui travaillaient dans la pièce levèrent la tête. Patti montra la porte.

— Vous ne croyez pas que nous devrions poursuivre cette conversation à l'extérieur, inspecteur ?

Ils sortirent et Stacy les suivit. Ils descendirent sans un mot dans la cour. Là, Spencer se tourna vers Patti.

— Ça m'est complètement égal que cette femme soit mythomane. Sauf si elle embarque dans son délire une personne à laquelle je tiens.

— J'apprécie ta sollicitude, Spencer. Et moi aussi je tiens à toi. Mais je n'ai pas besoin de ta protection.

— Elle n'apporte aucune preuve de ce qu'elle avance. Les messages, elle les invente. L'Artiste aussi. Pour qu'on s'intéresse à elle. Et aussi parce qu'elle prend son pied à mentir.

— Alma Maytree, elle ne l'a pas inventée. Et le chien empoisonné non plus.

— Et qu'est-ce qui te dit qu'elle n'a pas tué Alma Maytree et empoisonné le chien ?

— Pourquoi aurait-elle fait ça ?

— Parce qu'elle est complètement dingue, pas besoin de chercher plus loin.

— Il a raison, Patti, intervint Stacy. Elle a même pu tuer Gabrielle, ou le faire tuer. Et pour lui, le mobile n'est pas difficile à trouver. Il l'avait arnaquée, menacée. Elle lui avait accordé sa confiance et il l'avait trahie.

— Il y a quelque chose que vous ne savez pas, avoua Patti. Yvette est venue me réclamer de l'aide. Son amie du *Hustle*, Tonya, a disparu…

— Son amie ? coupa Stacy. Elles n'étaient pas vraiment amies quand je travaillais là-bas. Yvette disait que c'était une salope.

— Mais quand Spencer et toi avez refusé de l'écouter, elle s'est tournée vers Tonya. Et Tonya a disparu.

— Disparu ?

— Tonya avait identifié l'inconnue du parc d'après la photo publiée dans les journaux. Il s'agirait de Jessica Skye, une ancienne danseuse du *Hustle* qui s'est volatilisée depuis Katrina. D'après Tonya, le type qui envoie des messages à Yvette s'intéressait à Jessica.

— Tonya a raconté tout ça à Yvette et elles ont décidé de mener leur enquête.

— Exactement. Ensuite Tonya a disparu et Yvette est venue me trouver.

— Quelqu'un d'autre a reconnu Jessica Skye sur la photo ?

— Non. Personne.

Spencer et Stacy échangèrent un regard entendu. Spencer parla le premier.

— Tu ne vois pas ce qui se passe ? Tonya est la seule qui puisse identifier Jessica Skye et elle disparaît. Quand je suis allé avec Stacy chez Yvette pour qu'elle nous montre les lettres de l'Artiste, elles avaient disparu, elles aussi. Elle ment. Elle a tout inventé, tante Patti.

— Je suis de son avis, renchérit Stacy. Ce serait une grosse erreur de te fier à ce qu'elle dit.

— Trop tard…

Patti les dévisagea d'un air indécis. Elle ne savait plus que penser. Spencer et Stacy étaient de bons flics. Ils avaient de l'instinct. Mais elle aussi en avait et c'était au sien qu'elle devait se fier.

— Je ne compte pas changer de tactique. C'est impossible. Si ce qu'elle dit est vrai, l'Artiste est le Collectionneur. Et je ne peux l'atteindre qu'à travers elle.

— Si ce qu'elle dit est vrai, répéta Spencer d'une voix tendue.

— J'ai pris la place de Tonya au *Hustle* et installé Yvette chez moi pour être en mesure de la protéger.

Spencer en resta bouche bée. Puis il explosa.

— C'est le truc le plus délirant que…

— Ne dépasse pas les bornes, inspecteur. Je suis encore ton supérieur.

— Mais pourquoi agir de manière aussi insensée, pour l'amour du Ciel !

Stacy posa une main sur le bras de Spencer.

— Le chef est au courant ? demanda-t-elle.

— Absolument pas. Officiellement, je suis en congé.

Stacy poussa un petit cri horrifié.

— Je te supplie de réfléchir. Je crois que tu ne vois pas la situation clairement. Le chagrin t'aveugle. Et aussi le stress…

— Je vois la situation très clairement et je sais parfaitement ce que je fais.

— Tu es en train de fiche ta carrière en l'air, protesta Spencer.

Tu t'en rends compte ? Tu crois que tu seras capable de supporter les conséquences de tes actes ?

— Absolument.

— Et comment as-tu convaincu notre menteuse professionnelle d'accepter ton offre ? Tu as touché sa fibre sensible ? Elle s'est montrée désireuse de t'aider à coincer un assassin ?

— Oui.

Elle avait hésité avant de répondre — une fraction de seconde seulement —, mais suffisamment pour que Spencer s'en aperçoive.

— Tu ne collabores avec elle que depuis deux jours et tu as déjà pris ses mauvaises habitudes, cracha-t-il. Tu mens. Je ne reconnais pas la Patti O'Shay que j'aime et que je respecte.

— Tu ne comprendrais pas, murmura-t-elle.

— Je veux bien essayer. Que lui as-tu proposé ?

— De l'argent.

— Voilà qui m'étonne... Combien ?

— Ça ne te regarde pas.

Spencer la dévisagea longuement, la mâchoire serrée.

— Puisqu'il n'y a pas moyen de te raisonner, je veux être de la partie. Au moins pour te couvrir en cas de problème.

— Non. Il n'en est pas question. J'ai le droit de mettre ma carrière dans la balance, mais pas la tienne.

Il ouvrit la bouche pour protester, mais elle l'arrêta net.

— Inspecteur, il me semble que vous avez une scène du crime à boucler. Et moi, j'aimerais profiter de mon congé. Donc, je vous prie de m'excuser.

Elle fit volte-face et s'éloigna, consciente d'abandonner un Spencer furieux et inquiet.

Elle ne lui en voulut pas. S'il avait pris la décision qu'elle prenait en ce moment, elle se serait probablement inquiétée elle aussi.

47.

Jeudi 10 mai 2007
17 h 15

Yvette faisait les cent pas en consultant sa montre. Elle était restée cloîtrée tout l'après-midi chez Patti, en luttant contre l'envie de sortir. Elle s'ennuyait ferme. Elle était sur les nerfs. Elle était là depuis deux jours et l'Artiste ne s'était plus manifesté.

Il avait peut-être changé de ville. Et de proie. Ou bien elle avait de la chance : un arbre lui était tombé dessus ou un camion l'avait écrasé.

Elle songea à Patti. Ses mains avaient tremblé quand elle lui avait tendu le chèque de dix mille dollars. Yvette avait compris à ce moment-là que ça représentait pour elle un gros investissement. Que c'était vraiment important. Qu'elle en attendait beaucoup.

Et elle s'était sentie coupable.

Mais elle avait quand même pris l'argent.

La sonnerie annonçant un texto se fit entendre.

> Vien stp o Tipitina. 18 heures R.

Yvette relut le message à plusieurs reprises. Elle avait envie d'y aller et elle ne commençait qu'à 21 heures au *Hustle*. Ça lui laissait largement le temps de passer un moment au *Tipitina's*.

Patti avait bien transgressé les règles. Pourquoi se gêner ?

C'était décidé : elle consulta sa montre et appela un taxi. Patti serait furieuse. Elle avait intérêt à filer avant qu'elle rentre si elle ne voulait pas être retenue de force.

Cette femme était autoritaire et elle se faisait trop de bile.

Quand le taxi arriva, elle était en train de remonter la fermeture Eclair de son jean le plus sexy. Elle enfila une paire de sandales basses, attrapa son sac, et sortit sans hésiter.

Le *Tipitina's* était un club à la mode qui invitait parfois de grands noms, mais programmait surtout de la musique locale et régionale. Il était un peu tôt pour un établissement de ce genre mais, quand Yvette arriva, il y avait déjà du monde.

Riley devait la guetter car il la repéra dès qu'elle franchit la porte. Il n'avait pas encore commencé son tour de chant et se précipita pour l'accueillir.

— Tu es venue. C'est chouette !

— Je ne peux pas rester longtemps. Je dois partir travailler.

— Ça ne fait rien, je suis tout de même content que tu sois là.

Il lui prit les mains.

— J'ai composé une chanson pour toi.

Elle se sentit rougir de plaisir.

— C'est vrai ?

— Je ne l'aurais pas chantée si tu n'étais pas venue.

— Je suis contente d'être venue, alors.

— Moi aussi, je suis content.

Il se pencha pour l'embrasser. Il avait à peine effleuré sa bouche du bout des lèvres, mais elle sentit quelque chose de chaud la transpercer jusqu'aux doigts de pieds.

— Il faut que j'y aille, c'est bientôt à moi, dit-il. Je compte sur toi pour faire la claque.

Il retourna vers la scène. Elle commanda un Coca et alla se percher sur un tabouret. Riley composait une musique nostalgique, dans le style des ballades du Sud. Il parlait d'amour et de cœurs brisés, de confiance, de famille. Il avait une voix rauque, avec un léger souffle — profonde et émouvante.

Elle se demanda pourquoi il végétait dans une galerie de peinture.

Quand il chanta *sa* chanson, il la regarda droit dans les yeux et elle se sentit rougir. Mais elle se laissa emporter par la magie de l'instant et ce fut à ce moment-là qu'elle acheva de tomber amoureuse de lui.

Elle ne s'était jamais distinguée par son intelligence.

— Bonjour !

Elle se tourna vers la femme qui venait de l'interpeller. Il lui sembla la reconnaître.

— Bonjour ! répondit-elle.

— Je suis June Benson, dit la femme. La sœur de Riley.

— Mais oui ! s'exclama Yvette en souriant. Je me disais bien que je vous avais déjà vue.

Elle désigna la scène du menton.

— Il est excellent, dit-elle.

— C'est aussi mon avis, approuva June.

— Riley m'a dit que vous étiez très proches.

— C'est vrai, fit June.

Elle s'interrompit pour boire une gorgée.

— Riley m'a beaucoup parlé de vous, dit-elle en reposant son verre.

— Ah oui ?

— Mmm.

Le regard de June glissa vers la scène. Yvette crut y déceler un éclat sauvage.

— Mon frère est quelqu'un… d'impulsif. Il agit avant de réfléchir. Et il a le cœur sur la main. Je tenais à ce que vous le sachiez.

— Je ne vois pas où vous voulez en venir.

June se tourna de nouveau vers Yvette et la fixa droit dans les yeux.

— Il n'est pas difficile de lui faire du mal. Voilà ce que j'essaye de vous dire.

— Pourquoi lui ferais-je du mal ?

— Je sais qui vous êtes et comment vous gagnez votre vie.

Yvette eut l'impression d'avoir reçu un coup de poing.

— Comment avez-vous… ?

— Spencer Malone, coupa June. Le soir où vous êtes venue dans notre galerie.

— Je vois.

— Vous voyez ? Vraiment ? ironisa June.

Elle se pencha vers Yvette et poursuivit en baissant la voix.

— J'aime beaucoup mon frère et je ne voudrais pas qu'il souffre.

Yvette fit de son mieux pour ne pas montrer à June à quel point elle était blessée.

— Et vous vous dites qu'une femme comme moi ne peut que lui briser le cœur, c'est ça ? Parce que je ne suis pas quelqu'un de bien ? Parce que vous me considérez comme une prostituée ?

— Je n'ai pas dit ça.

— Mais vous me l'avez fait comprendre.

La première partie du récital de Riley venait de s'achever et il vint les rejoindre.

— Je suis ravi de constater que vous copinez, dit-il.

— Nous faisons connaissance, murmura June.

— Elle est super, pas vrai ? fit Riley en adressant un grand sourire à sa sœur.

Puis il se tourna vers Yvette.

— Tu as aimé ta chanson ?

— Oui, murmura-t-elle en se levant. Mais je dois y aller, désolée.

Elle se baissa pour passer sous le bras de Riley et se précipita vers la sortie. Il la rattrapa.

— Que se passe-t-il ? June t'a dit quelque chose qui t'a contrariée ?

— Elle m'a dit qu'elle ne voulait pas que je te fasse souffrir.

— Elle me surprotège, admit-il en souriant. Elle se comporte avec moi comme une mère plus que comme une sœur. Mais ne t'en fais pas, elle n'avait pas d'idée précise en tête.

— Oh, que si. Elle pense que je suis une…

Elle se retint à temps, elle était au bord des larmes.

Elle refusait de pleurer. Plus maintenant. Plus jamais.

— Une quoi ? Tu as dû mal comprendre. June est gentille, au fond.

— Je ne suis pas celle que tu crois.

Il haussa un sourcil.

— Tu ne t'appelles pas Yvette Borger ?

Elle releva fièrement le menton.

— Je ne suis pas serveuse, mais stripteaseuse, fit-elle d'un ton dur. Au *Hustle*. Avec trois apparitions sur scène dans la soirée, je gagne un max. Sans compter les extra pour les demandes privées. Ta sœur est au courant et c'est pour ça qu'elle ne veut pas qu'on se fréquente.

Il ne répondit rien et elle libéra son bras.

— Je dois y aller, maintenant.

Il ne tenta pas de la retenir. Elle n'en fut pas étonnée.

48.

Jeudi 10 mai 2007
21 h 25

Yvette ne prit pas la peine d'appeler un taxi. En dépit de l'air humide et chaud, elle avait besoin de se rafraîchir. Quelle idiote elle faisait ! Comment avait-elle pu être assez naïve pour se raconter ce conte de fées ?

Elle s'arrêta pour allumer une cigarette, puis continua en direction du *Hustle*. La vie était injuste. Difficile. Les gens impitoyables.

Les sentiments, la règle d'or, c'est bon pour les perdants. Pour s'en sortir, il faut d'abord penser à soi.

Son père le lui répétait souvent. De préférence quand il avait l'estomac plein de bière.

Elle s'était souvenue de ces perles de sagesse quand elle lui avait flanqué un coup de cafetière sur le crâne à l'âge de seize ans pour vider son portefeuille et filer sans demander son reste. Elle ne l'avait plus revu depuis, mais elle avait entendu dire qu'il avait survécu et qu'il travaillait toujours à Greenwood, Mississippi, dans un bureau de poste.

Elle arrivait au *Hustle* et entra. Dante, le videur, lui sourit.

— Tu es en retard, ma douce.

— J'ai eu des emmerdes.

Il secoua la tête.

— Moi je m'en fiche. C'est au sergent que tu devras l'expliquer. Celle-là, elle ne plaisante pas.

Patti. Elle craignait d'avoir perdu son « investissement ».

— Le sergent, je me la mets au...

— Et moi ? dit-il en lui lançant un regard libidineux. Je pourrais avoir le même traitement de faveur ?

Elle l'envoya paître et se dirigea vers les coulisses. Patti était là, elle faisait les cent pas. Quand elle aperçut Yvette, elle s'arrêta. Elle avait l'air furieuse.

— Où étiez-vous ?

Yvette la défia du regard.

— Je suis sortie pour aller voir un ami.

— Sans m'en prévenir. Nous avions pourtant conclu un accord.

— Vous aviez déjà rompu les modalités de cet accord en me laissant seule.

— Il serait temps que vous vous comportiez en adulte.

— Je me passe de vos sermons, rétorqua Yvette en lui tournant le dos pour entrer dans sa loge.

Patti la suivit.

— Non, justement, vous ne pouvez pas vous en passer. Dois-je vous rappeler que c'est vous qui êtes venue me supplier de vous aider ?

— Ne vous fichez pas de moi. Vous aussi avez besoin de moi. Plus que je n'ai besoin de vous.

— Vous en êtes certaine ? Il me semble que vous étiez affolée. Que vous pensiez que l'Artiste avait tué votre amie. A moins qu'il ne s'agisse encore d'une de vos inventions...

Yvette croisa les bras sur sa poitrine.

— Foutez-moi la paix ! J'ai le droit d'avoir une vie privée.

— La question serait plutôt de savoir si vous tenez à rester en vie.

— Je pense que l'Artiste a remballé sa scie et qu'il a fichu le camp, riposta crânement Yvette.

— Qu'est-ce qui vous fait dire ça ?

— Il n'est plus venu ici. Il n'a plus donné de nouvelles, plus de messages, rien. Il a eu la frousse quand il s'est aperçu que je m'installais chez vous.

Patti ricana.

— Vous croyez qu'un monstre qui a tué neuf personnes a peur de moi ?

— Vous êtes flic. Vous êtes armée.

— Et vous, vous êtes une gamine irresponsable.

— Je me fiche de ce que vous pensez. Et de vous.

Elle se dirigea vers sa coiffeuse et se mit à entasser ses affaires dans un gros sac.

— Où comptez-vous aller comme ça ?

— N'importe où pourvu que je me barre d'ici. Je n'ai pas besoin de vous. Ni de ce boulot de merde.

— Alma Maytree est morte.

Yvette se figea. Puis elle se tourna lentement vers Patti.

— Qu'est-ce que vous avez dit ?

— Alma Maytree est morte. C'est pour ça que je vous ai abandonnée cet après-midi. On l'a tuée.

— Seigneur…

— Ça date de plusieurs jours. On lui a défoncé le crâne avec une poêle à frire.

Son père… Le sang qui dégouline. Sa tête dans une mare rouge qui s'étale sur le revêtement en Formica.

Yvette secoua la tête.

— Qui a pu s'en prendre à Mlle Alma ? Elle était inoffensive, douce, gentille…

— Ça s'est passé la nuit où l'Artiste est venu chez vous, Yvette.

Yvette contempla Patti sans mot dire, d'un air abasourdi. Et brusquement, elle comprit.

Lui.

— C'est lui, n'est-ce pas ?

— Il est un peu tôt pour tirer des conclusions.

— Mais vous pensez tout de même que c'est lui, gémit Yvette. Mais pourquoi aurait-il fait ça ? Je ne comprends pas.

— Pour vous effrayer, pour vous atteindre.

Yvette mit une main contre sa bouche et se laissa glisser au sol.

— Je crois que je vais vomir, dit-elle.

Patti attrapa vivement la poubelle et la lui tendit. Yvette se pencha au-dessus et y déversa sans retenue l'horreur des semaines précédentes, les déceptions accumulées de toute une vie, la peur qui lui tenaillait les entrailles.

Quand elle eut fini, Patti lui apporta une serviette humide et une bouteille d'eau.

— Vous comprenez à présent ? demanda-t-elle. Vous savez enfin à qui vous avez affaire ? Vous voyez l'intérêt des règles stupides que je vous impose ?

Yvette songea à Mlle Alma, à son caractère si doux, à l'amour qu'elle avait porté à son bavard loulou de Poméranie. Puis elle songea à Riley, à la vie qu'elle aurait pu avoir avec un homme comme lui. Une vie de rêve. Avec une belle maison et des enfants. Une vie de conte de fées.

— Je ne veux pas mourir, murmura-t-elle.

— Dans ce cas, faites ce que je vous dis. Il ne s'agit pas d'un jeu, Yvette.

Et pourquoi pas fuir ? Filer avec le fric, loin de cette saloperie de ville.

Yvette se releva. Ses jambes ne la soutenaient pas, elle se laissa tomber sur une chaise et attrapa son sac pour en sortir une cigarette. Ses mains tremblaient tellement qu'elle eut du mal à l'allumer.

Elle y parvint tout de même et aspira goulûment une longue bouffée.

— C'est dingue, fit-elle d'une voix plus calme.

— Oui, ça l'est.

— Je ne devrais pas rester ici. Je devrais m'en aller.

— Il s'en est pris à votre amie. A une vieille dame incapable de riposter. Il a empoisonné un animal sans défense. Et il a tué six femmes. Au moins.

— Et votre mari.

— Oui. Et mon mari. Aidez-moi, Yvette. Restez. Il ne faut pas qu'il s'en sorte.

Yvette la fixa longuement. Plusieurs minutes s'écoulèrent dans le silence. La cigarette qui s'était consumée brûla les doigts d'Yvette qui l'écrasa en poussant un petit cri de douleur.

— Aidez-moi, Yvette, répéta Patti. Je vous en prie.

Yvette contempla ses doigts rougis. Les larmes lui vinrent aux yeux. Elle hocha lentement la tête.

49.

Lundi 14 mai 2007
6 h 30

Stacy sortit de la salle de bains. Il était tôt, mais elle était déjà habillée et prête à partir. Le meurtre d'Alma Maytree la préoccupait. Quelque chose dans l'histoire ne tenait pas debout. Tous les locataires de l'immeuble — à l'exception d'Yvette Borger — avaient été interrogés par elle, par Baxter, ou par l'un des officiers.

Et personne n'avait rien vu. Par ailleurs, ils s'accordaient tous à dire qu'il était facile de s'introduire dans l'immeuble en profitant de ce que quelqu'un sortait ou entrait. Il avait donc fallu que quelqu'un sorte ou entre. Donc ce quelqu'un aurait dû voir le meurtrier.

Jusque-là, les locataires ne s'étaient pas inquiétés qu'on entre chez eux comme dans un moulin. Ils comprenaient un peu tard qu'ils avaient eu tort.

Mais pourquoi tuer une vieille dame d'un coup de poêle et repartir les mains vides ?

Stacy avait jeté un coup d'œil sur les comptes de Mlle Alma. Elle vivait de la petite retraite qu'elle touchait pour avoir travaillé toute sa vie à la *American Can Company*. Elle ne possédait pas d'assurance vie. On pouvait donc éliminer l'hypothèse du proche qui espérait toucher le pactole.

D'autant plus que ses proches vivaient loin. Une petite-nièce à Chicago. Un neveu et ses enfants à Birmingham.

Ils avaient été horrifiés en apprenant la nouvelle.

Elle alla jusqu'au lit pour embrasser Spencer qui dormait toujours. Du moins, elle le croyait. Il lui attrapa le bras et l'attira sur lui.

— Où vas-tu comme ça ? demanda-t-il d'une voix endormie.

— Je vais interroger des gens dans le cadre du meurtre de Maytree.

— Ça me paraît bien rébarbatif, comme programme. Tu ne crois pas que tu devrais plutôt rester ici pour batifoler avec moi ?

Il resserra son étreinte.

— S'il te plaît. Tu ne le regretteras pas.

Elle s'en doutait. Mais elle se dégagea tout de même.

— Je ne peux pas. Le propriétaire d'Alma Maytree m'attend.

Il se souleva sur un coude.

— Tu ne penses qu'au boulot, Killian.

— C'est ça, fit-elle en l'embrassant. A plus tard.

Elle atteignait la porte, quand il la rappela. Elle se retourna.

— Je ne veux pas que tu partes, dit-il.

Elle comprit au ton et à l'expression qu'il ne parlait pas de partir au travail.

Il parlait d'eux.

— On en discutera tout à l'heure, promit-elle.

— Tu m'as déjà dit ça il y a deux semaines.

C'était la vérité. Et ensuite elle avait soigneusement évité d'aborder le sujet.

— De quoi as-tu peur, Stacy ?

— Je n'ai pas peur.

— Tu veux vraiment t'installer ailleurs ?

Elle le contempla fixement, puis secoua la tête.

— Non, avoua-t-elle.

— Dans ce cas, reste avec moi.

— On ne fait pas toujours ce qu'on veut, dans la vie.

— C'est sûrement une remarque très féminine, parce que je ne la comprends pas.

— Appelle-moi plus tard, d'accord ?

Elle sortit sans lui laisser le temps d'en dire plus. Tout en se versant du café dans une tasse à couvercle, elle se demanda de quoi elle avait peur. Sans doute de souffrir. Mais peut-être était-ce un peu plus compliqué.

Et pas qu'un peu.

Elle fila dans sa voiture en emportant sa tasse. Elle démarra en se disant qu'il était temps de penser à autre chose. Par exemple au propriétaire d'Alma Maytree qui devait lui ouvrir la porte de l'immeuble. Les gens n'appréciaient pas qu'on dérange leur routine du lundi matin et elle n'allait sûrement pas s'en faire un ami, mais peu lui importait.

Elle ne cessait de ruminer ce que Patti lui avait appris. L'Artiste aurait rendu visite à Yvette la nuit où Mlle Alma avait été assassinée. Cette même nuit, on avait aussi empoisonné le chien des voisins.

Elle avait essayé d'aborder le sujet avec Spencer, mais il n'avait rien voulu entendre.

Elle avait l'intention de s'entretenir en premier avec les propriétaires du chien. Un officier les avait interrogés, mais ils n'avaient pas mentionné cet épisode. Bien sûr, ils n'avaient eu aucune raison de le faire si personne ne leur avait posé de questions.

Elle allait réparer cet oubli.

Quinze minutes plus tard, elle se présentait devant la porte de l'appartement numéro huit. Elle frappa bruyamment pour être entendue en dépit de l'aboiement du chien.

Samson. Visiblement, il avait repris du poil de la bête.

L'un des hommes lui ouvrit. Il était mince et de taille moyenne, avec des cheveux noirs méchés de gris, déjà habillé et tiré à quatre épingles. Elle lui donna entre trente et quarante ans.

Elle lui montra son badge.

— Inspecteur Killian de la police de La Nouvelle-Orléans, dit-elle. Je voudrais vous poser quelques questions au sujet de votre voisine, Alma Maytree. Et aussi au sujet de votre chien.

L'homme se tourna pour appeler son compagnon.

— Ray ! Viens ici ! C'est la police !

Ray sortit de la cuisine, avec une tasse de café à la main et les cheveux en bataille. Il portait un short froissé et un T-shirt délavé. Le contraste avec Bob était d'un effet saisissant.

— Ray, voici l'inspecteur Killian. Elle vient pour Mlle Alma. Et pour Samson.

— Ne faites pas attention à ma tenue négligée, s'excusa Ray en lui faisant signe d'entrer. J'ai passé une mauvaise nuit. Vous voulez du café ?

— Non, merci. Je viens d'en boire une tasse.

Il acquiesça d'un signe de tête et la conduisit dans un salon délicieusement décoré. Samson traînait derrière, en reniflant et en grondant.

Stacy s'installa dans le fauteuil recouvert de velours. Le chien se laissa tomber à ses pieds.

Elle le montra du doigt.

— On dirait qu'il est complètement rétabli, commenta-t-elle.

— Vous savez qu'on l'a empoisonné ? s'étonna Ray.

— Oui. Le capitaine O'Shay m'en a informée.

— L'amie d'Yvette ?

Comme elle faisait signe que oui, il poursuivit.

— Il va mieux, mais je ne dirais pas qu'il est complètement rétabli. Pauvre bébé…

Le « bébé » leva la tête pour regarder son maître. Ray lui sourit et fit claquer sa langue. L'animal se leva, trottina vers lui et laissa son maître l'installer sur ses genoux. Stacy jugea que son museau écrasé était si laid que ça le rendait finalement attendrissant et presque mignon.

— Vous avez une idée de qui a pu faire ça ? demanda-t-elle.

Ils secouèrent la tête avec un bel ensemble.

— Nous n'avons même pas porté plainte, dit Ray. Samson s'en est tiré et après ce qui est arrivé à Mlle Alma…

— On a préféré s'abstenir, renchérit Bob.

— J'ai cru comprendre que vous étiez sortis la nuit où c'est arrivé.

Bob acquiesça d'un air misérable.

— On s'est fait une virée dans les casinos du golfe du Mississippi. On a vu un spectacle, perdu un peu d'argent, bu un peu trop. Le truc classique, quoi.

— Que faites-vous dans la vie, Bob ?

— Je suis chargé de clientèle à la *Gulf Coast Bank*. La banque qui donne des ailes aux cochons, vous voyez ?

Elle sourit. Oui, elle connaissait cette publicité où l'on voyait des cochons survoler le Superdome. Elle se tourna vers Ray.

— Et vous ?

— Je tiens un salon de toilettage pour chien. *Ray's Perfect Pups.*

— Ici, dans le quartier ?

— Oui.

Bob fronça les sourcils.

— Puis-je vous demander en quoi c'est important ?

Son téléphone sonna et elle s'excusa avant de répondre.

— Inspecteur Killian.

— Bonjour, inspecteur. C'est Jamie, du labo. J'ai quelque chose d'intéressant pour vous dans le meurtre Maytree.

— Allez-y.

— Vous ne devinerez jamais ce qu'on a trouvé sur sa robe de chambre : des poils de chien.

— Je ne vois pas ce que ça a de tellement extraordinaire. Elle avait un loulou de Poméranie.

— Son Poméranie était roux. Les poils sur sa robe de chambre sont noir et blanc.

— Elle passait beaucoup de temps dans la cour avec Sissy. L'endroit devait être fréquenté par d'autres animaux. Elle a pu les ramasser là, les poils.

— On les a trouvés sur le devant du vêtement, au niveau du revers. Il y en avait deux. Le tueur a dû les transporter avec lui et les déposer sur sa victime.

Stacy plissa les yeux. En effet, ça devenait intéressant.

— Je veux savoir à quelle race appartient le chien.

— Ça risque de prendre un peu de temps.
— Merci, Jamie. Tiens-moi au courant.
Elle referma son téléphone d'un coup sec et se tourna vers le couple.
— Alma Maytree possédait-elle une clé de votre appartement ?
Le visage de Bob se décomposa.
— Oui. Il lui arrivait de nourrir Samson en notre absence.
— Comme l'autre soir, quand vous avez fait votre virée dans les casinos du golfe ?
— Oui, elle…
Il s'interrompit pour réfléchir au pourquoi de la question. Elle vit à son expression le moment précis où il comprenait.
— Seigneur… Vous ne pensez pas que… La personne qui a empoisonné Samson…
Il tressaillit.
— A tué Mlle Alma ? acheva-t-il.
Stacy ne répondit pas et poursuivit.
— Ray, est-ce que Mlle Alma emmenait son chien dans votre salon de toilettage ?
— Oui. Mais je ne la faisais pas payer. Justement parce qu'elle nous rendait service en s'occupant de temps en temps de Sam…
Ses yeux se remplirent de larmes.
— Elle était tellement adorable, comment a-t-on pu lui… lui faire du mal.
Stacy se leva.
— Je l'ignore. Mais j'ai bien l'intention de le découvrir.
Aussitôt sortie de l'immeuble d'Yvette, Stacy composa le numéro de Patti qui répondit immédiatement.
— C'est Stacy. Où es-tu ?
— Chez moi. Qu'est-ce qui se passe ?
— J'ai des nouvelles au sujet du meurtre Maytree. J'arrive dans dix minutes.
Les dix minutes se transformèrent en un quart d'heure à cause d'un camion poubelle. Quand Stacy s'arrêta devant la maison de

Patti, celle-ci attendait devant sa porte. Stacy se dépêcha de la rejoindre.

Elles entrèrent sans un mot et s'installèrent dans la cuisine. Patti leur servit du café.

— Où est Yvette ? demanda Stacy.

— Elle dort.

— On dirait que tu aurais besoin de dormir, toi aussi.

— J'ai du mal à m'habituer à mon nouveau rythme. Je travaille tard le soir, mais je n'arrive pas à me lever à midi. Qu'est-ce que tu avais à me dire ?

— J'ai reçu ce matin un coup de fil du labo. Ils ont trouvé des poils de Sissy sur la robe de chambre de Mlle Alma, mais aussi ceux d'un chien d'une autre race. Deux.

— Seulement deux ?

— Oui.

— Probablement transportés par le tueur.

— Probablement, oui.

— Quelqu'un dans l'immeuble possède un chien qui pourrait correspondre ?

— Je n'en sais rien encore. Le labo essaye en ce moment de déterminer la race du chien. Je compte les rappeler en sortant d'ici.

Avant que Patti ait le temps de commenter, Stacy poursuivit :

— Mlle Alma avait une clé de l'appartement de Bob et de Ray.

— Les propriétaires de Samson ?

— Oui. Elle venait de temps en temps nourrir Samson quand ils s'absentaient. En échange, Ray toilettait gratuitement Sissy.

Patti but son café à petites gorgées, les sourcils froncés.

— Supposons que le meurtre de Mlle Alma, l'empoisonnement de Samson et la visite nocturne de l'Artiste aient un rapport. Pourquoi l'Artiste aurait-il tué la vieille dame et empoisonné le chien ?

— Tuer la vieille dame pour se procurer les clés.

— Pour empoisonner le chien.

— Pour qu'il cesse d'aboyer.

— Comme ça, il pouvait faire ses visites à Yvette sans réveiller tout l'immeuble.

— Bingo ! s'exclama Stacy en reposant sa tasse sur le comptoir. Et ça veut dire que le tueur savait qu'Alma Maytree possédait une clé de l'appartement.

— Comment pouvait-il le savoir ?

— Et comment savait-il que Samson était seul ce soir-là ?

— Qu'est-ce qu'*elle* fait ici ? fit la voix d'Yvette.

Stacy se tourna vers la porte de la cuisine. Yvette se tenait sur le seuil, elle avait très mauvaise mine.

— Bonjour, Yvette, répondit Stacy avec un grand sourire.

Yvette ne lui rendit pas son salut.

— J'ai demandé ce qu'*elle* faisait ici, répéta Yvette.

— Elle nous donne un coup de main, fit Patti. Soyez aimable.

Stacy réprima un sourire. Patti se comportait avec Yvette comme une mère avec sa fille.

Yvette les contempla fixement.

— Un coup de main ? A une menteuse ?

— Je suis en train de nuancer mon jugement.

— Mince alors ! Merci beaucoup.

Elle avança d'un pas traînant jusqu'au réfrigérateur, l'ouvrit et en sortit un Coca.

Stacy se tourna vers Patti.

— L'Artiste ne s'est pas manifesté ?

— Non. Pas depuis qu'Yvette s'est installée ici. Ça va faire bientôt une semaine.

— Normal, ça change tout, commenta Stacy.

Patti acquiesça.

— Exact. Elle n'habite plus son appartement.

— J'ai un plan pour le faire sortir de sa tanière : Yvette retourne chez elle, mais avec une copine, une copine du *Hustle*.

Yvette ouvrit sa canette.

— Et je suppose que vous avez une idée, pour la copine.

— Oui. Je pense à une serveuse nommée Brandi.

— Pas question, protesta Yvette.

— Ce n'est pas à toi d'en décider.

Yvette se redressa de toute sa hauteur.

— Vous vous trompez. C'est tout de même de moi qu'il s'agit. Et de mon appartement.

— D'après ce que j'ai compris, tu es payée, rétorqua calmement Stacy. Donc, tu dois te plier à tout. Le fait que j'intervienne n'y change rien.

Le visage d'Yvette s'empourpra de rage.

— Je peux changer d'avis si je veux. Et je sens justement que je vais changer d'avis.

Patti s'interposa.

— Je suis d'accord avec Yvette, dit-elle. Merci de ton offre, Stacy, mais je refuse de mettre ta carrière en péril.

— J'apprécie ta sollicitude, mais j'ai le droit d'habiter où bon me semble. Et de passer mes heures libres où je veux.

Ce n'était pas tout à fait vrai. Un officier de police avait un code de conduite à respecter, mais ce que proposait Stacy n'était pas illégal et ne risquait pas de déshonorer son badge.

— Je serai armée, bien entendu, poursuivit Stacy. Et j'emporte mon badge. L'Artiste ne résistera pas au plaisir d'une visite nocturne, j'en mettrais ma main à couper. Et moi je serai là pour l'attendre.

— Spencer va me faire la peau, pour ça, soupira Patti.

Yvette en resta bouche bée.

— Vous n'allez tout de même pas accept…

Stacy lui coupa la parole.

— Spencer s'en remettra, assura-t-elle. Alors, tu penses que c'est une bonne idée ?

— Je dois être un peu folle, mais, oui, je crois que ça pourrait marcher.

50.

Lundi 14 mai 2007
17 h 45

Stacy emballa une grande partie de ses affaires pour donner de la vraisemblance à son déménagement. Des allers-retours fréquents à Riverbend auraient paru bizarres. L'Artiste surveillait peut-être l'immeuble d'Yvette et il n'était pas exclu qu'il soit l'un de ses voisins.

Elles avaient tout prévu.

Brandi arrivait ce soir chez Yvette. Stacy lui avait conseillé de le claironner autour d'elle, il fallait que tout le monde sache qu'elle avait demandé à une amie de s'installer chez elle parce qu'elle ne voulait plus rester seule — à cause de ce qui était arrivé à Samson et à Mlle Alma.

Elle allait présenter Brandi aux gens de l'immeuble et tout le monde trouverait tout naturel qu'elle ait envie de compagnie.

L'arrangement n'enthousiasmait pas Yvette, mais elle n'avait pas eu le choix. La cohabitation avec Stacy faisait désormais partie du contrat. Point.

— Killian ?

Spencer.

Elle se retourna pour le regarder par-dessus son épaule.

Ce déplacement avait du bon. Il allait l'aider à prendre un peu de distance avec Spencer. Leur donner à tous deux l'occasion de réfléchir.

Elle se força à sourire d'un air dégagé.

— Salut, mon cœur.

— Tu ne m'appelles jamais comme ça.

Il avait raison. Merde. C'était loupé pour l'air dégagé.

— J'ai quelque chose à t'annoncer.

— On dirait, oui, fit-il en lorgnant les valises.

— Je m'installe provisoirement ailleurs.

— J'ai bien fait de rentrer avant ton départ, si je comprends bien.

— J'avais l'intention de te prévenir.

— On ne dirait pas, commenta-t-il en fourrant les mains dans ses poches.

— C'est pour le boulot, se justifia-t-elle. Mais ça va nous permettre de respirer. De voir comment on se sent quand on est séparés.

— Comment on se sent quand on est séparés, répéta-t-il. C'est des conneries, ça.

— Non. Beaucoup de couples le font. C'est un excellent moyen de savoir ce qu'on veut.

— De quelle affaire s'agit-il ?

Elle hésita.

— J'ai dit pour le boulot, je n'ai pas parlé d'une affaire.

— Encore des conneries. Qu'est-ce que tu essayes de me cacher ?

J'essaye simplement de ne pas remuer le couteau dans la plaie.

— Je ne cache rien. Brandi est de retour. Et elle va habiter chez Yvette.

Il se décomposa et ouvrit la bouche. Elle arrêta ses protestations d'un geste de la main.

— Patti m'a convaincue, Spencer.

Elle lui raconta tout. L'appel du labo, les poils de chien, Mlle Alma qui possédait une clé, les conclusions qu'elle en avait tirées avec Patti.

— Patti est en train de foutre sa carrière en l'air et toi tu ne trouves rien de mieux à faire que de lui donner un coup de main ? Je n'arrive pas à y croire.

— Et moi je crois qu'elle a finalement raison. Yvette ne ment pas. Et puis, tu devrais être content : en marchant avec elle, je suis aux premières loges pour la protéger.

— Elle a raison ? Tu parles ! C'est le chagrin qui lui fait perdre la tête. Et toi, quelle est ton excuse ?

— Qu'est-ce qui te tracasse le plus ? Le fait que je dise que nous avons besoin de prendre des distances ou bien le fait que je dise qu'Yvette ne ment pas ?

— Tu crois ce que raconte Yvette ? C'est absurde.

— C'est ton point de vue.

Excédé, il quitta la pièce. Elle le regarda sortir, puis se remit à ses valises en s'attendant à l'entendre claquer la porte d'entrée et démarrer la Camaro.

Mais la porte ne claqua pas et elle en fut soulagée. Il ne l'avait pas trop mal pris.

Tout bien réfléchi, elle n'était pas si soulagée que ça…

Elle avait envie de vivre avec Spencer, mais seulement s'il en avait envie lui aussi. Et elle le lui aurait dit s'il avait manifesté ne fût-ce qu'un peu de tristesse ou d'émotion à l'idée qu'elle partait.

Mais il ne l'avait pas fait.

Une réaction qui illustrait parfaitement leur relation.

Elle termina ses bagages, puis se dirigea vers la salle de bains pour sa transformation en Brandi. Quinze minutes plus tard, elle avait terminé et chercha Spencer. Elle le trouva sur le porche, en train de boire une bière.

— Tu veux bien m'aider à mettre mes bagages dans la voiture ? demanda-t-elle.

Il eut un rire bref et presque méchant.

— Bien entendu.

Il porta ses valises dans le coffre de l'Explorer et ferma le coffre.

— A bientôt, Killian, dit-il.

— Spencer, je…

Elle posa une main sur son bras.

— J'aurais dû te l'expliquer plus tôt… Je suis désolée et…

Il repoussa sa main.

— J'ai la réponse à la question que tu m'as posée tout à l'heure. Ce qui me dérange le plus, ce n'est pas que tu partes, mais que tu aides Patti.

Elle eut un mouvement de recul et lutta contre les larmes qui lui venaient aux yeux. Elle ne voulait pas lui montrer à quel point il l'avait blessée.

— Très bien, répondit-elle. Je suis ravie de constater que nous sommes sur la même longueur d'ondes.

Elle contourna la voiture pour ouvrir la portière côté conducteur.

— Je viendrai chercher le reste de mes affaires plus tard, ajouta-t-elle.

— Quand tu voudras. Il n'y a pas d'urgence.

— Parfait.

Elle monta dans la voiture.

— A bientôt, dit-elle.

— C'est ça, à bientôt.

Elle mit le moteur en marche et démarra. Arrivée au bout de la rue, elle jeta un coup d'œil dans son rétroviseur. Spencer la suivait des yeux, d'un air neutre. Elle tourna au coin avec la sensation qu'un énorme poids venait de lui tomber sur le cœur.

Stacy arriva chez Patti sans encombres. Son portable n'avait pas sonné. Elle avait vaguement espéré que Spencer l'appellerait pour lui dire qu'il regrettait, pour lui demander de revenir.

Apparemment, ils étaient en train de se séparer.

Elle se gara dans l'allée et descendit de voiture. Patti l'attendait. Elle paraissait angoissée.

— Tout va bien ? demanda-t-elle.

— Oui, répondit Stacy. Pourquoi ça n'irait pas ?

Patti haussa un sourcil.

— A cause d'un têtu dont le nom commence par un S.

— C'est fini entre nous, murmura Stacy en agitant la main pour empêcher Patti de l'interrompre. Du moins, je crois... Il se fichait que je m'en aille, mais par contre il était furieux que je marche avec toi dans cette affaire.

— Je pense plutôt qu'il a été atteint dans son orgueil de mâle. Je suis sûre qu'il...

— Il était temps pour nous de prendre des distances, coupa Stacy. Et ça fait un moment que ça se profile.

Elle décida de changer de conversation.

— Yvette est prête ?

— Elle est prête, mais elle boude.

— Je me fiche de son cinéma.

— Elle est jeune, murmura Patti. Et elle n'a pas eu une vie facile.

— On dirait que tu l'apprécies vraiment...

— Je la comprends.

Le bruit d'une porte qui claquait attira leur attention. Yvette avança dans l'entrée avec raideur, en portant une valise.

Qu'elle laissa bruyamment tomber aux pieds de Stacy.

— C'est la dernière fois que je fais ça, bougonna-t-elle. Une fois que je serai installée chez moi, je n'en bougerai plus. J'en ai marre de me trimballer à droite et à gauche.

Stacy leva les yeux au ciel. L'arrogance était agaçante, quand elle était associée au talent et à l'intelligence. Mais venant d'une gamine mal élevée, elle était tout simplement insupportable... Yvette n'avait pas l'air de comprendre que la manœuvre visait autant à lui sauver la vie qu'à démasquer un meurtrier.

— Essayez de vous entendre, suggéra Patti. Je vous retrouve au *Hustle* demain soir.

— Comme vous voudrez, répondit Yvette.

Elle fila vers l'Explorer en abandonnant sa valise aux pieds de Stacy. Stacy serra les dents.

Si l'Artiste décidait de se montrer, elle lui laisserait le temps de fiche la trouille à cette petite sorcière qui méritait une bonne leçon.

Elle salua Patti et rejoignit Yvette dans la voiture.

— Et ma valise ? protesta Yvette.

— Tu n'as pas le bras cassé, que je sache.

La jeune femme lui jeta un mauvais regard.

— Je n'en ai pas besoin, moi, de cette valise, ajouta-t-elle avec un grand sourire. On peut la laisser ici, ça m'est égal.

Yvette poussa un soupir d'exaspération et ouvrit la porte à la volée pour aller chercher sa valise. Elle la porta jusqu'au coffre, puis revint s'installer. Elle fulminait.

Stacy lui jeta un regard en coin.

— Tu ne vois pas que ton comportement te dessert ?

— Qu'est-ce que ça peut vous fiche ? rétorqua Yvette en claquant la portière. Dites donc, on ne gagne pas beaucoup dans la police de La Nouvelle-Orléans. Votre voiture est nulle.

— J'ai d'autres priorités.

— Par exemple ?

— Par exemple, faire des économies pour plus tard.

Yvette ne répondit rien, Stacy ajouta :

— Tu dois probablement trouver ça terriblement banal et ennuyeux.

— Pas du tout. Et votre petit ami, il en pense quoi ?

Stacy démarra et prit la direction du quartier français.

— Mon petit ami ?

— L'inspecteur Malone. Je sais que vous êtes avec lui.

— Et alors ?

— Et alors, qu'est-ce qu'il a dit quand il a su que vous vous installiez chez moi ?

— Il était malheureux. Mais je ne devrais même pas te répondre, parce que ça ne te regarde pas.

— Attention… Je connais quelqu'un qui serait capable de le rendre heureux.

— Ce n'est pas si simple. On n'est jamais tout à fait heureux ou malheureux.

Yvette eut un sourire narquois.

— C'est ce que les filles comme vous essayent de se faire croire.

— Il est vrai que tout est plus simple pour les filles comme toi qui pensent qu'une relation avec un homme se résume à un strip-tease et à un bon pourboire.

— Merde.

Elles ne prononcèrent plus un mot durant tout le trajet. Arrivée dans l'immeuble d'Yvette, elles firent autant de bruit que possible en transportant les valises et en ricanant bêtement comme des gamines excitées. Yvette en profita pour présenter Brandi à une bonne demi-douzaine de voisins, en racontant chaque fois la fable de la copine — avec l'aisance d'une actrice accomplie ou d'une fieffée menteuse.

Une fois dans les murs de l'appartement, elles cessèrent d'un commun accord de jouer la comédie.

— Je prends ta chambre, annonça Stacy.

— Certainement pas. J'ai l'intention de dormir dans *mon* lit.

— Si ton pote l'Artiste décide de te rendre visite cette nuit, c'est dans ta chambre qu'il ira. Pas dans la chambre d'amis. Je suis bien venue ici pour lui, non ?

— Bon, mais je ne change pas les draps, rétorqua Yvette en traînant sa valise dans la deuxième chambre. Si vous voulez des draps propres, il va falloir les changer vous-même.

Stacy voulait des draps propres. Elle refit donc le lit et défit en partie ses bagages, puis elle alla retrouver Yvette dans la cuisine. Elles décidèrent de commander chinois pour le dîner et mangèrent avec des baguettes devant la télévision — tout ça en échangeant le strict minimum. Leur conversation se résuma à deux phrases : « peux-tu me passer le riz » et « je vais mettre le son ».

Le lit d'Yvette était confortable et l'appartement agréablement silencieux. Mais Stacy ne pouvait pas dormir. Elle ne cessait de se retourner dans le lit. Elle ruminait. Elle mourait d'envie d'appeler Spencer. Juste pour entendre le son de sa voix. Elle espéra qu'elle lui manquait aussi.

Brusquement, elle entendit une porte qui s'ouvrait doucement. Ça venait de l'entrée. Un déclic caractéristique. Un bruissement.

Stacy attrapa son Glock et quitta le lit sans un bruit. Puis elle passa dans le couloir, le revolver à bout de bras. Elle vérifia d'abord la chambre où dormait Yvette.

Elle était vide.

Elle serra plus fortement son Glock et progressa lentement, en s'arrêtant tous les deux pas.

Il régnait un silence absolu.

La cuisine était vide aussi, mais pas l'entrée.

Yvette se tenait devant la porte donnant sur le couloir. Ouverte. Et elle fumait une cigarette.

— Qu'est-ce que tu fais ?

Yvette sursauta.

— Vous m'avez foutu une trouille dingue, putain ! protesta-t-elle en se retournant.

Stacy abaissa son arme.

— Pas très élégant, comme langage.

— Merde. Ça vous va ?

— Je te suggère de fermer la porte.

— J'avais besoin de fumer une cigarette.

— Mets-toi plutôt devant une fenêtre.

Yvette se rembrunit, puis elle se baissa et planta sa cigarette dans la terre d'un grand pot contenant un palmier.

— Vous êtes vraiment autoritaire.

— Ne te plains pas, ce petit travers va me permettre de te garder en vie. Et c'est mon boulot.

Yvette rentra et referma la porte à clé derrière elle.

— Comment avez-vous su que j'étais debout ?

— Je t'ai entendue.

Comme Yvette paraissait surprise, elle ajouta :

— Ça aussi, ça fait partie de mon boulot.

Elle préféra ne pas lui avouer qu'elle n'arrivait pas à dormir. Et puis ça ne la dérangeait pas qu'Yvette la croie douée d'une ouïe exceptionnelle.

— Je peux me servir un verre de lait ? demanda-t-elle.

— Je vous en prie. Mais je vous conseille de le renifler pour être sûr qu'il n'a pas tourné.

— Merci, fit Stacy en se dirigeant vers la cuisine.

Yvette la suivit et la regarda déposer son arme sur le comptoir, ouvrir le réfrigérateur et sortir une brique de lait.

Stacy vérifia la date de péremption et sentit. Ça avait l'air correct, elle se servit une tasse qu'elle réchauffa dans le micro-ondes.

— Vous le buvez sans rien ?

Elle secoua la tête.

— Ma mère me donnait un verre de lait quand…

— Quand quoi ?

Quand elle n'arrivait pas à dormir. Quand elle n'arrivait pas à faire taire les hurlements de Jane dans sa tête.

— Le soir… Parfois… Le lait est naturellement sucré. Il n'y a pas besoin d'y ajouter quoi que ce soit. C'est délicieux. Tu devrais essayer.

Yvette se servit une tasse et la réchauffa. Elle goûta et fit la grimace.

— La cause est entendue. Il me faut du Hershey. Ou du whisky.

Stacy rit.

— Avec du whisky, c'est sûr, ça aide à dormir.

— Pourquoi aviez-vous des insomnies quand vous étiez enfant ?

— Ma sœur Jane a été victime d'un horrible accident et elle a failli en mourir. Elle était sous ma responsabilité. J'étais plus âgée. Je me suis sentie responsable.

Yvette but une autre gorgée de lait.

— Quel genre d'accident ?

— Un bateau l'a percutée pendant qu'elle nageait. L'héli…

Elle s'arrêta net.

L'hélice lui a broyé le visage et a failli la décapiter.

— Mais elle va bien maintenant, acheva-t-elle. Très bien.

— Vous vous entendez bien ?

— Oui.

— Moi, je n'ai pas de famille.

— Pas de famille du tout ?

Stacy eut l'impression qu'elle hésitait avant de répondre. Mais ça ne signifiait pas forcément qu'elle mentait. Il s'agissait peut-être d'une façon de dire qu'elle avait coupé les ponts avec sa famille.

— Désolée de t'avoir fait peur, tout à l'heure. Les flics se déplacent en silence.

— Ça va… Je reconnais que je n'aurais pas dû rester devant la porte ouverte. C'était idiot.

Stacy referma sa main sur la tasse chaude.

— Je peux te poser une question ?

Yvette haussa les épaules.

— Je crois, oui.

— Pourquoi fais-tu ça ? Tu aurais pu filer au lieu de risquer ta vie.

— Patti me paye.

Elle avait dit ça tout naturellement.

— Ça n'a pas l'air de déranger ta conscience, commenta Stacy.

— Ça ne la dérange pas. Je n'ai pas honte.

— Tu ne crois pas que tu devrais ?

Yvette rougit, mais Stacy supposa que c'était plutôt de colère qu'autre chose.

— Allez vous faire foutre avec votre morale. Je l'aide, un point c'est tout. Et l'argent, c'est elle qui me l'a proposé. Je n'ai rien demandé.

— Tu aurais pu refuser.

— Refuser ? Et pourquoi aurais-je refusé ?

— Parce que le Collectionneur a tué son mari. Elle souffre. Ça fait d'elle une proie facile.

— Une proie pour des gens comme moi.

— Oui.

— De mon point de vue, ce sont les gens comme vous qui sont dangereux, rétorqua Yvette. Au moins, moi, je ne triche pas sur mes motivations.

— Cette conversation ne nous mènera à rien, fit Stacy en vidant le reste de son lait dans l'évier. Je vais me recoucher.

Elle n'alla pas loin.

— Et vous ? Pourquoi êtes-vous ici ? lança Yvette. Vous avez peur que je me sauve en empochant les dix mille dollars ?

Le montant parut choquer Stacy.

— Dix mille dollars ? Elle te paye dix mille dollars ?

— Elle me paye cinquante. Dix mille, c'est l'acompte.

Stacy la dévisagea avec un mépris non dissimulé.

— Cet argent provient de l'assurance vie de son mari, murmura-t-elle.

— Et c'est son droit de le dépenser comme elle veut.

Stacy secoua la tête.

— Ton attitude m'écœure.

Yvette se raidit.

— On me paye pour un service. Elle m'a fait une offre, j'ai accepté.

— On me paye pour un service..., répéta Stacy en l'imitant. Je comprends. Avec toi, rien n'est gratuit. J'étais sur le point de m'excuser pour avoir insinué que tu étais intéressée, mais je vois que j'avais raison.

51.

Mercredi 16 mai 2007
8 h 05

Patti luttait pour réveiller son cerveau embrumé. Elle s'était installée à la table de sa cuisine devant une tasse de café et le *Times-Picayune* qu'elle parcourait d'un œil distrait.

L'Artiste ne s'était toujours pas manifesté. Pas plus chez Yvette qu'au *Hustle*. Elle commençait à penser qu'Yvette avait raison. Il avait pris peur et il était parti.

Son portable vibra. Elle vit s'afficher le numéro de Stacy à l'écran.

— Que se passe-t-il ?

— La sale gamine refuse de se lever.

— Tu as essayé le coup de pied aux fesses ?

— Très drôle. Je pensais plutôt au verre d'eau glacé. Parce que moi, je dois y aller.

Patti se passa une main dans les cheveux.

— Vas-y. Je vais me dépêcher de me laver et de m'habiller pour venir chercher la Belle au bois dormant.

— Tu te trompes de conte de fées. Elle serait plutôt la bête de la Belle et la Bête.

Patti rit.

— Rien à signaler ?

— La nuit a été calme. Et toi ?

— Pas d'Artiste.

— Qu'est-ce que tu en penses ?

— Il est trop tôt pour penser quoi que ce soit. Je te rappelle dans la journée.

Patti raccrocha. Yvette devenait de plus en plus capricieuse. Elle était persuadée qu'elles faisaient tout ça pour rien et que l'Artiste l'avait oubliée. Elle n'avait plus peur et toute sa morgue était revenue.

Patti aurait bien voulu libérer Yvette de ses obligations, mais elle tenait trop à coincer l'Artiste. Cette affaire lui avait déjà beaucoup demandé, elle ne voulait pas abandonner en route. Elle avait menti à son chef, menti aux hommes et aux femmes qui travaillaient sous ses ordres. Elle avait pris ses distances avec Spencer. Elle avait séparé Stacy et Spencer en convainquant Stacy de l'aider. Et tout ça pour quoi ?

Son téléphone vibra de nouveau. Cette fois il ne s'agissait pas de Stacy, mais de June.

— Je suis devant ta porte, annonça June. Avec quelques douceurs.

— Je t'ouvre.

Elle alla ouvrir. June tenait un panier recouvert d'une serviette.

— J'ai fait de la pâtisserie. Il faudrait que tu me sauves de moi-même.

— Tu es un ange, tu le sais ? répondit Patti en s'écartant pour la laisser passer. Pourquoi n'as-tu pas sonné ?

— J'avais peur que tu ne sois pas réveillée. Il paraît que tu as des horaires un peu décalés en ce moment.

Patti lui lança un regard amusé.

— Qui t'a renseignée ?

— Spencer.

Pas étonnant.

— Entre. Je vais te servir un café.

June la suivit dans la cuisine. Patti sortit des assiettes et des serviettes, servit du café à June et se resservit.

June avait préparé des muffins. De gros muffins à la banane et aux fruits secs.

Un délice.

June préparait les meilleurs muffins de la planète. Ils étaient tellement réussis qu'elle avait envisagé d'en commercialiser la recette. Elle aurait pu devenir la Mrs. Field des muffins. Mais les pâtisseries allégées avaient envahi le marché et elle avait abandonné l'idée.

— Donc, Spencer ne m'a pas menti, commença-t-elle.

Patti baissa le nez dans sa tasse.

— Qu'est-ce qu'il t'a dit, exactement ? demanda-t-elle prudemment.

— Que tu as demandé un congé pour poursuivre en solo l'assassin de Sammy. Que tu avais perdu l'esprit. Que tu avais embarqué Stacy dans cette galère. Il était très inquiet.

— Et il t'a appelée en te demandant de me faire entendre raison.

— C'est à peu près ça, oui. Tu peux m'expliquer ce qui se passe ?

— Je n'ai pas perdu la tête, je te rassure tout de suite.

June sourit et défit le papier d'un muffin.

— Prouve-le-moi.

— J'ai effectivement demandé un congé et je ne vois pas ce que ça a de choquant en soi. En ce qui concerne l'assassin de Sammy… J'avais de sérieux doutes quant à la culpabilité de Franklin, mais mon chef tient à lui comme coupable. Je voulais pouvoir explorer quelques pistes sans qu'on me mette les bâtons dans les roues.

— Patti O'Shay qui se bat contre des moulins à vent. Ça ne te ressemble guère. Je ne te reconnais pas.

Patti détourna le regard un instant, puis le posa de nouveau sur son amie.

— Moi non plus je ne me reconnais pas. Je ne sais plus très bien qui est Patti O'Shay.

— C'est naturel que tu en passes par là, observa June en allongeant le bras par-dessus la table pour poser sa main sur celle de Patti. Après tout ce que tu as traversé…

— Mais à cause de moi, Stacy et Spencer sont sur le point de se séparer.

— Il m'a dit en effet qu'elle n'habitait plus avec lui.

Patti acquiesça.

— Comment allait-il ?

— Mal, répondit June en buvant une gorgée de café. Mais je trouve que c'est mieux pour Stacy. Il était grand temps.

— Comment peux-tu dire une chose pareille ?

— Il la menait en bateau. Il ne lui proposait rien de sérieux et tenait sa présence à ses côtés pour acquise. Les hommes ont tendance à rechercher le pouvoir dans les relations de couple. Stacy prend du recul, ça ne peut lui faire que du bien.

Elle allongea le bras pour se servir un muffin.

Ce n'était pas la première fois que June tenait ce genre de discours. Patti en avait mal pour elle. Dans sa jeunesse, June avait collectionné les histoires d'amour catastrophiques. Ensuite il y avait eu son mariage raté. Elle se méfiait des hommes et elle devenait cynique dès qu'il s'agissait des relations entre les deux sexes.

Patti avait eu une expérience très différente. Elle avait connu le respect mutuel, le don, l'échange, la collaboration.

— Tu n'es pas la seule à avoir perdu la tête, poursuivit June. Riley aussi file un mauvais coton.

— C'est-à-dire ?

— Il s'est amouraché de cette danseuse… Yvette…

— Borger ?

June acquiesça.

— Ce n'est pas la première fois qu'il s'entiche de la première femme qui passe à sa portée. Et ensuite, quand ça ne marche pas, il se morfond pendant des semaines. Jusqu'à ce que…

— Ça recommence avec une autre.

— Exactement, soupira June. Il avait invité Yvette à venir l'écouter chanter, l'autre soir.

— Quel soir ?

— Jeudi dernier.

La nuit où elle s'était éclipsée en douce. Voilà donc où elle était allée...

— Comment se fait-il qu'il s'intéresse à des filles comme Yvette ? reprit June.

— Que veux-tu dire par là ?

— Tu vois très bien ce que je veux dire. Yvette est une strip-teaseuse. Je ne comprends pas qu'il ne lui préfère pas quelqu'un comme Shauna.

— Yvette est une fille bien, protesta Patti tout en se rendant compte qu'elle était en train de prendre la défense d'Yvette au lieu d'abonder dans le sens de sa meilleure amie. Elle n'a pas eu une vie facile, c'est tout.

— La vie n'est facile pour personne, riposta June. Moi aussi, j'ai vécu des périodes difficiles. Ce n'est pas pour ça que j'ai sombré dans la drogue ou que je me suis mise à rouler les gens.

Patti se rebiffa.

— Pour autant qu'on sache, Yvette ne se drogue pas et ne se prostitue pas.

— Le strip-tease, c'est une forme de...

— C'est un moyen de gagner sa vie pour une jeune femme qui n'a pas fait d'études. Tout le monde n'a pas la chance de vivre de ses rentes. Je la respecte, parce qu'elle se bat pour s'en sortir tout en restant honnête.

June rougit. Patti lui pressa la main.

— Nous avons le droit de ne pas être du même avis, dit-elle.

— Bien sûr..., bredouilla June. Je...

Elle s'éclaircit la gorge.

— Pardonne-moi. J'ai été odieuse, n'est-ce pas ? Comme ces snobs avec lesquelles ma mère jouait régulièrement au bridge et qui passaient leur temps à critiquer tout le monde. Je crois que le Seigneur savait ce qu'Il faisait quand Il n'a pas voulu me donner d'enfants.

— Tu dis n'importe quoi. Et puis tu as Riley. Tu t'es toujours occupée de lui. Et il est devenu quelqu'un de bien.

Patti fut étonnée de voir les yeux de June se remplir de larmes.

— Je l'ai trop gâté. Je l'ai rendu dépendant de moi. J'ai été une mère castratrice.

— Castratrice ? June, ce n'est pas vrai. Tu as été une sœur merveilleuse.

— Je me fais beaucoup de souci pour lui. Il broie souvent du noir et quand ça lui arrive, il se replie sur lui-même, il fait des cachott…

Elle s'arrêta net, comme si elle craignait d'en dire trop.

— Mais ça va s'arranger, dit-elle.

— Absolument. Ça va s'arranger.

— Merci, fit June en lui prenant de nouveau la main qu'elle serra très fort. Tu es ma meilleure amie, Patti.

— Toi aussi, tu es ma meilleure amie. Depuis maintenant vingt ans.

— Nous étions si jeunes quand nous nous sommes rencontrées. Presque des gamines.

Patti rit.

— Toi, tu étais une gamine. N'oublie pas que j'ai dix ans de plus que toi.

June ne sourit pas.

— Je ne sais pas si j'aurais traversé aussi bien tous ces hauts et ces bas sans toi. Et je suis sincère.

Patti en eut les larmes aux yeux.

— Tu deviens mélancolique, à présent. Et c'est communicatif, en plus.

June relâcha la main de Patti et essuya une larme qui roulait sur sa joue.

— C'est peut-être hormonal. La pré ménopause me guette.

— Cesse de dire des bêtises…

Le téléphone de Patti vibra pour la troisième fois. Elle vit que ça venait du commissariat, adressa à June un regard désolé et répondit.

— Capitaine O'Shay, dit-elle.

— Patti, c'est Tony. Je t'appelle parce que j'ai pensé que tu aimerais être tenue au courant. On a un cadavre. Un cadavre auquel il manque une main.

52.

Mercredi 16 mai 2007
9 h 20

La neuvième circonscription électorale avait été très durement frappée par le cyclone Katrina. Dans certains quartiers, le niveau de l'eau était monté au-dessus des digues. La reconstruction était lente. Seuls vingt-cinq pour cent des habitants d'origine avaient réintégré leur maison. C'était encore une terre dévastée, à l'abandon — l'endroit idéal pour dissimuler un corps.

Patti avançait prudemment au milieu des décombres d'un immeuble. Il avait plu et les pierres étaient humides. Elle passa sous le cordon jaune de la scène du crime, consciente d'être suivie de près par les techniciens du labo. La presse n'allait pas tarder à débarquer. Quand les journalistes apprendraient que le Collectionneur avait encore frappé, ils allaient se précipiter.

Spencer et Tony se tenaient près d'un corps dont la décomposition avait déjà commencé. Ils suivirent des yeux Patti qui approchait. Spencer ne lui sourit pas.

— Bonjour, capitaine, fit Tony en lui tendant un flacon de Vicks VapoRub.

Elle le prit et appliqua du produit sous ses narines. Ça camouflait un peu la puanteur.

— Alors ? demanda-t-elle.

Elle voyait déjà l'essentiel. Il s'agissait d'une femme. Une Blanche.

— Ce sont des touristes qui visitaient les décombres qui l'ont trouvée. Ils voulaient voir de près les dégâts d'un cyclone, ils ont été servis au-delà de leurs espérances.

— Des pièces d'identité ?

— Non.

— Cause de la mort ?

— Il faudra attendre l'autopsie pour conclure, mais on lui a tiré deux balles dans le thorax.

Patti fronça les sourcils.

— Ce n'est pas comme ça que le Collectionneur procède.

— C'est vrai. Mais…

Elle suivit la direction de son regard. Le cadavre n'avait plus de main droite.

— Vous avez cherché la main ?

— Oui. On ne l'a pas trouvée. Bien sûr, un animal sauvage ou un chien l'ont peut-être emportée, mais pour ça il fallait qu'elle soit détachée du corps.

Patti enfila des gants en latex et alla s'accroupir auprès du cadavre.

La femme avait été enterrée avec ses vêtements qui commençaient eux aussi à se détériorer. Patti la balaya lentement du regard, en commençant par la tête. Elle portait de longs pendentifs plutôt voyants, deux chaînes en or autour du cou. On lui avait tiré dans la poitrine. Les balles étaient entrées par le côté gauche. Son string dépassait de son jean taille basse.

— Je n'ai pas l'impression qu'elle ait été violée, murmura-t-elle.

— Elle a peut-être couché avec son agresseur de plein gré, proposa Tony. Ensuite il l'a raccompagnée chez elle et pan ! Terminé.

Patti acquiesça. Elle avait déjà vu ce genre de scénarios.

La question était de savoir si c'était le style du Collectionneur. Difficile à dire. Pour l'instant, ils n'avaient pas retrouvé suffisamment de victimes pour se faire une idée précise de sa façon de procéder.

Le regard de Patti glissa vers la main gauche. Elle était intacte, avec de longs ongles carrés vernis de rouge, probablement faux. Une demi-douzaine de joncs étaient enfilés au poignet de la morte.

— Salut, tout le monde.

Le coroner Ray Hollister avait été choisi pour s'occuper de la dernière trouvaille. Quel chanceux !

Il contempla la victime quelques secondes, puis leva le nez vers le ciel ensoleillé.

— Plus personne ne peut nier le réchauffement de la planète. Pour un mois de mai, la température est élevée.

Ils acquiescèrent avec un bel ensemble pendant qu'il enfilait ses gants.

— Quelqu'un me fait un petit résumé de la situation ?

Patti s'en chargea. Il écouta en opinant du menton, puis il se pencha pour examiner la main gauche.

— Pas de griffures. Elle ne s'est pas défendue. Ses ongles sont intacts. Ça m'étonnerait qu'on trouve quelque chose dessous.

— Donc, elle ne se serait pas débattue, observa Spencer.

— Elle n'a probablement rien vu venir, répondit le coroner.

Il fronça les sourcils en étudiant de près la blessure.

— Intéressant point d'impact, dit-il. Le coup a été tiré de près. Vous voyez les marques ?

Un dépôt caractéristique en forme de cercles entourait les deux trous laissés par les balles. Quand le coup partait, des particules de poudre et d'amorce se déposaient sur le tireur et sur sa cible. On pouvait apprendre beaucoup sur la distance et l'angle de tir en observant l'importance et la forme du dépôt. Plus le cercle était resserré, plus le tireur se trouvait proche.

— Première balle, fit-il en désignant le plus petit des deux cercles. Deuxième, poursuivit-il en montrant l'autre.

Patti acquiesça.

— J'aimerais des indications précises quant à la trajectoire, dit-elle.

— Je me demande pourquoi il a choisi de tirer dans la poitrine et pas dans la tête, murmura Tony.

— Il ne voulait pas faire trop de saletés, proposa Spencer.

Patti hocha la tête.

— Ils se trouvaient peut-être dans une voiture, avec un revolver à portée de main…

— Bravo pour le jeu de mots…

— Et il a tiré avant qu'elle ait eu le temps de s'apercevoir de ce qui lui arrivait.

— A l'abri dans la voiture, à hauteur de poitrine… Discret…

— La première balle ne l'a pas tuée. Elle s'est effondrée sur son siège. Il a tiré une deuxième fois.

— Et le tour était pratiquement joué. Il a continué à conduire et personne n'a rien vu.

Le coroner examina soigneusement la blessure numéro deux, puis leva les yeux vers Patti.

— Votre scénario se tient, capitaine. Mais il pourrait y en avoir d'autres.

Des tas d'autres… Une infinité.

— La mort remonte à quand ?

— Je dirais quatre ou cinq jours. Il a fait chaud, ces derniers temps. Il a pas mal plu et elle était exposée aux éléments. Vous pouvez éclairer ici ?

Spencer braqua le faisceau de sa lampe torche sur l'endroit de la blessure que montrait le coroner. Ça grouillait d'insectes.

— Les insectes nous permettront de préciser.

L'entomologiste du labo ferait des prélèvements dans le corps et donnerait une estimation en se basant sur le développement des larves.

— Ça me rappelle « 1001 pattes », plaisanta Tony. Je crois que je vais regarder ce film d'un autre œil, désormais.

— Et la main, Ray ?

— Partie, répondit le coroner d'un ton pince-sans-rire.

— On le sait. Mais ce qu'on voudrait, c'est que tu compares celle qui lui reste avec les mains du Collectionneur.

— Je ferai de mon mieux, mais je ne suis pas spécialiste des os.

Il commençait à manifester des signes d'impatience.

— Ça vous ennuierait que je me mette au boulot, je vais attraper un coup de soleil, si ça continue.

Il n'attendit pas leur réponse et se mit au travail.

Patti se tourna vers Tony.

— Contacte Elizabeth Walker. Je veux qu'elle puisse nous dire si le poignet de la main de cette femme a été coupé par notre Collectionneur.

Son regard glissa vers Spencer.

— Et il faut qu'on mette un nom sur ce cadavre. Plus vite nous pourrons identifier cette femme et plus vite…

— Je crois que je peux faire quelque chose pour vous, intervint le coroner.

Ils baissèrent les yeux vers lui et il glissa avec précaution l'un de ses doigts gantés sous les chaînes de cou du cadavre.

Les rayons du soleil firent étinceler un pendentif en or. Et sur ce pendentif, un nom était gravé. *Tonya.*

53.

Mercredi 16 mai 2007
11 h 05

— Tu connais cette femme ? s'étonna Spencer.

— Il s'agit probablement de Tonya Messinger, l'amie d'Yvette, expliqua Patti. Celle dont elle est venue me signaler la disparition.

Yvette n'avait donc rien inventé.

— Tonya qui ? fit Tony.

Patti ignora la question et consulta sa montre d'un air préoccupé.

— Je dois y aller. Tenez-moi au courant du moindre détail.

— Vous partez ? demanda Tony en fronçant les sourcils. Capitaine… Malgré tout le respect que je vous dois, je me permets de vous faire remarquer que vous ne pouvez pas nous laisser tomber.

— Je suis de son avis, renchérit Spencer. Il faut que tu annules ton congé. Nous allons avoir besoin de ton soutien.

Tony regarda Spencer.

— Soutien pour quoi ?

— Si c'est vraiment le Collectionneur qui a fait ça, Franklin est hors de cause, poursuivit Spencer en s'adressant à Patti, comme s'il n'avait pas entendu Tony. Et tu sais ce que ça signifie.

Le chef n'aurait plus de coupable. Il faudrait lui en trouver un autre.

Ça changeait tout.

— Je vais y réfléchir, répondit Patti. Pour l'instant, Yvette reste notre piste la plus intéressante. Et j'ai promis de la protéger.

— On la protégerait mieux à plusieurs.

— Protéger qui ? fit Tony qui ne comprenait décidément rien à leur conversation.

— Je vais y réfléchir, répéta simplement Patti.

Elle s'éloignait déjà quand Spencer la héla :

— Patti, je vais devoir convoquer Yvette pour l'interroger.

— Je m'arrangerai pour qu'elle soit disponible, lança-t-elle par-dessus son épaule.

Il la regarda partir, puis se tourna vers Tony.

— Je suppose que tu aimerais savoir de quoi il retourne.

— Oui, j'aimerais, Petit futé. Et tout de suite, si possible.

Spencer le mit au courant en omettant certains détails trop compromettants pour Patti. Si Tony comprit qu'il ne lui disait pas tout — et c'était probablement le cas —, il fit mine de ne rien remarquer, en bon copain qu'il était.

— Il faut absolument interroger cette Yvette Borger, commenta Tony quand Spencer eut terminé.

— C'est ce que je viens de demander à Patti.

— Ça ne t'ennuierait pas que je voyage comme passager dans ta voiture ?

— Comme au bon vieux temps…

Ils abandonnèrent la scène du crime au coroner et aux experts. Une fois dans la Camaro, Spencer boucla sa ceinture et appela Patti.

— Tony et moi, nous quittons les lieux. Où es-tu ?

— Chez Yvette, répondit-elle.

— Vingt minutes, fit-il avant de couper.

Il appela ensuite Elizabeth Walker.

— J'ai de grandes nouvelles. On a une autre victime du Collectionneur. Du moins, on le suppose.

— Et vous avez besoin de moi pour le confirmer ?

— Exactement. D'urgence. Vous pouvez être là dans combien de temps ?

— Trois heures. Impossible de faire mieux.

— Appelez-moi trente minutes avant d'arriver. Je vous rejoindrai à la morgue.

Il raccrocha. Tony lui jeta un regard amusé.

— On faisait comment, quand on n'avait pas de téléphones cellulaires ?

— Je ne sais pas. On vivait comme des bêtes.

Tony ricana.

— A propos de bêtes… Tu as appelé Stacy ?

— Patti a dû s'en charger.

— Espèce de dégonflé… C'est toi qui aurais dû la prévenir.

Il n'avait plus eu de contacts avec Stacy depuis qu'elle était partie de chez lui et Tony le savait.

— Et que fais-tu de mon orgueil de mâle ? De ma dignité et…

— De toutes ces conneries ? Je pense au contraire qu'il serait temps de ravaler ta fierté. Et de reconnaître que tu t'es trompé au sujet d'Yvette.

Spencer lui jeta un mauvais regard.

— Tu m'emmerdes.

Tony rit.

— Je ne fais que te donner mon opinion, rien de plus.

Tout en marmonnant entre ses dents, Spencer ouvrit son téléphone et appela Stacy.

— Hello, fit-il quand elle répondit.

— Hello à toi aussi.

— Je voulais te dire que tu avais eu raison de soutenir Patti. On a trouvé le cadavre de Tonya Messinger. Aujourd'hui.

— Où ?

— Dans la neuvième circonscription. On l'a tuée de deux balles dans la poitrine. Et elle n'a plus sa main droite.

Il l'entendit pousser un petit cri incrédule.

— Oui, ça commence à devenir franchement inquiétant, dit-il. Je vais interroger Yvette chez elle. Patti m'y attend déjà.

— Que compte faire Patti ?

— Je n'en sais rien encore. Et toi, que comptes-tu faire ?

— Tu aimerais que je fasse quoi ?

Spencer jeta un coup d'œil du côté de Tony qui l'encouragea d'un grand sourire.

— Dis-lui que tu l'aimes, conseilla-t-il. Que tu t'es comporté comme un idiot et que tu voudrais qu'elle revienne.

— C'est Tony qui parle à côté de toi ? demanda Stacy.

— Oui. Il fait l'imbécile, comme d'habitude. Je te tiens au courant.

Patti leur ouvrit la porte de l'immeuble par l'Interphone, puis les attendit sur le seuil de l'appartement d'Yvette.

— Du nouveau ? demanda-t-elle aussitôt.

— J'ai appelé Elizabeth Walker qui file sur-le-champ à la morgue. Je lui ai dit de m'appeler avant d'arriver, je compte la rejoindre là-bas. Les techniciens en ont presque terminé avec la scène du crime. Ils ont promis de s'occuper de notre affaire en priorité.

— Parfait. Quoi d'autre ?

Ils secouèrent la tête et elle les fit entrer dans le salon. Yvette s'y trouvait, recroquevillée sur son canapé. Elle regardait fixement le mur, droit devant elle.

— Bonjour, Yvette, fit Spencer.

Comme elle ne répondait pas, il présenta Tony.

— Voici l'inspecteur Sciame.

Elle jeta un rapide coup d'œil à Tony, puis son regard se fixa de nouveau sur le mur.

— Je suis désolé, fit Spencer. Je sais qu'elle était votre amie.

— Je vous l'avais dit, lança-t-elle d'un ton accusateur. Et vous ne m'avez pas crue.

— Non, je ne vous ai pas crue. Mais maintenant je vous crois.

— Vous m'avez traitée de menteuse, inspecteur.

— Je sais. Je le regrette.

— Ça ne suffit pas de regretter.

— Je comprends. J'ai besoin de votre aide. Vous acceptez de répondre à mes questions ?

— Très bien, fit-elle en serrant un peu plus ses genoux contre sa poitrine. Qu'est-ce que vous voulez savoir ?

— Tout ce que vous pourrez me dire à propos de l'Artiste.

— Vous parlez de mon admirateur imaginaire ?

— C'est ça, oui.

Elle parut agacée, mais elle fit ce qu'il lui demandait et répéta ce qu'elle lui avait déjà dit. Elle avait reçu quatre messages de l'Artiste, dont l'un contenait cinq cents dollars — le montant exact de ce que lui devait Marcus.

— Le dernier, c'est Tonya qui me l'a apporté. Elle a vu l'argent et je me suis confiée à elle. Le lendemain, elle est venue me voir parce qu'elle avait reconnu Jessica sur la photo publiée dans le journal et qu'elle s'était souvenue qu'elle recevait elle aussi des messages du même type que moi.

Patti intervint.

— Tonya avait disparu quand Yvette est venue me trouver et à en juger par ce que nous avons vu aujourd'hui, elle était probablement déjà morte.

Yvette cacha son visage dans ses mains. Spencer remarqua qu'elles tremblaient.

— C'est ma faute, gémit-elle. Elle est morte parce qu'elle a accepté de m'aider.

— Ce n'est pas votre faute. Ce n'est pas vous qui l'avez tuée.

— J'aimerais pouvoir vous croire… Mais si elle n'avait pas accepté de m'aider…

— Elle a accepté, fit Patti d'un ton ferme. A présent, le plus important est d'arrêter ce malade.

— Quand l'Artiste s'est-il manifesté pour la dernière fois ?

— Le jeudi 8. Je me suis réveillée et j'ai trouvé un message chez moi.

— Dans votre appartement ?

— Oui. Avec un pendentif.

— Un pendentif ? répéta Spencer en fronçant les sourcils.

— Un médaillon. Avec la photo de Tonya à l'intérieur.

— Rien que sa photo ?

— Oui.

Spencer et Tony échangèrent un regard.

— Je sais que c'est bizarre, continua Yvette. Mais au départ il y avait sûrement une autre photo à l'intérieur. Celle de son petit ami. Et elle l'a enlevée quand ils se sont séparés.

Spencer fronça les sourcils et se tourna vers Patti.

— Jeudi 8... C'est bien le jour où tu nous as annoncé que tu prenais un congé ?

Elle confirma que oui et Spencer se tourna de nouveau vers Yvette.

— Et depuis, vous n'avez plus eu de nouvelles de lui ?

Patti répondit à sa place.

— Non. Il n'est plus venu ici et ne s'est plus montré au *Hustle*. J'ai le médaillon et le dernier message avec moi.

— Je ne me sens pas bien, fit Yvette en se levant d'un bond.

Ils la regardèrent se précipiter vers la salle de bains. Spencer remarqua que Patti paraissait inquiète.

— Elle va tenir le coup ? demanda-t-il.

— Elle vomit souvent. Ça commence à m'inquiéter.

— Ils ont des caméras de surveillance au *Hustle* ? demanda Tony.

— J'ai déjà vérifié les caméras, répondit Patti. Mais ils réenregistrent toutes les trente-six heures. De toute façon, Tonya était la seule personne à être capable d'identifier notre homme.

— Et elle est morte.

— Que vas-tu faire ? demanda Spencer.

— Continuer à protéger Yvette vingt-quatre heures sur vingt-quatre, répondit Patti. Le capitaine Cooper est d'accord pour que la présence de Stacy dans cet appartement soit désormais une mission officielle. Envoyez une équipe chez Messinger pour fouiller de fond en comble. Il faut également quelqu'un pour identifier Messinger.

Un ami, un amant, n'importe qui, on s'en fiche. Débrouillez-vous pour trouver quelqu'un.

— Borger, proposa Spencer.

— Elle est trop impliquée.

— Tonya avait peut-être un casier, intervint Tony. Si elle avait un casier, on doit avoir ses empreintes.

— Vérifiez ça de toute urgence. Si c'est le cas, prévenez Hollister de nous fournir rapidement le relevé d'empreintes de la victime.

Spencer échangea un regard complice avec Tony.

— Quoi ? Qu'est-ce qu'il y a ? fit Patti.

— Tu es bien directive pour quelqu'un qui est en congé..., fit Spencer.

— Et pour une personne stressée..., renchérit Tony.

— Plus que stressée, railla Spencer. Complètement dépassée...

— Incapable d'assumer ses fonctions...

— Ça suffit, bande de clowns ! coupa Patti. Le capitaine Patti O'Shay vient de reprendre officiellement du service et je vous conseille de ne pas faire les malins.

54.

Mercredi 16 mai 2007
14 heures

Spencer s'arrêta sur le seuil du bureau de Patti pour l'observer. Elle avait déjà parlé au chef pour l'informer de son retour, organisé la protection d'Yvette — avec Stacy pour colocataire —, et désigné une équipe dirigée par Tony pour fouiller l'appartement de Messinger.

Elle était réellement surprenante.

— Je suis ravie d'être de nouveau sous tes ordres, dit-il. Même si je t'en veux encore.

— Désolée. Mais je ne pouvais pas agir autrement.

— Ton attitude m'a prouvé que tu ne me faisais pas confiance.

— Je te fais entièrement confiance et je remettrais sans hésiter ma vie entre tes mains. Mais je ne voulais surtout pas mettre ta carrière en péril.

— Ce n'était pas à toi de décider de ça.

Elle sourit.

— Inspecteur, je suis votre supérieur direct et votre tante. Vous conviendrez que c'est délicat de concilier les deux et que je dois veiller à ne pas abuser de cette double influence.

— Tu peux dire ce que tu veux, je suis furieux.

— Je m'en accommoderai.

Le téléphone de Spencer les interrompit.

— Inspecteur Malone, fit-il.

— Malone, c'est Walker. Je suis là dans trente minutes.
— Très bien. Je vous rejoins à la morgue.

La morgue n'était pas un endroit chaleureux et accueillant. Murs blancs, carrelage blanc au sol, tables en acier inoxydable, postes de travail, tiroirs réfrigérés pour les cadavres…

Spencer y venait un peu trop souvent à son goût. Cet endroit lui donnait la chair de poule.

Il se gara sur le parking en même temps qu'Elizabeth.

— Merci d'être venue si vite, lui dit-il en prenant avec elle la direction de l'entrée. Ça fait longtemps qu'on attend une autre piste pour démasquer ce salaud.

— Expliquez-moi de quoi il s'agit.

— Une femme. La mort remonte à moins d'une semaine. Tuée par balles. Elle n'a plus de main droite.

Ils entrèrent ensemble et se dirigèrent vers l'officier de service à l'accueil, une femme qui les reconnut, mais réclama leurs pièces d'identité comme l'exigeait le règlement.

— Nous venons voir le cadavre non identifié qui est arrivé aujourd'hui, expliqua Spencer.

— Lequel ?

— Celui de la neuvième circonscription.

Elle acquiesça.

— Signez le registre. J'annonce votre arrivée à Chris.

Chris était un jeune homme grand, mince et pâle. Il était aussi peu communicatif qu'un rocher. Sans doute passait-il trop de temps avec des morts.

— Elle est là, dit-il.

Chris poussa la table d'examen dans la chambre froide où on entreposait les corps dans des tiroirs montés sur roulettes et entassés les uns au-dessus des autres. Il n'y avait pas de perte de place.

Ils regardèrent Chris faire monter la table jusqu'au quatrième étage de tiroirs, puis ouvrir pour y déposer le plateau sur lequel se trouvait le cadavre, soigneusement enveloppé dans un sac noir à glissière.

— Vous voulez que je la porte sous les spots ? demanda Chris.

— Oui, s'il vous plaît, répondit Elizabeth.

Elle enfila des gants, s'approcha de la table et ajusta le spot.

— Avant de partir, j'ai pris quelques minutes pour réviser le dossier de l'inconnue du parc, dit-elle à Spencer. J'ai apporté mes notes et les photos.

Elle ouvrit le sac avec un visage impassible et s'intéressa au moignon du poignet droit.

Il la laissa travailler et alla tourner autour de Chris qui entrait des données dans son ordinateur.

— C'est calme, chez vous, dit-il.

— D'un calme mortel, répondit-il.

L'humour des salles d'autopsie...

— Inspecteur, appela Elizabeth en lui faisant signe d'approcher. Vous n'allez pas apprécier mes conclusions, mais je pense que nous n'avons pas affaire à l'assassin de l'inconnue du parc.

Il lui avait demandé de venir par acquit de conscience, pour qu'elle confirme ce qu'il croyait savoir, histoire de pouvoir avancer dans l'enquête. Mais elle lui coupait l'herbe sous les pieds. Une fois de plus.

— Je vous écoute, dit-il, conscient de la frustration dans sa voix.

— Ici, l'assassin a utilisé un outil beaucoup moins performant que pour l'inconnue du parc. Une petite scie de jardin ou un ustensile de cuisine.

— Il n'a peut-être pas eu le choix.

Il proposait une explication à laquelle il ne croyait pas lui-même. Le Collectionneur planifiait soigneusement ses actes et il préparait probablement ses outils.

— Mais celui qui a fait ça ne savait pas trop comment s'y prendre, insista Elizabeth avec une expression bienveillante. Regardez.

Elle ajusta la lampe et approcha la loupe, puis se servit d'une pince à épiler pour soulever ce qui restait de tissu sur les os.

— Vous voyez ces marques ? Ce sont des ratés.

— C'est votre point de vue.

— Mon point de vue d'expert, oui, fit-elle en le regardant droit dans les yeux.

— Quoi d'autre ?

— Ça n'est pas coupé avec habileté. Il a scié et tailladé comme il pouvait. Rien à voir avec le moignon lissé de l'inconnue du parc.

Spencer fronça les sourcils.

— Les mains trouvées dans le congélateur n'étaient pas toutes taillées avec une netteté irréprochable. Il s'est peut-être un peu rouillé, ces derniers temps. Le manque de pratique et un équipement défaillant peuvent suffire à expliquer sa maladresse, non ?

— Possible, concéda-t-elle. Mais il y a autre chose. Je pense que le tueur est gaucher. Pas droitier.

Décidément... C'était de plus en plus catastrophique.

— Désolée, inspecteur. Je suis bien obligée de dire ce que je constate.

— Montrez-moi vos photographies.

Elle en sortit sept de son sac et alla les étaler sur le poste de travail le plus proche.

— Ce sont des clichés des mains. Les trois premières sont supposées représenter les premières tentatives du Collectionneur. Vous remarquerez les faux départs.

— Comme ceux que présente notre cadavre.

— Oui, mais avec une différence. Vous ne la voyez pas ?

Il contempla les images. Non, il ne voyait pas.

— C'est vous l'expert, dit-il enfin. Montrez-moi.

— Les inégalités de profondeur des entailles permettent de déterminer où elles commencent et où elles finissent. Sur ces photos, l'homme a utilisé la scie de gauche à droite. Maintenant, comparons avec notre victime d'aujourd'hui.

Cette fois, Spencer avait compris.

— Merde ! s'exclama-t-il.

— Désolée, vraiment.

Spencer réfléchissait. Il cherchait une explication.

— Et s'il essayait de nous induire en erreur ?

— Je ne comprends pas.

— Il a pu utiliser sa main gauche alors qu'il est droitier.

— Ça expliquerait sa maladresse. Mais pourquoi aurait-il fait ça ?

— Pour brouiller les pistes. Pour qu'on ne sache plus à quel saint se vouer.

— Tout est possible, inspecteur, mais votre raisonnement est tout de même un peu tiré par les cheveux. A plusieurs niveaux.

— Qui sont ?

— Je suis spécialiste des os, pas du comportement. Mais il me semble que l'être humain a tendance à utiliser des automatismes quand il se trouve dans une situation de stress et il aurait fallu un incroyable sang-froid à notre assassin pour utiliser sa main gauche s'il était droitier.

Elle avait raison. Le Collectionneur suivait une sorte de rituel. Il emportait la main droite de ses victimes en la détachant toujours de la même manière. L'acte en lui-même revêtait pour lui un sens particulier. Il s'y impliquait émotionnellement et intellectuellement. Peut-être même sexuellement.

Pas question de conclure hâtivement que Tonya n'était pas une victime du Collectionneur. Mais elle n'était pas le cadavre qui changeait la donne, comme ils l'avaient espéré.

— Quand pensez-vous remettre votre rapport ?

— Je vais m'arranger avec Ray. Dans quelques jours, je suppose.

Il acquiesça.

— Jusque-là, je vous demanderai de ne confier vos hypothèses à personne.

— Entendu, fit-elle en fronçant légèrement les sourcils. Puis-je vous demander pourquoi ?

— Je n'en sais trop rien. Une intuition. Cette affaire est particulièrement complexe et sensible. Je ne veux rien présenter à mes supérieurs tant que le dossier n'est pas impeccable.

Ils se séparèrent. Elizabeth resta pour parler à Ray, pendant que Spencer rejoignait sa Camaro. Il se glissait derrière le volant quand son portable vibra. C'était Tony.

— Pasta Man… J'allais justement t'appeler.

— Les grands esprits se rencontrent, mon petit futé. On a retrouvé la famille de Jessica Skye. Ses parents habitent Daphne, une petite ville de l'Alabama. Ils n'ont plus eu de ses nouvelles depuis le cyclone Katrina.

— Qu'ont-ils fait pour la retrouver ?

— Pas grand-chose. J'ai l'impression que ça ne faisait pas partie de leurs priorités. Apparemment, ils n'étaient pas en très bons termes avec leur fille. Mais la mère m'a tout de même paru bouleversée quand je lui ai demandé si elle était d'accord pour identifier sa fille d'après une photo de visage reconstitué.

— Elle a accepté ?

— Oui. J'ai contacté la police de Daphne. Je leur envoie la photo par internet et ils s'en occupent.

— Je rentre au commissariat. Je leur envoie. Tu as un nom ?

— Inspecteur Fields. Tu veux son numéro ?

— Je le chercherai. La fouille de l'appartement, ça en est où ?

— Ça avance. Mais pour l'instant je n'ai rien remarqué de spécial. Les techniciens appliquent le Luminol.

Le Luminol était un produit chimique qui devenait luminescent dès qu'il était mélangé avec un produit oxydant adéquat. Sur les scènes de crime, il servait à détecter la présence de faibles traces de sang en réagissant avec le fer.

— Au fait, on a trouvé une photo de Tonya Messinger sur la coiffeuse de sa salle de bains, avec le tour de cou gravé à son nom.

— Ça suffira pour considérer que c'est elle avant de trouver mieux pour l'identifier. Moi aussi, j'ai des nouvelles. Messinger n'a peut-être pas été assassinée par le Collectionneur.

— Tu plaisantes, n'est-ce pas ?

— J'aimerais bien… Walker a trouvé d'importantes différences entre les amputations que nous connaissons et celle-ci. Et le plus déterminant, c'est qu'elle pense que les premières ont été exécutées par un droitier, tandis que là, notre homme serait un gaucher.

— Tu comptes annoncer cette bonne nouvelle au capitaine ?

— J'avais l'intention de t'en charger.

— Sûrement pas. Tu es son neveu, elle ne te tuera pas.

Spencer allait riposter que ce n'était pas si sûr, mais Tony avait déjà raccroché.

55.

Mercredi 16 mai 2007
18 h 35

Yvette se pencha au-dessus du lavabo de la salle de bains pour s'asperger le visage d'eau fraîche. Elle était dans le brouillard depuis que Patti lui avait annoncé la nouvelle. Elle avait besoin de se secouer.

Tonya était morte. Assassinée. Elle s'en était doutée. Mais à présent, c'était officiel. Et ça faisait une différence.

Deux balles. Deux.

Elle se redressa et rencontra son regard dans le miroir.

C'était sa faute. Tonya était morte à cause d'elle.

Elle fut saisie de vertige et dut s'agripper au lavabo pour ne pas tomber. Elle s'obligea à inspirer profondément par le nez et souffla bruyamment par la bouche. Elle crachait sa culpabilité. Elle crachait sa peur.

Sa vie partait en vrille et elle avec. Elle était en train de se transformer en une personne qu'elle ne voulait pas connaître.

— Ça va ? demanda gentiment Stacy en frappant à la porte.

Yvette eut de nouveau une bouffée d'angoisse. Elle ferma les poings.

— Non, ça ne va pas ! J'en ai marre. Je suis furieuse contre vous et votre stupide copain. Si vous aviez accepté de réagir la première fois que je vous ai parlé de l'Artiste, Tonya serait toujours en vie.

— Tu n'en sais rien. Il avait peut-être décidé…

— Je me suis tournée vers elle parce que j'avais désespérément besoin de l'aide que vous me refusiez et maintenant…

Elle s'arrêta pour lutter contre les larmes.

— C'est votre faute, pas la mienne. Vous m'entendez ? Votre faute.

Stacy ne répondit pas. Quelques secondes s'écoulèrent, avec une atroce lenteur. Yvette marcha jusqu'à la porte et y appuya ses paumes et son front.

— Dites quelque chose, merde !

— Je suis désolée, Yvette, fit de nouveau la voix de Stacy. Sincèrement désolée.

— Désolée… Pour ce que ça change.

Elle voulait que sa douleur s'en aille. Que ce cauchemar prenne fin.

Stacy s'éclaircit la gorge.

— Si tu as besoin de quoi que ce soit, n'hésite pas à m'appeler. Je suis là.

Yvette aurait eu besoin d'être réconfortée, de parler, de confier à une amie ce qu'elle avait sur le cœur. Mais elle ne voulait pas céder. Elle ferma les yeux.

— Laissez-moi tranquille. Allez-vous-en. Je ne veux pas…

Un sanglot étouffa ses derniers mots. Un sanglot déchirant qui lui fit honte.

Elle se reprit et alla vers la cuvette des toilettes dont elle abaissa le couvercle pour s'asseoir. Là, elle ramassa ses jambes sous elle, entoura ses genoux de ses bras et se balança d'avant en arrière.

Que faire ? Que faire ? Elle perdait pied.

Sur la coiffeuse, son téléphone sonna pour annoncer l'arrivée d'un texto. Elle considéra rêveusement l'appareil pendant quelques secondes, puis tendit la main pour l'attraper et appuya avec des mains qui tremblaient sur le bouton permettant de lire les messages.

Tu me mank
Stp ne soi pa faché

Il n'avait pas signé. C'était inutile.

Riley.

Yvette relut le message avec émotion. Il lui semblait que cela faisait des siècles qu'elle avait quitté le *Tipitina's*, avec sa fierté blessée et le cœur brisée.

En comparaison du drame qu'elle vivait aujourd'hui, son attitude d'alors lui parut infantile et mélodramatique. Elle aurait bien voulu revenir en arrière. Elle regrettait de ne pas avoir tenu tête à June Benson.

De ne pas s'être battue. Pour se défendre. Pour défendre ses sentiments.

Il était peut-être encore temps.

Tu m mank ossi

Elle appuya sur le bouton envoi en retenant sa respiration. Quelques secondes plus tard, elle entendit de nouveau la sonnerie. Il avait répondu !

Vien m rejoindr c soir o Moonwalk

Elle en avait terriblement envie. Pour lui dire ce qu'elle ressentait. Lui dire ce que sa sœur lui avait fait. Et lui demander s'ils avaient encore une chance.

Mais elle voulait y aller sans chaperon. Comment se débarrasser de Stacy ?

Si tu as besoin de quelque chose, n'hésite pas.

Eh bien, oui, elle allait avoir besoin de quelque chose.

Elle tapa la réponse.

Kan ?

Il répondit presque tout de suite.

Mintnan

Tout en souriant de plaisir, elle tapa :

Dak. Aten moi

Il ne lui restait plus qu'à réclamer à Stacy quelque chose de suffisamment urgent pour la décider à quitter son poste de surveillance. Quelque chose qu'on ne pouvait pas se faire livrer.

Elle passa les options en revue : nourriture, boisson, magazine, journaux. Et brusquement elle eut une illumination. Elle venait de penser à un truc qu'une femme comprendrait sûrement.

Ravie de sa trouvaille, elle se leva, le sourire aux lèvres, ouvrit le placard et en sortit une boîte de tampons hygiéniques quasiment pleine. Elle enveloppa les tampons dans des mouchoirs en papier et les fourra dans la poubelle de salle de bains, sous le tas de coton usagés.

Elle prit ensuite la boîte vide et ouvrit la porte. De là, elle voyait ce qui se passait dans le salon. L'inspecteur était assise sur le canapé, elle lisait un magazine.

— Stacy ?

Stacy leva les yeux. Yvette eut vaguement l'impression qu'elle était vexée, mais elle décida de faire mine de n'avoir rien remarqué.

— J'ai un problème, dit-elle en brandissant la boîte vide. Je viens d'avoir mes règles.

— Et tu n'as plus de tampons ?

Yvette secoua la tête.

— Il y a une pharmacie un peu plus haut, au coin de la rue, la *Royal Pharmacy.*

— Ils livrent ?

— Pas que je sache…

Elle prit une expression qui, elle l'espérait, passerait pour désespérée.

— Je saigne beaucoup, ça ne va pas tarder à être une catastrophe.

Stacy fit la grimace et se leva.

— Où est-elle exactement, cette pharmacie ?

— Il faut remonter la rue et prendre sur la gauche au premier carrefour. Elle est pratiquement au coin, à quelques mètres.

— Ferme le verrou derrière moi et mets la chaîne de sécurité. N'ouvre à personne. Personne. Tu as compris ?

Yvette acquiesça et sortit de la salle de bains pour rattraper Stacy qui était déjà devant la porte d'entrée.

— Stacy ?

Stacy se retourna

— Merci, murmura Yvette avec un sourire douloureux.

Stacy sortit et Yvette boucla la porte comme elle le lui avait demandé. Ensuite elle fila en courant dans la salle de bains, se débarbouilla, se passa un coup de brosse, appliqua du mascara, du blush, et du gloss.

Puis elle prit son sac et marcha sur la pointe des pieds jusqu'à l'entrée pour regarder par le judas. La voie paraissait libre et elle ouvrit doucement, en s'attendant presque à voir Stacy jaillir devant elle en criant : « Ah, je t'ai bien eue ! »

Mais Stacy ne se montra pas.

Yvette sortit dans le couloir et referma derrière elle. Puis elle partit sans regarder en arrière. Elle avait hâte de retrouver Riley.

Le Moon Walk était un pittoresque chemin de planches qui longeait le Mississippi, en face de Jackson Square. Il devait son nom à Moon Landrieu, l'ancien maire.

Yvette laissa tomber un dollar dans le chapeau d'un musicien de rue qui jouait Blue Moon et il la remercia sans lâcher son instrument et sans faire une fausse note. Il n'était pas très bon, mais il fallait bien qu'il gagne sa vie. Elle songea que les artistes de rue s'étaient appauvris depuis Katrina.

Elle se dépêcha de remonter la rampe d'accès menant au pont d'observation et à la promenade. Elle vit tout de suite Riley qui faisait le va-et-vient en l'attendant. Il paraissait bouleversé.

— Riley !

Il s'arrêta net et se précipita vers elle avec un grand sourire.

— Tu es venue ! s'exclama-t-il en lui prenant les mains. Je commençais à perdre espoir.

— Je t'avais dit oui, protesta-t-elle.

Il chercha son regard.

— Depuis jeudi dernier, je suis passé plusieurs fois chez toi, mais tu n'étais pas là.

— Pourquoi ne pas m'avoir téléphoné ?

— Je pensais que tu ne me répondrais pas.

Il lui pressa fébrilement les mains.

— June a fini par m'avouer ce qu'elle t'avait dit. Mais je ne partage pas son point de vue, Yvette, je le jure.

— Elle m'a fait du mal.

— Elle me surprotège.

Yvette décida de rester sur ses positions.

— Elle pensait ce qu'elle a dit. Et elle m'a jugée sans rien savoir de moi.

— Il lui arrive de dépasser les bornes, je le reconnais. Mais ce n'est pas à moi qu'il faut en vouloir, je t'en prie.

Il serra encore un peu plus ses mains.

— Je t'apprécie énormément, Yvette. Et peu m'importe ce que tu fais pour gagner ta vie. Ou plutôt ça ne m'est pas complètement égal, mais je veux être près de toi et que tu sois stripteaseuse n'y change rien.

Elle le dévisagea. Etait-ce possible ? Il acceptait sans la condamner. Et le fait qu'elle se déshabille en public n'avait pas l'air non plus de l'exciter.

— A quoi penses-tu ? demanda-t-il.

— Je pense que c'est trop beau pour être vrai.

— Non, fit-il en l'attirant contre lui. C'est vrai. Je suis là.

Elle se hissa sur la pointe des pieds et leva son visage vers lui.

— Moi aussi, je suis là, murmura-t-elle.

Il l'embrassa. Plusieurs fois. Longuement. A lui faire tourner la tête et à lui donner envie de l'avoir nu contre elle.

— Vous devriez louer une chambre, plutôt que de faire ça en public, fit une voix narquoise.

La phrase fut saluée par les ricanements d'un groupe d'adolescents. Riley s'écarta d'Yvette. Il était écarlate et haletant.

— Tu as confiance en moi ? demanda-t-il.

— Oui. Mais pourquoi me de… ?

— Je veux te montrer quelque chose.

— Quoi ?

— Je ne te le dis pas. Je tiens à ménager l'effet de surprise.

— Où ?

— Ce n'est pas très loin.

Comme elle hésitait, il lui prit la main.

— Tu as confiance en moi ? répéta-t-il.

Elle songea qu'elle n'aurait peut-être pas dû, vu les circonstances. Après tout, elle ne savait pas grand-chose de lui.

Mais elle n'avait pas envie de résister. Elle espéra qu'elle n'était pas en train de commettre une erreur. Une de plus. Qu'il ne lui briserait pas le cœur.

— Oui, dit-elle simplement. J'ai confiance en toi.

56.

Mercredi 16 mai 2007
21 h 45

Stacy faisait les cent pas dans l'appartement d'Yvette. Cette petite vipère l'avait roulée et elle, elle était tombée dans le panneau, à pieds joints, sans se douter de rien. Elle était furieuse. Furieuse et inquiète.

Elle avait appelé Patti pour lui annoncer la mauvaise nouvelle. A l'heure qu'il était, toute l'équipe devait être au courant. D'ici à demain matin, elle serait la risée du département de police.

Elle ne pouvait s'empêcher d'admirer l'habileté d'Yvette. Elle avait trouvé un prétexte redoutablement efficace pour l'éloigner et échapper à sa surveillance. Vingt minutes... Vingt petites minutes avaient suffi. C'était une catastrophe.

Quand elle était revenue, Yvette n'était plus là. Au moment où elle sortait ses clés pour ouvrir la porte, Nancy avait passé sa tête dans le couloir pour lui dire qu'elle venait de voir sortir Yvette — seule et avec le sourire aux lèvres.

Bien sûr qu'elle souriait... Elle devait jubiler d'avoir doublé sa pire ennemie, l'inspecteur Killian. Que la pire ennemie soit là pour la protéger d'un tueur fou ne pesait pas lourd dans la balance.

Yvette n'était pourtant pas sotte. Pourquoi se comportait-elle comme une écervelée ?

Pour un mec, bien entendu ! Yvette était sortie pour rejoindre un amoureux. Stacy l'avait compris en trouvant le maquillage étalé sur la coiffeuse de la salle de bains. De plus, cette sale gamine n'avait emporté avec elle que son sac à main.

Mais Patti n'était pas de son avis. Elle craignait qu'Yvette ait filé pour de bon et qu'une fois seule elle devienne une proie facile pour l'Artiste.

Le capitaine avait demandé à Stacy de ne pas bouger de l'appartement pour accueillir Yvette si elle rentrait. Ou l'Artiste s'il décidait de sortir de sa tanière. Voilà pourquoi elle était coincée ici à ruminer et à tourner comme un lion en cage, pendant que le reste de l'équipe recherchait activement la fugitive.

Elle composa le numéro de Rene.

— Alors ? demanda-t-elle quand il répondit.

— Nada.

— Elle n'est pas venue au *Hustle* ?

— Non. Désolé.

— Merde. Tiens-moi au courant.

Elle referma son téléphone d'un coup sec, le lança d'un geste rageur sur le canapé et se remit à marcher. Elle se sentait responsable. Elle ne voulait pas qu'il arrive quoi que ce soit à Yvette.

Si vous aviez accepté de réagir la première fois que je vous ai parlé de l'Artiste, Tonya serait toujours en vie. C'est votre faute, pas la mienne. Vous m'entendez ? Votre faute.

Elle ne cessait de penser aux reproches d'Yvette. Ils étaient sans doute en partie justifiés et cette idée la torturait. Spencer et elle avaient eu de bonnes raisons de douter de la parole de la jeune femme, mais ça n'enlevait rien au fait que Tonya était morte parce qu'ils n'avaient rien voulu entendre.

On frappa à la porte et elle se précipita en espérant qu'il s'agissait d'Yvette.

Ce n'était pas Yvette, mais Spencer. Il tenait un grand gobelet venu de chez *Starbucks* dans la main et affichait un sourire béat.

Elle ouvrit en grand.

— J'en ai marre de ce boulot, dit-elle.

— Je sais, répondit-il en lui tendant le gobelet. Mais rien de tel qu'un triple *mocha latte* pour vous remettre d'aplomb.

Elle le contempla en silence. Elle venait brusquement de prendre conscience qu'elle était amoureuse de lui. Amoureuse de lui.

Il la faisait rire même quand ce n'était pas drôle. Il la faisait sourire quand elle était triste. Avec lui, elle se sentait bien dans son travail. Bien dans cette ville. Bien dans sa vie.

Elle comprit pourquoi sa demande en mariage lui avait fait tant de mal. Elle ne recherchait pas la sécurité. Elle ne voulait pas qu'il l'épouse parce qu'ils s'entendaient bien ou parce que sa famille l'appréciait.

Elle voulait qu'il l'aime.

— Ça va ? s'étonna-t-il. Tu as un drôle d'air, tout à coup.

— Ça va, marmonna-t-elle en lui prenant le gobelet des mains. Entre. Ta présence m'empêchera de me suicider.

Il poussa un petit cri de protestation.

— Elle t'a eue avec cette histoire de tampons et c'est compréhensible. J'aurais réagi comme toi.

— C'est vrai ?

— Tu parles si c'est vrai. Nous, les mecs, on est complètement démunis devant ces trucs de nanas.

Il lui jeta un regard en coin.

— La cuisine, c'est bien à droite ?

Elle répondit que oui, puis le regarda, amusée, entrer dans la cuisine où il se mit à tourner, le nez en l'air.

Elle secoua la tête quand il ouvrit le congélateur.

— Tu as faim, Malone ? Ou tu cherches des mains ?

— On ne sait jamais, répondit-il en farfouillant dans le compartiment à moitié vide.

Il en sortit un pot de glace de la marque Blue Bell.

— Comme tu le sais, expliqua-t-il, la plupart des femmes mangent la glace à même le pot, surtout quand elles vont avoir leurs règ…

La boîte ne contenait pas de la glace, mais de l'argent. Beaucoup d'argent.

Spencer compta les billets.

— Il y a trois mille dollars, là-dedans.

— Si elle a laissé son fric, c'est qu'elle va revenir.

Il acquiesça et remit l'argent en place dans le pot et le pot au réfrigérateur.

Il ne lui restait plus qu'à se rabattre sur les placards.

— Il y a un problème avec le meurtre Messinger, dit-il. Ce n'est peut-être pas le Collectionneur qui a fait le coup.

Elle attendit la suite.

— Du moins c'est ce que pense Elizabeth Walker. D'après elle…

Il regardait maintenant dans le placard sous l'évier.

— Le Collectionneur est droitier tandis que le meurtrier de Messinger serait gaucher. Yvette a une voiture ?

— Pas que je sache. Pourquoi ?

— A cause de ça, répondit-il en brandissant une bombe d'antigel. Quand on n'a pas de voiture, à quoi ça peut bien servir ?

— A empoisonner les chiens trop bruyants ?

— Bingo. Et si je me souviens bien, Samson a été empoisonné la nuit où Mlle Alma a été tuée, celle où Yvette a eu droit à sa dernière visite connue de l'Artiste.

— Sa supposée visite de l'Artiste.

Stacy se souvint brusquement de la première soirée qu'elle avait passée ici avec Yvette. Quand elles avaient mangé chinois, avec des baguettes.

— Tu disais que le meurtrier de Messinger était gaucher ?

— Oui, pourquoi ?

— Yvette est gauchère.

— Tu en es sûre ?

— Certaine.

Elle se tut.

— Tu sais que, sans mandat, ce que tu trouveras ici sera irrecevable ? reprit-elle.

— C'est bien pour ça que je ne cherche rien, dit-il en refermant la porte du placard. Pour l'instant, ne dis rien à Patti. Je vais fouiller un peu le passé d'Yvette et voir si j'en tire des renseignements intéressants.

— Il y a quelque chose que tu ne sais pas, dit Stacy. C'est au sujet de Patti. Elle a proposé cinquante mille dollars à Yvette pour l'aider à coincer le Collectionneur. Et elle lui a versé dix mille en acompte.

Spencer en rougit de colère, du cou à la racine des cheveux.

— Putain... Mais c'est presque la totalité de l'assurance vie de Sammy.

— Je suis désolée, Spencer.

Il fit deux pas vers elle, la prit par le bras, et l'attira à lui.

— Toi et moi, on a des trucs personnels à régler, murmura-t-il. Malheureusement, ça doit attendre, mais je n'oublie pas.

Il l'embrassa avant de la lâcher. Puis il partit. En lui laissant de quoi réfléchir.

57.

Jeudi 17 mai 2007
1 h 30

Certains croient que le sacrement du baptême est comme une deuxième naissance. Parce que l'eau du baptême purifie l'âme.

Mais l'eau peut aussi détruire. Tout emporter et ne laisser derrière elle que pourriture et désolation.

Cesse de te fustiger ! Ce n'est pas ta faute, mais la sienne.

Non. Non. Pas elle. Elle est pure. Sans taches. Il le faut. Elle est ma muse parfaite.

Ouvre le robinet et sort de la douche.

Un courant d'air frais. La chair de poule. Des frissons de soulagement. Et d'agonie.

Un cri de désespoir résonna. Un cri que personne n'entendrait.

Va jusqu'au miroir. Essuie la buée. Que vois-tu ?

Je vois l'image d'un étranger. D'une âme perdue.

Non. Elle a trahi ton amour, elle l'a foulé aux pieds. Et elle s'est fait aider pour ça.

Oui. On l'a aidée. On l'a encouragée. C'est leur faute à eux.

Punis. Punis cette femme. Punis ceux qui l'ont aidée. Ils doivent payer pour ce qu'ils t'ont fait.

58.

Jeudi 17 mai 2007
8 h 35

Spencer s'installa à son bureau. Il tenait dans sa main une tasse de café qui refroidissait. Du café, il en avait déjà trop bu et il commençait à avoir mal à la tête.

En quittant Stacy la veille, il était venu directement au commissariat pour tenter de reconstituer la vie d'Yvette Borger. Il y avait passé la nuit, mais il ne le regrettait pas.

Le puzzle prenait forme. Il commençait à entrevoir le portrait d'une jeune femme perturbée qui avait des choses à cacher.

Yvette Borger s'appelait en réalité Carrie Sue Borger. Elle venait de Greenwood, Mississippi, une petite ville située sur le delta. Elle était fille unique et elle avait perdu sa mère à l'âge de neuf ans. Ses relations avec la police de Greenwood avaient commencé l'année suivante. Entre dix et seize ans, elle s'était retrouvée au poste une douzaine de fois.

A seize ans, elle avait travaillé quelques mois au Waffle House local, puis elle avait disparu en abandonnant sa ville natale et son père. Avant de quitter ce dernier, elle l'avait assommé d'un coup de cafetière sur la tête et elle l'avait laissé pour mort.

Vic Borger n'était pas mort. Il avait porté plainte contre sa fille unique, mais la police n'avait pas réussi à la retrouver.

— Tu es là depuis combien de temps, petit malin ?

Spencer leva les yeux vers Tony.

— J'ai passé le plus clair de la nuit dans ce bureau, avoua-t-il.

— Ça se voit.

— Merci.

Il haussa un sourcil.

— Trois *doughnuts*, Pasta Man ? Est-ce bien raisonnable ?

— Je t'en donne un. Il me semble que tu as besoin d'un peu de carburant.

Il lui tendit un *doughnut* et une serviette en papier. Spencer ne se fit pas prier et mordit avidement. Il se rendait brusquement compte qu'il mourait de faim. Tant pis si les qualités nutritionnelles d'un *doughnut* étaient plus que discutables.

Tony s'installa sur un coin du bureau et se mit à manger aussi.

— Je suis au courant pour hier soir, dit-il, la bouche pleine. Borger a filé entre les doigts de Stacy.

Spencer ne put s'empêcher de sourire.

— Stacy était folle de rage, comme tu peux l'imaginer.

— Borger ferait bien de se méfier, Stacy n'est pas commode quand elle s'y met.

— J'en sais quelque chose...

— On a enfin identifié notre inconnue de City Park, annonça tranquillement Tony.

— Et c'est maintenant que tu me le dis ? C'est Jessica Skye ?

Tony fit signe que oui, tout en terminant son premier *doughnut*. Il s'attaqua aussitôt au second.

— Qui l'a identifiée ?

— Sa mère. Elle l'a reconnue d'après la photographie du visage reconstitué. La police de Daphne a l'air de dire que c'est du sûr. La pauvre femme a même éclaté en sanglots.

Il enfourna le dernier morceau et l'avala.

— On vérifie tout de même la dentition, pour être certains.

Très bien... Mais ça leur apportait quoi ? Est-ce que ça éclairait le rôle d'Yvette dans l'histoire ?

— Deux danseuses du *Hustle* ont reconnu Franklin, poursuivit

Tony. Il fréquentait régulièrement le club avant Katrina. Depuis, il y est venu plus rarement.

— Patti est au courant de tout ça ?

— Non. Je viens tout juste de l'apprendre, je n'ai pas eu le temps de l'en informer.

Il s'essuya les doigts avec sa serviette en papier et la jeta à la poubelle.

— Il y a autre chose. L'une des voisines de Messinger l'a vue partir en voiture dimanche matin. Avec une brune aux cheveux longs.

Spencer vit à l'expression de Tony qu'il pensait la même chose que lui : Yvette était une brune aux cheveux longs.

— Dimanche ? Elle en est sûre ?

— Absolument sûre, oui. Elle revenait de la messe et en voyant Messinger elle a pensé que cette pauvre femme ne se rendait jamais à l'office. Elle a même prié pour son âme.

— Quelle délicate attention... Qu'est-ce que c'était comme voiture ?

— Elle ne se souvenait pas de la marque. Il s'agissait d'une berline. Elle n'a rien pu dire de plus.

— Une femme brune... Et à part ça, à quoi elle ressemblait, cette brune ?

— La voisine en question n'est pas toute jeune et on a de la chance qu'elle se souvienne de tout ça. Sa mémoire est plutôt défaillante et sa vue aussi. Elle a accepté de venir regarder des photos. Je suggère de tenter le coup, elle pourra toujours nous servir. Comme cerise sur le gâteau. Pas comme témoin principal.

Spencer se repoussa du bureau et se leva.

— C'est l'heure de la réunion, dit-il.

— J'aurais préféré que ce soit l'heure de boire une bière.

— Je te comprends. On aura bien besoin d'une bière quand le capitaine aura entendu ce qu'on a à lui dire.

Ils trouvèrent Patti dans son bureau, au téléphone. Elle leur fit signe d'entrer.

— Ne bouge pas… Si Borger rentre, appelle-moi et amène-la ici.

Elle raccrocha et se tourna vers eux.

— J'ai mis une équipe devant l'immeuble d'Yvette. Mais je trouve que ça sent mauvais. Elle est partie depuis plus de douze heures.

Elle soupira.

— Et vous, vous en êtes où ?

Tony parla le premier. Il commença par lui annoncer que Jessica Skye avait été identifiée par sa mère, puis il lui parla de la voisine qui avait vu Tonya partir en voiture avec une femme brune aux cheveux longs.

— Et deux danseuses du *Hustle* ont reconnu Franklin comme un client régulier d'avant Katrina, acheva-t-il.

Spencer prit le relais.

— Ce sont de bonnes nouvelles. Nous tenons enfin une victime du Collectionneur qui a eu des contacts avec Franklin.

— Franklin n'est pas le Collectionneur, rétorqua Patti. Il était en prison au moment du meurtre de Tonya Messinger.

Spencer se racla la gorge avant de se lancer.

— Elizabeth pense que Tonya Messinger n'a pas été assassinée par le Collectionneur.

Pour toute réaction, Patti croisa ses mains devant elle sur son bureau, signe que l'argument la déstabilisait.

Il poursuivit en lui donnant le détail des commentaires d'Elizabeth et en précisant que le Collectionneur était probablement droitier et le meurtrier de Messinger gaucher.

— Comment se fait-il qu'on ne me dise ça que maintenant ? demanda-t-elle d'un air soupçonneux en regardant Tony, puis Spencer.

— Je ne voulais pas sonner l'alarme trop tôt, s'excusa Spencer. Ça t'aurait obligée à en parler aux journalistes. De plus, il ne s'agit que d'une conclusion préliminaire. Le rapport d'Elizabeth ne nous est pas encore parvenu.

— Je ne vous le fais pas dire, inspecteur Malone. Autre chose ?

Il se racla de nouveau la gorge, et Patti le remarqua.

— Il y a des trucs qui ne collent pas dans les déclarations d'Yvette, osa-t-il enfin.

— J'ai déjà entendu ce discours, inspecteur, coupa Patti en se levant. Si tu n'as rien de plus original…

— Je crois que j'ai. Si tu acceptais de m'écouter sans m'interrompre ?

Elle reprit place sur son fauteuil.

— Je t'écoute.

— Pendant tout le temps où tu étais avec Yvette, l'Artiste ne s'est pas manifesté. Tu ne t'es jamais demandé pourquoi ?

Il ne s'attendait pas à ce qu'elle réponde et poursuivit :

— Parce qu'elle était sous surveillance vingt-quatre heures sur vingt-quatre et qu'elle ne pouvait plus te rouler.

Il se pencha en avant.

— Elle n'a jamais fourni de preuves de l'existence de cet homme. Tonya, qui aurait soi-disant pu l'identifier, est morte, comme par hasard. Et son meurtrier, comme par hasard aussi, essaye de se faire passer pour le Collectionneur.

Patti ne disait toujours rien.

— J'ai pris la liberté de faire quelques recherches sur le passé de notre charmante demoiselle, reprit-il. Son vrai nom est Carrie Sue Borger. Elle vient de Greenwood, Mississippi. Elle s'est fait virer du lycée à l'âge de seize ans après un parcours chaotique. Ensuite elle a fui sa ville natale. Rien de très original jusque-là, sauf que son histoire présente une petite particularité. Avant de partir, elle a assommé son père et l'a laissé pour mort. Avec une cafetière. Dans la cuisine.

— Ça me fait penser au Cluedo, intervint Tony. Colonel Moutarde, dans la cuisine, avec le chandelier.

Spencer lui lança un regard agacé. Il n'avait pas envie de plaisanter.

— Et moi ça me rappelle Alma Maytree, avec une poêle, dans sa cuisine.

Tony intervint de nouveau.

— Je me permets de vous faire remarquer que nous avons un témoin qui affirme avoir vu Tonya Messinger monter en voiture avec une femme aux longs cheveux bruns.

— Mais qu'essayez-vous de me faire comprendre ? demanda Patti en regardant Spencer droit dans les yeux.

— Que Ben Franklin est le Collectionneur. Que c'est lui qui a tué Sammy quand il s'est fait surprendre en pleine action. Et qu'Yvette Borger est une dangereuse mythomane et une meurtrière.

— Et Marcus Gabrielle ?

— Rien à voir avec l'affaire. Il a été tué parce qu'il trempait dans un trafic de drogue.

— Et le mobile de Borger ?

— Pour la vieille dame, je ne sais pas. Peut-être attirer l'attention. Et pour Messinger, nous mettre sur une fausse piste. Ou alors parce qu'elle est folle, tout simplement.

— En tout cas, on ne peut pas l'exclure de la liste des suspects, insista Tony.

— Et moi je trouve que tout ce que vous me proposez repose sur des spéculations plus qu'hasardeuses.

— Pas tout à fait. Il y a tout de même l'antigel.

— Pardon ?

— Oui, l'antigel qu'elle conserve sous l'évier de sa cuisine. Je te rappelle que le chien des voisins…

— Samson.

— C'est ça, Samson… Samson a été empoisonné avec de l'antigel. Yvette ne possède pas de voiture et je ne comprends pas ce que fait cet antigel sous son évier.

Patti demeura silencieuse quelques minutes. Spencer comprit qu'elle luttait contre elle-même. Elle ne voulait pas croire à ce qu'il disait. Et pourtant…

Quand elle reprit la parole, ce fut d'une voix calme qui ne trahissait pas le conflit intérieur qui l'agitait.

— Votre théorie est intéressante, inspecteur. Mais elle me pose quelques problèmes. La première chose que j'objecterai, c'est qu'Yvette a disparu. Elle a peut-être fui de son plein gré, mais on ne peut pas exclure qu'elle soit en ce moment prisonnière du Collectionneur.

— Elle a filé en douce pour rencontrer un type.

— C'est ce que tu espères.

— Elle n'aurait pas filé sans les trois mille dollars planqués dans son réfrigérateur.

— D'abord l'antigel, maintenant les trois mille dollars. Dois-je en déduire que tu as fouillé son appartement sans mandat ?

— Stacy cherchait quelque chose à grignoter. Les trois mille se trouvaient dans un pot de glace.

— Quelle marque ? demanda Tony.

— Blue Bell.

Tony acquiesça.

— Excellent choix.

— Il ne vous est pas venu à l'esprit qu'elle avait rendez-vous sans le savoir avec l'Artiste, alias le Collectionneur ?

— Et il ne t'est pas venu à l'esprit, tante Patti, que cet Artiste n'est qu'une invention de son esprit malade ?

— Pourquoi t'acharnes-tu à ce point contre elle ?

— Pourquoi t'acharnes-tu à ce point à la défendre ?

Ils se défièrent du regard.

— Tony..., commença Patti au bout d'un moment, sans quitter Spencer du regard. Tony, pouvez-vous nous laisser seuls une minute ?

— Pas de problème, capitaine, répondit Tony en se soulevant lourdement de son fauteuil.

Dès que la porte se referma sur Tony, Spencer se pencha vers sa tante.

— Tu refuses d'accepter l'idée que Franklin est le meurtrier de Sammy. Je ne comprends pas...

— Je n'arrive pas à croire que c'est lui le coupable, c'est tout. Je n'y peux rien.

— Tu veux connaître le fond de ma pensée ? Si tu reconnais

que Franklin est bien le meurtrier de l'homme que tu aimais, ça signifie que tu devras passer à autre chose, aller de l'avant. Et c'est ça qui te fait peur.

Elle lui jeta un regard attristé et déçu, comme si elle se sentait trahie, comme s'il venait de lui planter un couteau dans le cœur. Mais il poursuivit.

— Cette histoire avec Yvette, ce n'est qu'un moyen de le garder présent dans ta vie. Tu es prête à foutre ta carrière en l'air pour ne pas admettre que tu n'as plus rien à faire pour ton mari.

Les lèvres de Patti se mirent à trembler. Ses yeux se remplirent de larmes, mais pas une seule ne coula sur ses joues.

— Je l'aimais, moi aussi, fit doucement Spencer. Nous l'aimions tous.

— Mais il n'était pas toute ta vie.

— Il n'était pas non plus toute ta vie.

Elle eut l'air choquée.

— Non, tante Patti, insista-t-il. Il n'était pas toute ta vie.

Le téléphone qui sonnait sur son bureau les interrompit. Elle répondit d'une voix enrouée.

— Capitaine O'Shay…

Puis elle écouta en fronçant les sourcils.

— Quand ? demanda-t-elle.

Après un moment de silence, elle acquiesça.

— Dis-leur de l'installer dans une pièce pour interrogatoire. J'arrive.

Elle raccrocha.

— Tu avais raison. Borger est en vie. Ils viennent de l'embarquer et ils l'amènent ici.

— Je demande la permission de l'interroger.

— Accordée. Mais je veux d'abord la cuisiner un peu.

59.

Jeudi 17 mai 2007
9 h 50

Patti entra dans la salle réservée aux interrogatoires. Elle avait laissé mijoter Yvette un petit moment qu'elle avait mis elle-même à profit pour se préparer psychologiquement à l'épreuve. Elle devait adopter une attitude ferme et sans complaisance.

Mais, en apercevant la jeune femme, elle se rendit compte qu'elle s'était donné du mal pour rien. Elle avait déjà oublié ses bonnes résolutions.

— Bonjour, Yvette, dit-elle.

Yvette se tourna vers elle.

— Je suis désolée, murmura-t-elle.

— Désolée de quoi ? répondit Patti en allant s'asseoir en face d'elle.

— Désolée de m'être sauvée comme une voleuse.

— J'ai eu peur qu'il vous soit arrivé quelque chose. Que l'Artiste vous ait enlevée.

Yvette manifesta sa gêne en remuant sur sa chaise.

— L'Artiste ne m'avait pas enlevée.

— Apparemment, lâcha sèchement Patti en inclinant la tête pour mieux étudier l'expression d'Yvette. Qu'y avait-il de si important pour que vous risquiez votre vie en quittant votre appartement ?

— J'avais rendez-vous.

Stacy et Spencer avaient donc vu juste.

— Je croyais que vous n'étiez pas une écervelée. Je vois que je m'étais trompée.

— Je ne suis pas une écervelée, protesta Yvette.

— Vraiment ? Vous êtes poursuivie par un tueur fou et vous filez en douce pour retrouver un type.

— Pas n'importe quel type.

— Pas n'importe quel type ? Laissez-moi deviner… Je parie qu'il s'agissait de Riley Benson.

Yvette en resta bouche bée et Patti ne put s'empêcher de sourire, quoique sans la moindre joie.

— Je sais par June que c'est lui que vous êtes allée voir quand vous m'avez faussé compagnie la première fois.

Yvette la défia du regard.

— Est-ce qu'elle vous a dit aussi qu'elle ne me trouve pas assez bien pour lui ? Avec moi, elle ne s'est pas gênée.

— Nous ne sommes pas ici pour parler de June. Ni de Riley. Vous n'êtes plus une gamine. Et nous n'avons pas le temps de nous amuser.

— Je sais. C'est juste que…

— Votre amie est morte. Vous pourriez être la suivante.

— Arrêtez d'essayer de me fiche la trouille.

— Il faut bien que je vous fiche la trouille, comme vous dites. Ça vous incitera peut-être à utiliser la jugeote que vous prétendez avoir reçue du Seigneur.

Yvette serra les poings.

— Il faut toujours que vous gâchiez tout. Pourquoi ?

— Je ne suis pas votre mère. Il est temps que vous grandissiez.

— Vous êtes mon employeur, je l'ai bien compris. Mais ça ne vous donne pas tous les droits.

Patti se pencha vers Yvette. Le comportement de la jeune fille déclenchait en elle une violente colère dont elle ne comprenait pas vraiment l'origine. Elle dut faire un effort pour conserver une voix calme et un ton égal.

— Comment se fait-il que vous n'ayez pas peur, Yvette ?

— Je ne vois pas ce que vous voulez dire.
— On dirait que vous ne vous sentez pas en danger. Que vous ne croyez pas vous-même à ce que vous racontez.
— Vous dites n'importe quoi.
— Alma Maytree a été tuée d'un coup de poêle sur le crâne.
— Et alors ?
— Vous avez assommé votre père avec une cafetière. C'est bien ça, Carrie Sue ?
Yvette devint blême.
— Vous êtes au courant de ça ?
— Nous sommes au courant, oui.
— Je ne l'ai pas tué.
— Mais vous avez essayé, fit la voix de Spencer qui entrait dans la pièce accompagné de Tony.
Yvette le contempla d'un air surpris, puis effrayé.
— C'est faux, dit-elle. Je ne voulais pas le tuer.
— C'est pourtant ce qu'il prétend.
— Mon vieux est un fils de pute qui…
— Méritait la mort ? acheva Spencer.
— Qui peut aller en enfer, corrigea Yvette.
— Il y est peut-être. Il est mort, vous le saviez ?
Patti vit à son expression que non, elle ne le savait pas. Elle vit aussi que ça ne lui faisait ni chaud ni froid.
— Qu'est-ce que mon père a à voir avec tout ça ?
— Le dimanche où vous prétendez ne pas avoir réussi à joindre Tonya, une voisine l'a vue partir en voiture avec une femme brune aux cheveux longs.
— Quoi ?
Spencer répéta la dernière phrase, puis enchaîna :
— Où étiez-vous ce dimanche-là ?
— Je l'ai appelée plusieurs fois, de chez moi, protesta Yvette. J'ai même laissé sur son répondeur des messages que Patti a écoutés.
Elle se tourna vers Patti.
— Dites-lui que c'est vrai.

— C'est vrai. Mais vous avez appelé d'un portable.

— Et alors ? Quelle différence ça…

Elle s'arrêta net. Elle venait de comprendre où ils voulaient en venir.

Elle avait pu appeler de n'importe où. On pouvait même supposer qu'elle était avec Tonya au moment des coups de fil — peut-être même avec le cadavre de Tonya.

— Je vais reposer ma question, insista Spencer. Où étiez-vous ce dimanche-là ?

Elle remua sur son siège.

— Le matin, je suis restée chez moi. L'après-midi je suis sortie dans le quartier français pour faire du shopping.

— Vous avez rencontré quelqu'un ?

— Non.

— Vous n'avez pas croisé un ami ? Vous n'êtes pas entrée dans une boutique où l'on vous connaît ?

— Non.

— Et le matin ? Vous avez parlé avec l'un de vos voisins ?

Elle secoua la tête d'un air affligé.

— Il n'y a donc personne qui pourrait nous permettre de vérifier ce que vous dites ?

— Je ne crois pas. J'étais seule. Toute la journée.

— Parlons maintenant de la nuit où Mlle Alma a été assassinée et Samson empoisonné. Que faisiez-vous le lundi 7 mai ?

— Le lundi, c'est mon jour de congé. J'étais chez moi. Je me suis couchée tôt et j'ai dormi toute la nuit.

— C'est tout ?

Yvette tourna vers Patti un regard suppliant.

— Cette nuit-là, l'Artiste est entré chez moi. Il aurait pu me tuer, mais…

— Mais il ne l'a pas fait.

— Il m'a laissé un message et un médaillon avec la photo de Tonya.

— Pourquoi ne vous a-t-il pas tuée, d'après vous ? demanda Patti.

Elle était surprise de la dureté avec laquelle elle s'adressait maintenant à Yvette. Les mots sortaient de sa bouche sans qu'elle puisse les retenir.

Yvette pressa convulsivement ses paumes l'une contre l'autre.

— Je l'ignore. Comment le saurais-je ? C'est peut-être parce qu'il est amoureux de moi ?

— On aimerait bien vous croire, petite, intervint Tony d'un ton paternel. Le problème, c'est que…

— Vous êtes perturbée, acheva Spencer. Vous êtes une mythomane et une opportuniste.

— Je veux un avocat ! s'affola Yvette.

— Rien ne vous empêche d'en appeler un quand vous rentrerez chez vous.

— Chez moi ? Je ne comprends pas.

— On ne vous garde pas, Carrie Sue. Vous n'êtes pas en état d'arrestation.

— Et en ce qui concerne…

— La protection de la police ? coupa Patti. Vous l'avez toujours. Si vous en voulez, bien entendu.

— Bien sûr que j'en veux, protesta Yvette en bondissant sur ses pieds. Vous êtes tarés ou quoi ? Je vous dis que je n'ai pas inventé l'Artiste et qu'il me court après.

— Très bien. Dans ce cas un officier va vous raccompagner chez vous. Et vous aurez aussi quelqu'un pour vous protéger.

Yvette parut surprise.

— Je peux vraiment rentrer, c'est vrai ?

— C'est vrai, confirma Patti.

Elle se tourna vers Tony.

— Inspecteur Sciame, pouvez-vous conduire Mlle Borger au rez-de-chaussée ?

— Bien sûr, capitaine.

Il ne lui demanda pas de précisions. Il savait qu'il devait confier

Yvette à l'équipe d'une voiture de patrouille qui la ramènerait chez elle et resterait pour la « protéger ». Et la surveiller.

Il se leva et sourit à Yvette.

— Vous êtes prête ?

Quand la porte se referma derrière eux, Patti se tourna vers Spencer.

— Je veux un mandat de perquisition pour l'appartement de cette demoiselle. Tu sais ce qu'on cherche : des éléments permettant de l'impliquer dans les meurtres de Maytree et de Messinger.

— Compris, capitaine, fit Spencer en se levant. Tu viens ?

— Dans une minute. Je te suis.

Il fronça les sourcils, comme s'il trouvait son comportement étrange, mais il obéit sans discuter.

Patti resta un long moment seule dans la petite pièce. Elle se massa la nuque, pour évacuer les tensions. Elle avait du mal à se faire une représentation cohérente de cette affaire.

Elle devait malheureusement admettre que les soupçons de Spencer et de Tony paraissaient justifiés. Les preuves contre Yvette commençaient à s'accumuler. Dans ce cas, pourquoi doutait-elle encore de sa culpabilité ? Pourquoi refusait-elle l'idée que Franklin était l'assassin de Sammy ? Pourquoi s'accrochait-elle à des hypothèses hasardeuses ?

Tu veux connaître le fond de ma pensée ? Si tu reconnais que Franklin est bien le meurtrier de l'homme que tu aimais, ça signifie que tu devras passer à autre chose, aller de l'avant. Et c'est ça qui te fait peur.

Cette histoire avec Yvette, ce n'est qu'un moyen de le garder présent dans ta vie.

Spencer l'avait blessée parce qu'il avait vu juste.

Des larmes lui brûlèrent les yeux. Un nœud se forma dans sa gorge. Non, elle ne voulait pas oublier Sammy. Elle ne se sentait pas prête à vivre sans lui.

Elle leva les yeux au plafond. Spencer ne s'était pas trompé en affirmant qu'Yvette était en vie. Il avait peut-être raison quand il prétendait que c'était une mythomane et une meurtrière.

Le juge allait accepter de délivrer un mandat de perquisition. Ils savaient déjà qu'ils trouveraient une pièce à conviction — l'antigel qui avait servi à empoisonner le chien. S'ils découvraient en plus une facture correspondant à la location d'une voiture le jour où Tonya avait disparu, ce serait le jackpot. S'ils avaient beaucoup de chance, ils pouvaient même tomber sur une arme ou des vêtements tachés de sang.

— Tante Patti ?

Spencer passait sa tête à la porte.

— Ça va ?

— Oui.

Il fronça les sourcils.

— Ça fait une demi-heure que je t'attends.

— J'ignorais que je devais pointer.

— J'ai envoyé la demande pour le mandat de perquisition au juge Boudreaux.

— Avec lui, ça ne traîne pas. Préviens-moi dès que tu l'auras.

— Tu veux participer à la fouille ?

— Non.

Il allait partir, mais elle le rappela.

— Spencer ?

Il la regarda droit dans les yeux.

— Tu avais raison à propos de Sammy. Je refuse de l'oublier.

Il vint près d'elle et posa une main sur son épaule.

— Je sais.

Elle sentit son visage inondé de larmes et posa elle aussi une main sur celle de Spencer.

— Oui ? fit-il doucement.

— Merci.

60.

Jeudi 17 mai 2007
13 h 10

Partagée entre la colère et la terreur, Yvette faisait les cent pas dans son salon. Ils essayaient de lui coller le meurtre de Tonya sur le dos. Ils la croyaient capable d'avoir fait du mal à une vieille femme. Et à Tonya. La seule personne qui avait accepté de l'aider quand elle n'avait personne vers qui se tourner.

C'était invraisemblable. On l'interrogeait pendant qu'un malade se promenait tranquillement en liberté.

Ils savaient pour Carrie Sue.

Elle s'arrêta de marcher et porta une main à sa gorge. Elle avait envie de vomir. Carrie Sue avait été une pauvre victime. Le jour où elle était partie de Greenwich, Carrie Sue était morte pour laisser la place à Yvette.

Le sol en Formica de la cuisine. Une mare de sang.

Yvette inspira profondément par le nez pour lutter contre la nausée. Elle n'allait pas vomir. Son père n'avait eu que ce qu'il méritait. Il aurait même mérité pire.

Mais pas Mlle Alma qui n'avait jamais fait de mal à personne.

Devant sa porte, on avait posté un flic. Soi-disant pour sa « protection ». Elle n'en croyait pas un mot. C'était plutôt pour empêcher qu'elle leur file entre les doigts une fois de plus.

Les flics étaient tous les mêmes. Elle avait été bien bête d'accorder sa confiance à Patti O'Shay. Un capitaine de la criminelle tenant ses promesses...

Patti n'avait jamais eu l'intention de la protéger. Elle s'était simplement servie d'elle comme appât, pour attirer l'assassin de son mari. Et maintenant elle la soupçonnait de meurtre. Mais pourquoi ?

Sans doute Patti O'Shay avait-elle obtenu ce qu'elle voulait et cherchait-elle à se débarrasser d'elle pour ne pas avoir à lui verser les quarante mille dollars qu'elle lui devait.

Elle regrettait de ne pas avoir fui. D'ailleurs, il était encore temps. Filer avec les dix mille dollars loin de La Nouvelle-Orléans pour démarrer ailleurs une nouvelle vie lui paraissait de plus en plus la meilleure option.

Riley.

Elle songea à la nuit qu'elle venait de passer avec lui. Parfaite. Magique. Il l'avait emmenée à la galerie, dans la pièce du fond où ils entreposaient les toiles qu'ils venaient de recevoir. De grandes toiles aux thèmes osés. Organiques. Erotiques.

Riley avait tenu à les lui montrer en disant qu'elles lui faisaient penser à elle.

Ils avaient fait l'amour au milieu de ces œuvres, puis ils s'étaient endormis dans les bras l'un de l'autre. Au réveil, ils avaient de nouveau fait l'amour.

Elle avait enfin rencontré un homme qu'elle pouvait aimer et qui pouvait l'aimer. Et on l'obligeait à fuir pour sauver sa peau. C'était injuste.

La vie est injuste, ma petite. Il va falloir t'y habituer.

Elle se boucha les oreilles pour ne plus entendre la voix de son père. Pour le faire sortir de sa tête. Pour qu'il cesse de la harceler.

— Mademoiselle Borger ?

Elle laissa retomber ses bras et fit volte-face vers la porte.

Le flic. Qu'est-ce qu'il voulait ?

— Oui ?

— Vous avez de la visite.

Yvette alla ouvrir. Stacy et un homme qu'elle ne connaissait pas se tenaient sur le seuil, suivis de deux officiers en uniforme.

— Salut, Yvette, dit Stacy.

— Mais c'est ma bonne copine Brandi, railla-t-elle. Quelle bonne surprise !

— Merci de m'avoir fait passer pour une imbécile, rétorqua Stacy.

— Ce fut avec plaisir.

— A présent, c'est mon tour de rigoler, répondit Stacy sur le même ton en lui fourrant un papier dans les mains.

Yvette le contempla d'un air ahuri. Il y avait son nom, son adresse…

— Je ne comprends pas, murmura-t-elle.

— Il s'agit d'un mandat de perquisition délivré par un juge, expliqua Stacy.

— Une perquisition ? Mais pourquoi ?

— Nous cherchons des preuves dans le cadre de l'enquête sur les meurtres d'Alma Maytree et de Tonya Messinger.

— Mais c'est dingue !

— D'après la loi, ton représentant légal doit assister à la fouille.

— Mon représentant légal ?

— Ton avocat.

— Je n'ai pas d'avocat.

— Dans ce cas, tu peux y assister à sa place et nous suivre dans ton appartement. Ou pas. C'est comme tu veux. De toute façon, nous te présenterons avant de partir une liste de tout ce que nous emporterons.

— Je veux un avocat.

— Bien sûr, c'est ton droit. Mais nous, nous avons le droit de commencer la fouille tout de suite, avec ou sans l'avocat.

Yvette se résigna à les suivre en réprimant des cris de protestations chaque fois qu'elle les voyait remuer dans ses affaires avec leurs sales pattes. Ils touchaient tout sans la moindre gêne et commentaient entre eux ce qu'ils voyaient comme si elle n'avait pas été là.

Yvette se sentit violée. Elle en avait la nausée et elle se demanda si elle pourrait de nouveau se sentir bien un jour dans cet appartement.

Ils avaient commencé par le salon et passèrent ensuite dans la chambre et la salle de bains. Ils fouillèrent dans les tiroirs de sa coiffeuse. Le jeune officier qui trouva son tube de gelée contraceptive et ses préservatifs lui jeta un regard égrillard. Elle se redressa, le menton fier.

Elle n'avait pas de mal à imaginer ce qu'il pensait d'elle.

Qu'elle était une pute.

Il pouvait penser ce qu'il voulait.

Ils gardèrent la cuisine pour la fin et quand ils franchirent la porte, elle se souvint que c'était là qu'elle cachait son argent. Le cœur au bord des lèvres, elle les regarda ouvrir le réfrigérateur, puis le congélateur.

Ils vérifièrent toutes les boîtes et tous les récipients, un par un. Mais qu'est-ce qu'ils pensaient trouver, merde ? La main de Tonya ?

Elle retint sa respiration quand Stacy sortit le pot de glace, l'ouvrit, et en retira le sac en plastique contenant les billets. Avec la tête qui tournait un peu, elle la regarda compter la somme qu'elle avait eu tant de mal à économiser.

La police pouvait décider que ça faisait partie des preuves et décider de la confisquer.

Trois mille dollars…

Stacy lui jeta un regard interrogateur.

— Mes pourboires, murmura-t-elle.

Stacy acquiesça et remit soigneusement l'argent en place.

— Tu devrais changer de planque, suggéra-t-elle. Ce n'est pas très original.

Ils en avaient terminé avec le réfrigérateur, ils se dirigèrent vers l'évier. Stacy s'agenouilla devant le placard qui était en dessous et entreprit de fourrager parmi les produits d'entretien.

Yvette eut de nouveau l'impression qu'elle cherchait quelque chose de précis.

Stacy sortit un grand flacon qu'Yvette ne reconnut pas.

— Qu'est-ce que c'est que ça ? demanda-t-elle.

— Tu ne sais pas ce que c'est ? ironisa Stacy. Mais c'est de l'antigel, voyons.

— Ça ne m'appartient pas.

— Tiens donc… Et comment cet antigel est-il venu sous ton évier ?

— Je l'ignore ! Je ne sais même pas à quoi ça sert.

— Ce n'est pas notre problème.

— Mais…

Elle porta la main à son front. Elle avait de nouveau le vertige.

— Vous vous sentez bien ? demanda le jeune officier.

— J'ai… J'ai besoin de m'asseoir.

Il la suivit dans le salon. Elle se laissa tomber sur le canapé et prit la tête entre les mains.

— Je peux vous apporter quelque chose ? demanda-t-il.

Elle secoua la tête. Elle réfléchissait. De l'antigel ? Comment ce flacon était-il arrivé dans son placard ? Et pourquoi les flics s'y intéres…

Samson.

— Nous avons terminé.

Elle leva les yeux. Elle y voyait flou. Stacy lui tendait une feuille.

— Voici la liste de ce que nous emportons. Tu dois la lire et la signer. Je t'en laisse un double que tu montreras à ton avocat.

Son avocat ?

Elle battit des paupières et prit le papier qu'elle lut en diagonale. Des reçus de carte de crédit. Un de ses vieux T-shirts. Quelques photographies. Son agenda. Un journal. L'antigel.

Une étrange collection d'éléments disparates.

Elle signa et ils lui donnèrent un double. Puis elle les raccompagna jusqu'à la porte et referma derrière eux. Une fois seule, elle éleva ses mains tremblantes et y enfouit son visage. Pourquoi la traitait-on si mal ? Elle était la victime, pas le bourreau.

Les flics avaient tous les droits.

Ils avaient peut-être même planqué cet antigel sous son évier.

Mais bien sûr ! Stacy avait passé plusieurs jours avec elle. Patti avait fait des va-et-vient à volonté. Spencer, aussi, avait dû venir voir.

Mais pourquoi ? Et l'Artiste dans tout ça, ils l'oubliaient ? Ils n'avaient pas l'air de le prendre au sérieux, pourtant il avait tué Jessica et il allait sûrement la tuer aussi.

La terreur lui donna de nouveau le tournis et elle alla en titubant jusqu'au canapé. Là, elle plaça sa tête entre ses genoux et s'efforça de respirer lentement et profondément, en inspirant par le nez et en expirant par la bouche.

Ne pas céder à la panique. Réfléchir. Trouver un moyen de se tirer de là.

Elle devait leur fausser compagnie. Quitter la ville. Mais comment ?

Le jeune officier, il s'appelait Guidry, montait la garde de l'autre côté de la porte. Pour sa « protection ».

Si elle lui demandait de partir, ils se douteraient de ce qu'elle mijotait et ils ne la lâcheraient plus d'une semelle.

Elle eut brusquement une idée de génie.

Ce soir, l'officier Guidry devait l'accompagner au Hustle.

Elle allait leur montrer. Ils se croyaient plus malins qu'elle. Ils se réjouissaient déjà de l'avoir piégée dans leur jeu de malades.

Grave erreur, capitaine Patti O'Shay.

Au *Hustle*, elle avait une chance d'échapper à la surveillance de son sbire. Il y avait du monde. On se laissait facilement distraire. Des gens entraient et sortaient toute la soirée. Elle filerait après ses passages sur scène, avec juste ses fringues sur le dos et son fric.

Elle se leva. Elle se sentait revigorée, l'esprit clair. Comme le jour où elle avait choisi de quitter Greenwood. Ou celui où elle avait décidé de rester à La Nouvelle-Orléans en dépit de l'ordre d'évacuation.

Elle avait de nouveau la sensation de se dresser contre la terre entière. C'était libérateur. Jubilatoire.

Elle se mit à marcher de long en large. Elle allait devoir vider son compte en banque et se débrouiller pendant un temps avec du liquide. Pour ne pas qu'on la suive à la trace avec ses transactions bancaires.

Sortir du quartier français n'était pas difficile, mais c'était la ville qu'il fallait quitter. Elle n'aurait pas beaucoup de temps. Dès qu'ils s'apercevraient qu'elle s'était fait la malle, ils surveilleraient les bus et les gares. Pas question non plus de louer une voiture, ce serait trop risqué.

Riley. Il ne restait plus que cette solution.

Elle eut une bouffée de rage en songeant que le numéro de portable de Riley se trouvait dans l'agenda que la police avait confisqué. Puis elle se souvint qu'il lui avait envoyé un texto.

Elle se précipita sur son portable, retrouva le texto et le numéro de Riley et l'appela.

Elle obtint tout de suite la messagerie et n'osa pas parler.

Et si elle essayait de le joindre à la galerie ?

Mais June risquait de décrocher. Et il ne fallait surtout pas que June sache qu'elle cherchait à contacter Riley. Parce que June irait tout de suite le raconter à sa super copine, le capitaine O'Shay.

Si June répond, rien ne t'oblige à lui dire ton nom.

Elle trouva le numéro de *Pieces* dans l'annuaire et le composa en tremblant. Et, bien entendu, ce fut June qui décrocha.

— Je voudrais parler à Riley Benson, s'il vous plaît, fit Yvette en essayant de maîtriser le tremblement de sa voix.

— C'est de la part de qui, je vous prie ?

Trouver un nom. Une excuse pour appeler. La nouvelle exposition. Les peintures au milieu desquelles ils avaient fait l'amour.

— Dites-lui que c'est Ellen St James. J'appelle au sujet du tableau que je souhaite acheter.

— Ellen St James ? fit June d'un ton chaleureux. L'avocate ? Félicitations pour votre nouveau cabinet.

— Merci. Je suis ravie.

— Vous ne pouvez pas vous tromper en achetant un tableau d'Avery. Il a beaucoup de talent, c'est un investissement sûr.

— C'est aussi l'avis de Riley. Il est là ?

— Oui. Ne quittez pas, je vous prie.

Quelques minutes plus tard, Riley prit le relais.

— Riley Benson.

Elle sentit le doute dans sa voix.

— Riley, c'est moi, Yvette, fit-elle précipitamment. Arrange-toi pour que June ne s'en doute pas. J'ai besoin de ton aide.

— Oui, Ellen, c'est un très beau tableau. L'un de mes préférés.

Elle le remercia intérieurement et poursuivit.

— Il faut que je quitte la ville. A cause de ce type. Ce dingue… Il menace de me faire du mal. J'ai peur.

— Attendez une minute, Ellen, je vous prie.

Elle l'entendit répondre à June qu'il pouvait s'occuper seul de la galerie pendant qu'elle sortait faire une course.

Puis il revint au bout du fil.

— Va trouver la police, dit-il à voix basse. Réclame une protection.

— J'y suis déjà allée et on ne m'a pas crue. Les flics ne feront rien pour moi.

— Je vais en parler à tante Patt…

— Non ! Je t'en prie, Riley. J'ai besoin de toi.

— C'est dingue, cette histoire. Ecoute, tu n'as qu'à venir ici et…

— Je ne peux pas, gémit-elle avec un sanglot dans la voix. Si je me réfugie à la galerie, il s'en prendra à toi et je ne m'en remettrai pas.

— Dis-moi ce que tu attends de moi, alors.

— Ce soir, je vais filer en douce après le *Hustle.* Tu pourrais m'attendre et me faire sortir de la ville ?

— Pour aller où ?

— Je n'en sais rien. Je n'y ai pas encore réfléchi.

— Yvette…

— Je t'en prie, Riley, ne pose pas de questions, j'ai besoin de ton aide.

Il resta silencieux pendant quelques secondes qui parurent atroces à Yvette. Puis il soupira.

— D'accord. Mais promets-moi de tout me dire ce soir.

Elle poussa un petit cri de soulagement.

— Je te le promets. Sois là à 23 h 55. Au coin de Dauphine et de Bienville. Ne t'inquiète pas si je suis un peu en retard. Je vais devoir faire mon numéro et m'éclipser discrètement.

Il accepta d'attendre aussi longtemps qu'il le faudrait.

— Une dernière chose, Riley. N'en parle à personne. Personne, tu m'entends ? C'est très important.

Comme il ne répondait pas, elle insista d'un ton suppliant.

— Si tu tiens à moi, tu dois me le promettre. A personne. Pas même à ta sœur.

— D'accord, mais ça me paraît bizarre et je ne pense pas que ce soit une bonne idée.

Les yeux d'Yvette se remplirent de larmes. Elle aurait bien voulu faire autrement, mais elle n'avait pas le choix. Toute sa vie, elle avait fui parce qu'elle n'avait pas le choix.

— Je voulais te dire que ce qui s'est passé la nuit dernière compte beaucoup pour moi, murmura-t-elle.

— Alors ne quitte pas la ville. Yvette…

Elle se rendit compte qu'elle pleurait et raccrocha avant de se mettre à sangloter.

61.

Jeudi 17 mai 2007
22 heures

Yvette avait tout prévu. Riley l'attendrait vers minuit, heure à laquelle elle aurait terminé son dernier passage sur scène. Elle avait caché des vêtements, son portefeuille et son argent dans une poubelle, devant la sortie des artistes donnant sur l'allée.

Le reste, elle le laissait derrière elle.

C'était dur, mais elle avait l'habitude et elle s'en remettrait.

Une fois son numéro terminé, elle filerait dehors au lieu de retourner dans sa loge. Elle attraperait ses affaires et s'habillerait.

Le seul vrai problème, c'était ses comptes en banque. Elle n'avait pas osé les fermer, de peur que Patti et compagnie se doutent de ce qu'elle mijotait. Elle avait donc préparé un chèque pour Riley et elle comptait le supplier de le lui échanger contre de l'argent liquide. Il était riche. Vingt mille dollars et des poussières ne représentaient pas une grosse somme pour lui, il ne serait pas tenté de les lui voler.

Quand Patti comprendrait que Riley l'avait aidée à s'enfuir, elle serait loin depuis longtemps. Et tout ce qu'il pourrait lui dire ne lui servirait plus à rien.

Elle se méfiait vaguement de lui. On ne savait jamais. Il n'aurait pas été le premier à la trahir. S'il le faisait, elle en souffrirait un peu plus que les autres fois, mais elle ne serait pas surprise.

La nouvelle Tonya passa sa tête dans la loge.

— C'est à toi dans dix minutes, fit-elle.

Yvette la remercia et alluma une cigarette. Elle avait laissé une lettre à son propriétaire en lui demandant de stocker ses affaires, avec un chèque de mille dollars pour couvrir les frais d'entrepôts et payer quelqu'un pour se charger d'emballer. C'était un brave type. Elle savait qu'il ne la roulerait pas.

Par contre, elle n'était pas certaine de revenir un jour pour les récupérer.

Sa collection de toiles... Cela lui déplaisait de s'en séparer. Ces tableaux étaient devenus une partie d'elle-même.

Elle fit le vœu silencieux de revenir. Oui, elle reviendrait pour ses tableaux.

Elle jeta un coup d'œil à la pendule. *C'était l'heure.*

Elle murmura une brève prière et sortit de la loge.

— Souhaitez-moi bonne chance, dit-elle à l'officier Guidry en agitant les doigts dans sa direction.

Il le lui souhaita, en rougissant jusqu'aux oreilles.

Quelques secondes plus tard, elle se trémoussait sur scène. Elle connaissait la musique et la chorégraphie par cœur, mais elle dut faire un effort pour se concentrer sur son numéro. Elle ignorait combien de flics rôdaient dans la salle et autour, mais elle se doutait qu'ils étaient nombreux.

Tout en dansant, elle scruta la foule du regard. Mais où se cachaient-ils ? Ce grand type, là, au visage rougeaud ? Celui qui portait un chapeau de cow-boy ? Et l'Artiste ? Est-ce qu'il était présent, lui aussi ? Est-ce qu'il se marrait intérieurement en se disant qu'il les menait tous en bateau ?

Elle aperçut Rich Ruston, le petit copain de Shauna Malone, celui qui lui avait offert un verre à *Pieces*, le soir où elle s'était évanouie. Il était seul, assis à une table près de la scène.

Quand son regard se posa sur lui, il eut un étrange sourire qui lui fit froid dans le dos.

Elle se demanda s'il était venu tout spécialement pour elle ou si sa présence ici était une simple coïncidence.

Son cœur se mit à battre. Et ce n'était pas à cause de l'effort ou de la fatigue.

Elle continua à se déhancher tout en étudiant le public. Un homme dont le visage lui était familier — un habitué, probablement — agita la langue en lui jetant un regard lubrique.

Vivement qu'elle foute le camp d'ici.

De nouveau, elle chercha des yeux Rich Ruston.

Il était parti.

Son numéro achevé, elle dut encore circuler entre les tables en s'efforçant de jouer son rôle comme tous les soirs, mais elle comptait intérieurement les minutes. Elle craignait que Riley n'ait pas la patience d'attendre si elle tardait trop.

L'homme qui avait tiré la langue réclama une danse privée. Au moment où elle était censée le rejoindre, elle fit un détour par la sortie des artistes et souleva le couvercle de la poubelle. Ses vêtements étaient bien là, avec ses tongs, son portefeuille et son fric.

Elle poussa un soupir de soulagement, les extirpa de la poubelle, poussa la porte et fonça dans l'allée sombre.

62.

Vendredi 18 mai 2007
0 h 50

La sonnerie du téléphone tira Patti d'un sommeil léger. Elle décrocha en gémissant.

— O'Shay.

— Borger est partie, fit la voix de Spencer.

La nouvelle acheva de la réveiller. Elle se redressa.

— Mais comment a-t-elle fait pour… ? Merde ! J'avais demandé qu'on poste une demi-douzaine d'hommes autour du club.

— Elle a filé après son numéro. Elle n'est pas retournée dans sa loge.

— Où es-tu ?

— Sur place, au *Hustle.*

Elle sauta du lit.

— J'arrive.

Elle ne mit que dix minutes pour rejoindre le quartier français. Spencer l'attendait devant l'entrée principale du club.

— Des nouvelles ? demanda-t-elle.

— Rien du tout.

Elle se tourna vers l'officier Guidry.

— Vous avez cherché partout ?

— Oui, autant que possible. Quand le club sera fermé, on refera un tour à l'intérieur. Si elle s'y trouve encore, elle ne peut pas filer sans se faire repérer par les hommes postés aux sorties.

— Parce que tout à l'heure ils n'y étaient pas ?

— Quand elle a terminé son numéro, elle était en string !

— Et vous croyez qu'elle erre en ce moment dans le quartier français vêtue d'un simple string ? rétorqua-t-elle en lui lançant un regard méprisant. Elle avait probablement dissimulé des vêtements quelque part. Et aussi de l'argent. Quelqu'un aurait pu anticiper la manœuvre.

Elle poussa un soupir exaspéré et s'intéressa de nouveau à Spencer.

— Dis-moi que tu as tout de suite envoyé une équipe de patrouille chez elle.

— Mieux que ça. Stacy et Rene.

— Très bien. Je veux que tout le monde reste à son poste pour surveiller qui sort. Dès que le club sera fermé, on le fouillera de fond en comble. Même les placards, les réduits et les conduits de ventilation. Compris ?

Le jeune officier acquiesça d'un air contrit et partit en courant pour faire passer le mot.

— C'est toi qui as fouillé la loge ? demanda Patti à Spencer.

— Oui. Son sac y est, mais pas son portefeuille. Elle est maligne, pas de doute.

Pas de doute, en effet.

— En tout cas, sa fuite en dit long sur sa culpabilité, poursuivit Spencer.

Patti eut envie de la défendre. Yvette avait des tas de bonnes raisons de disparaître. On pouvait imaginer qu'elle fuyait l'Artiste ou qu'elle était partie rencontrer son amoureux. Ou tout simplement qu'elle s'amusait à leur fausser compagnie pour leur prouver qu'elle faisait ce que bon lui semblait.

Mais elle se garda bien de le dire à Spencer parce qu'en vérité, elle n'y croyait pas elle-même. Yvette se comportait en coupable, il était temps qu'elle l'admette.

Comment avait-elle pu se tromper à ce point à son sujet ?

— Capitaine O'Shay, il y a ici quelqu'un qui a des choses à vous dire.

Elle se tourna. L'officier Guidry se tenait sur le seuil de la porte. Un homme était assis derrière lui. Guidry fit un pas de côté.

— Riley !

— Tante Patti ! Seigneur ! Il lui est arrivé malheur, j'en suis sûr !

Il avait l'air paniqué. Sa touffe frisée était en bataille. Il avait dû se décoiffer en se passant la main dans les cheveux.

— De qui parles-tu, Riley ?

— D'Yvette. Elle m'avait donné rendez-vous. A 23 h 45. Je devais l'attendre, mais…

— Calme-toi et explique-moi tout depuis le commencement.

Il prit le temps de respirer.

— Elle m'a appelé cet après-midi. Elle disait qu'elle avait des ennuis.

— Quel genre d'ennuis ?

— Un type la harcelait et la menaçait. Elle avait besoin de moi.

Il agita les doigts.

— Elle voulait quitter la ville. Je lui ai proposé de t'appeler, mais elle était persuadée que tu refuserais de l'aider.

— Elle t'avait donné rendez-vous ici, au *Hustle* ?

— Non. Au coin de Dauphine et de Bienville. Mais elle n'est pas venue.

Patti consulta sa montre. Il était 1 h 40.

— Tu avais rendez-vous à 11 h 45 et tu t'inquiètes seulement maintenant ?

— Elle m'avait prévenue qu'elle risquait d'être en retard. J'avais promis d'attendre.

Spencer s'éclaircit la gorge.

— Où peut-elle bien être ?

— Je n'en sais rien…, murmura Riley en levant vers lui un regard inquiet. J'étais au bon endroit, j'avais noté l'adresse. Je n'ai pas pu me tromper.

Patti fronça les sourcils.

— Tu as son numéro de portable ?

Il acquiesça.

— Oui. J'ai essayé de l'appeler, mais elle n'a pas répondu.

— Essaye encore.

Elle le regarda composer le numéro. Il attendit quelques secondes et lui tendit l'appareil avec une expression désespérée : c'était la messagerie.

— Je pense qu'elle a de sérieux problèmes, dit-elle. Tu vas retourner à votre point de rendez-vous, on ne sait jamais. Si elle vient, appelle-moi.

Elle lui tendit sa carte.

— C'est important, Riley.

Il acquiesça et se leva.

— J'ai compris, tante Patti. Et toi, si tu la trouves, tu me préviens ?

— Je n'y manquerai pas. L'officier Guidry va noter ton numéro.

Le téléphone de Spencer sonna. Il s'excusa et s'éloigna pour répondre.

— Et toi, Riley, n'hésite pas à m'appeler si tu as besoin de moi.

Spencer revint.

— C'était Stacy. Cette fois, Yvette nous a bel et bien faussé compagnie. Elle a pris l'argent qu'elle cachait dans son congélateur et elle a laissé un mot pour son propriétaire en lui demandant de mettre ses affaires dans un garde-meubles.

— Dans ce cas, pourquoi n'a-t-elle pas rejoint Riley ?

— Pour brouiller les pistes, je suppose. Elle devait se douter que Riley sonnerait l'alarme et que tu tomberais dans le panneau de l'option numéro deux.

L'option numéro deux… Patti préférait ne pas y songer.

L'Artiste.

63.

Vendredi 18 mai 2007
8 h 40

La fouille du club n'avait rien donné. De son côté, Riley avait attendu Yvette en vain dans sa voiture une bonne partie de la nuit.

Elle s'était évaporée.

Patti était rentrée au commissariat pour donner l'alarme radio. On avait distribué la photo d'Yvette à toutes les équipes de patrouille. Si elle sortait dans la rue, elle avait peu de chances de passer inaperçue.

— Elle va bien, tante Patti. Cette renarde nous a eus, voilà tout.

Patti dévisagea Spencer qui se tenait sur le seuil de son bureau.

— J'espère que tu as raison, murmura-t-elle. Parce que si tu te trompes…

Yvette est en ce moment aux mains d'un fou.

— Ce n'est pas ta faute. Pas du tout.

— J'ai pourtant la sensation que oui.

— Ça ne fera pas avancer les choses de te fustiger.

— Serais-tu en train de me donner des conseils, Boo ?

Il sourit en l'entendant utiliser son surnom d'enfant.

— Tu es d'humeur à entendre une bonne nouvelle ? demanda-t-il.

— Tu plaisantes ? fit-elle en ricanant. Je suis au bord de la dépression.

— Stacy revient s'installer chez moi. Ce soir.

— Tu appelles ça une bonne nouvelle ?

Ça lui avait échappé, elle n'avait pas pu se retenir.

Il parut surpris.

— Pas toi ?

— J'adore Stacy et tu le sais. Le problème, ça n'est pas elle, c'est toi.

Il arbora un air tellement choqué qu'il lui fit pitié.

— Je suis désolée, Spencer. Mais tant que tu ne comprendras pas pourquoi je dis ça, je ne pourrai pas considérer son retour comme une bonne nouvelle. Et elle ne restera pas longtemps. Tu entends ce que je te dis ?

— Le courrier, capitaine, fit la voix de Dora, la réceptionniste.

Elle lui fit signe d'entrer et la jeune femme déposa sur son bureau une pile de courrier.

— Salut, Spencer, mon chou, dit-elle à Spencer en passant devant lui. Un certain Rich Ruston a appelé pour toi. Il disait que c'était important.

— Il a laissé un numéro ?

— Oui, mon chou. Tu le trouveras sur ton bureau.

Patti se mit à passer en revue la pile de courrier. Une enveloppe couleur crème attira son attention. Elle reconnut le papier Crane, un papier de luxe. C'était adressé au Capitaine Patti O'Shay.

— Rich Ruston, le petit ami de Shauna, cet emmerdeur… Je me demande ce qu'il peut bien me…

L'enveloppe était scellée par un cachet de cire rouge portant la lettre A. Patti ouvrit.

Vous commencez à regretter de vous être mêlée de ce qui ne vous regardait pas.

L'Artiste.

— Capitaine ?

Elle leva les yeux vers Spencer.

— On dirait que je me suis fait un ennemi, dit-elle.

Il s'approcha et elle lui tendit la petite carte contenue dans l'enveloppe. Il lut, puis la regarda droit dans les yeux.

— Tu crois que ça pourrait provenir d'Yvette ? demanda-t-il.

— Elle disparaît et l'Artiste réapparaît avec une dent contre moi. Il ne s'agit sûrement pas d'une coïncidence.

— Qu'est-ce que tu comptes faire ?

— Apporte ça d'urgence au labo et trouve-moi le numéro de la police de Greenwood.

Quelques minutes plus tard, elle était au téléphone avec Butler, le chef de la police de Greenwood.

C'était un vétéran, qui s'exprimait avec un fort accent du Sud et une politesse désuète. Cela faisait longtemps qu'un de ses collègues ne l'avait pas appelée « ma'am ».

— Merci, de prendre le temps de m'accorder cet entretien, dit-elle. J'aurais besoin de quelques informations au sujet de Carrie Sue Borger. Tout ce que vous pourrez me dire m'intéresse.

— Ravi de vous aider, répondit-il. Bah… Elle n'était pas une mauvaise fille. Mon premier contact avec elle date du soir de la mort de sa mère. Je la revois encore, recroquevillée dans un coin de la pièce, avec des yeux ronds comme des soucoupes.

— De quoi est morte sa mère ?

— Elle s'est brisé la nuque en tombant dans l'escalier. La pauvre petite Carrie Sue a vu l'accident.

Il marqua un temps de pause.

— Je ne devrais pas faire trop de suppositions, mais on ne sait jamais, ça vous aidera peut-être. J'ai toujours pensé que quelqu'un avait aidé la mère à dégringoler de cet escalier, mais je n'ai pas pu le prouver. On a classé le dossier en concluant à l'accident.

— Vous avez interrogé Carrie Sue ?

— Oui. Si elle a vu quelque chose, elle s'est bien gardée de le dire. Il est possible qu'elle ait eu trop peur pour parler. Son père était un homme méchant et aigri. Tout le monde plaignait la pauvre gamine qui allait rester seule avec lui, mais on ne pouvait rien faire, c'était sa fille.

— Pas de signes de maltraitance ? demanda Patti.

— Non, pas de signes apparents, mais de sérieux doutes. En tout cas, c'est sûr qu'il la maltraitait psychologiquement. Personne n'a été étonné quand elle s'est enfuie.

— Il y a eu des poursuites pour l'agression contre son père ?

— Vic Borger méritait ce coup sur la tête, si vous voulez savoir ce que je pense. Et peut-être plus. Il a porté plainte, mais je n'ai pas mené mon enquête avec beaucoup de zèle.

— Et où est-il, à présent ?

— Il est mort il y a un peu plus d'un an. Donc, la plainte qu'il a déposée contre sa fille a disparu avec lui.

Il n'avait pas grand-chose de plus à lui apprendre. Carrie Sue n'avait pas d'autre famille que ses parents, peu d'amis, et, d'après lui, elle n'était pas revenue à Greenwood depuis qu'elle avait agressé son père.

— Pourriez-vous me prévenir si elle se montre ? demanda Patti.

— Bien sûr. Carrie Sue a des problèmes ?

— Elle en a. Mais je serais bien incapable de vous dire lesquels.

Elle raccrocha et ouvrit l'annuaire des services du département. Elle trouva aussitôt le nom qu'elle cherchait, celui du Dr Lucia Gonzales.

Lucia était expert en psychologie. C'était une jeune et brillante Latino-Américaine. Elle était venue du Texas à La Nouvelle-Orléans au moment du cyclone pour porter secours aux gens qui souffraient de traumatismes et elle était tombée amoureuse de la ville. Elle faisait donc partie du personnel engagé après Katrina.

Quand Lucia avait annoncé qu'elle restait, Patti s'était demandé si elle n'avait aucun instinct de conservation, si elle n'avait pas de sens commun, ou encore si elle éprouvait le besoin de se battre pour les opprimés. Mais quelles qu'aient été ses motivations, Patti était maintenant ravie de l'avoir dans son équipe.

— Capitaine Patti O'Shay de l'ISD, annonça-t-elle.

— Oui, capitaine. Comment allez-vous ?

Il ne s'agissait pas d'une question polie et vide de sens. La jeune femme s'intéressait vraiment à elle. Elle l'avait reçue de nombreuses fois dans son cabinet après le meurtre de Sammy.

— Il me faudrait plus qu'un simple coup de fil pour vous répondre, Lucia. Je n'appelle pas pour moi, mais pour parler avec vous d'un suspect. Je voudrais que vous m'aidiez à comprendre son fonctionnement psychique et, éventuellement, ses motivations.

— J'ai du temps à vous accorder, pas de problème. Tout de suite si vous voulez. Dans votre bureau ou dans le mien ?

— Vous avez toujours votre machine à café super perfectionnée, là-haut ?

La jeune femme avait beaucoup fait parler d'elle quand elle avait apporté une machine à *espresso* dernier cri qu'on entendait fonctionner à longueur de journée. Elle buvait son café avec du lait.

— Je l'ai toujours, oui. Montez. J'ai du *latte* tout prêt.

Patti sentit l'arôme du café en sortant de l'ascenseur. Si elle n'avait pas su où se trouvait le bureau de Lucia, il lui aurait suffi d'en suivre les effluves.

Le bureau de la psychologue ne ressemblait pas à celui de Patti. Il était plus grand et silencieux, avec un coin salon comprenant un canapé — le tout dans des tons doux et apaisants.

Lucia Gonzales ne se contentait pas de disséquer l'esprit des criminels, elle prodiguait conseils et réconfort aux flics usés et désabusés — et il y en avait un certain nombre dans la police de La Nouvelle-Orléans.

Lorsque Patti entra, elle lui fit signe de s'installer. Un *latte* mousseux attendait sur une table, près d'un confortable fauteuil.

— Merci, dit Patti en s'asseyant.

Elle prit la tasse, but une gorgée, et poussa un soupir de contentement.

— J'en avais bien besoin, murmura-t-elle.

— Vous paraissez fatiguée.

— Je le suis.

— J'ai entendu dire que vous teniez un suspect pour le meurtre de Sammy.

— Oui.

Patti avait marqué une légère hésitation qui n'échappa pas à la jeune femme.

— Vous n'êtes pas sûre que ce soit le bon, commenta-t-elle.

— C'est vrai, mais je ne suis peut-être tout simplement pas prête à enterrer l'affaire.

— Vous voulez en parler ?

— Quand on aura trouvé le meurtrier de mon mari, je n'aurai plus d'excuses pour ne pas l'oublier, pour passer à autre chose.

La psychologue acquiesça.

— Et vous préférez reculer l'échéance.

— Oui. Mais je dois vous avouer que je n'ai pas trouvé ça toute seule, on m'a aidée.

— Nous avons chacun notre rythme.

Patti se racla la gorge.

— Passons à mon suspect, maintenant. Il s'agit d'une jeune femme. Une stripteaseuse. Elle doit se débrouiller seule depuis longtemps. Elle a eu de nombreux déboires avec la police. Pour racolage, détention d'objets volés, menus larcins.

» On suppose qu'elle a vu son père tuer sa mère, mais on n'en est pas certains. Ce qui est sûr, c'est qu'elle a vu sa mère se briser la nuque en dégringolant un escalier. Elle a peut-être aussi été abusée sexuellement par le père, mais ça aussi, c'est seulement probable.

— Poursuivez.

— La première fois qu'on m'a parlé d'elle, c'était parce qu'elle prétendait que son ancienne colocataire était l'inconnue de City Park. Elle racontait que cette jeune fille avait disparu peu avant Katrina et qu'elle était harcelée par un fou qui lui envoyait des lettres signées l'Artiste.

— Et ce n'était pas vrai ?

— Non. Ce n'était pas vrai.

— Elle cherchait à se faire valoir, je suppose.

Patti acquiesça.

— Puis elle est venue me trouver pour me dire que l'Artiste la poursuivait, qu'il lui envoyait des lettres inquiétantes parlant d'amour éternel. Elle était certaine qu'il était entré chez elle, dans son appartement. Et aussi qu'il avait tué une de ses amies qui avait disparu. Une amie qui, d'après elle, avait identifié l'inconnue de City Park et qui savait que cette inconnue avait reçu des lettres de l'Artiste.

— Pourquoi s'est-elle adressée à vous ?

— Pour me demander de l'aider à retrouver cette amie.

— Et vous avez accepté ?

— Oui. Pourtant, elle n'avait aucune preuve de ce qu'elle avançait. Mais elle avait l'air de croire à son histoire.

— Donc elle était convaincante.

— Très convaincante. Et certains faits sont venus à point pour corroborer sa version.

Elle expliqua qu'on avait retrouvé le corps de Tonya avec une main en moins et que l'identité de l'inconnue du parc avait été confirmée par la mère de celle-ci.

— Mais ?

— Il y a eu ensuite d'autres faits qui nous ont poussés à la soupçonner d'être une meurtrière. Et à présent, elle a disparu.

— Qu'attendez-vous de moi, Patti ?

— Que vous m'éclairiez sur son fonctionnement. Si elle ment, pourquoi ? Pourquoi aurait-elle éprouvé le besoin d'inventer une histoire aussi compliquée ? Pourquoi ai-je éprouvé le besoin de la croire au point d'occulter les failles de cette histoire ? Etait-elle simplement convaincante parce qu'elle croyait à ce qu'elle inventait ?

La psychologue resta silencieuse un long moment, perdue dans ses pensées.

— Ce qui me semble intéressant, c'est que l'Artiste envoyait des lettres d'amour, dit-elle enfin. Des lettres promettant un amour éternel. D'après le tableau que vous m'avez succinctement brossé, cette jeune fille a eu une enfance horrible. Et elle a reçu peu d'amour et d'attention.

— Sa mère l'a peut-être aimée.

— Mais elle est morte.

Un amour éternel, qui ne meurt jamais. Bien sûr…

— Vous voulez savoir si elle serait capable d'inventer l'histoire qu'elle vous a racontée ? Je vous réponds oui. Les enfants qui vivent des traumatismes violents pendant leur enfance se défendent en se coupant de leurs souvenirs. Ça leur permet de s'inventer une autre histoire, plus belle, plus supportable. Un autre personnage.

Le téléphone portable de Patti vibra. Elle jeta un coup d'œil sur l'écran, vit qu'il s'agissait de Spencer et ne décrocha pas.

— Vous parlez de désordres multiples de la personnalité ?

— Ces désordres ont été renommés de façon plus appropriée désordre dissociatifs de la personnalité. Quelquefois, dans les cas extrêmes, le sujet se construit plusieurs identités. Ces identités peuvent varier en âge et en sexe. Il existe de nombreuses études de cas sur ces sujets.

— Je sens poindre un « mais ».

Lucia sourit.

— Mais il arrive parfois que les sujets ayant souffert de traumatismes se coupent de ce qu'ils ont vécu en s'inscrivant dans une vie totalement nouvelle. De manière fantasmatique.

— Vous pouvez me donner un exemple ?

Elle acquiesça.

— Il y a eu un cas très célèbre. Un homme avait avoué un meurtre d'enfant qu'il n'avait pas commis. On s'est aperçu qu'il se trouvait en fait dans un autre Etat que celui du lieu du crime au moment des faits, mais il croyait dur comme fer avoir assisté à la mort de l'enfant.

— Vous voulez dire que dans l'affaire dont je vous parle, la jeune femme a pu se projeter dans l'affaire du Collectionneur au point d'en créer une version personnelle et totalement inventée

Le téléphone de Patti sonna de nouveau. Et de nouveau, elle l'ignora.

— Oui, c'est ça, répondit Lucia.

— J'ai reçu cette carte ce matin, fit Patti en lui tendant la lettre de l'Artiste. Qu'en pensez-vous ?

Lucia la prit. Après l'avoir lue, elle leva les yeux vers Patti.

— Vous l'avez aidée et soutenue. Puis vous avez cessé. Vous l'avez trahie. Vous êtes venue déranger son fantasme.

— Et maintenant elle m'en veut et elle a l'intention de me punir.

— Oui, c'est possible. Mais il ne s'agit que de suppositions, je vous le rappelle.

Patti se pencha en avant.

— Encore une question, docteur Gonzales. Pourrait-elle s'être tellement impliquée dans son fantasme qu'elle s'est arrangée pour qu'il devienne… réel ?

— Il est déjà réel pour elle, capitaine.

— Laissez-moi reformuler mon hypothèse. Est-ce qu'elle peut jouer plusieurs rôles dans le scénario qu'elle s'est inventé ?

— Vous me demandez si elle pourrait passer au cran supérieur ? A savoir tuer quelqu'un ?

— C'est ce que je vous demande, en effet.

— L'être humain est capable de tout ce qu'on peut imaginer, capitaine.

— Donc la réponse est oui ?

— La réponse est oui. Mais ça signifierait qu'elle aurait franchi un grand pas.

Le téléphone vibra une troisième fois. En voyant qu'il s'agissait encore de Spencer, Patti se décida à répondre.

— Capitaine O'Shay.

— Où es-tu ?

— Au troisième étage.

— Tu ferais bien de descendre. On va faire un tour.

Quelque chose dans le ton de Spencer lui fit froid dans le dos.

— Que se passe-t-il ?

— Rejoins-moi devant l'ascenseur du rez-de-chaussée. Je te le dirai de vive voix.

64.

Vendredi 18 mai 2007
11 heures

Quand Patti arriva au rez-de-chaussée, Spencer attendait devant l'ascenseur.

— Je t'écoute, fit-elle.

— Je viens de rappeler Rich Ruston. Il dit que Shauna a disparu.

— Comment ça disparu ? Il veut dire qu'elle a plié bagages et qu'elle l'a planté là ou…

— Disparu, je te dis. Elle a laissé toutes ses affaires. Il avait l'air secoué. Il nous attend chez elle.

Shauna louait la moitié d'une vieille maison tout en longueur dans le style traditionnel de La Nouvelle-Orléans.

Dehors, le soleil était aveuglant. Ils sortirent tous les deux leurs lunettes de soleil.

— Comme Shauna ne lui répondait pas au téléphone, il est allé chez elle pour voir ce qui se passait et il a trouvé son appartement vide.

— Et sa voiture ?

— Garée dans l'allée de sa maison.

Patti ne put s'empêcher de faire le rapprochement avec Tonya Messinger, mais elle s'efforça de repousser l'idée qu'il était arrivé quelque chose de grave à Shauna.

— Ce n'est probablement rien, dit-elle.

— C'est que j'ai dit à Rich.

Vous commencez à regretter de vous être mêlée de ce qui ne vous regardait pas.

Patti raconta à Spencer sa conversation avec Lucia.

Quand elle eut terminé, Spencer émit un petit sifflement.

— Tu es en train de m'expliquer qu'Yvette pourrait te punir pour être intervenue dans son fantasme ?

— D'après le Dr Gonzales, c'est possible.

Ils arrivaient dans la rue de Shauna et Patti eut le cœur broyé d'angoisse.

— Toujours d'après elle, et je la cite : l'être humain est capable de tout ce qu'on peut imaginer.

— C'est inquiétant. Voilà qui ne va pas m'aider à dormir la nuit.

— C'est le moins qu'on puisse dire.

Rich Ruston les attendait sur le petit porche de la maison de Stacy. Il n'arborait plus son air suffisant, il était pâle et défait.

— Merci de nous avoir prévenus, Rich, fit Patti quand ils le rejoignirent. Expliquez-moi ce qui se passe.

— Shauna ne répondait pas au téléphone, alors je suis venu jusqu'ici pour voir si elle allait bien.

— Vous avez une clé ?

— Oui. Mais j'ai tout de même sonné, puis frappé. Comme elle n'ouvrait pas, je me suis servi de ma clé pour entrer.

— Combien de fois l'avez-vous appelée ?

— Une bonne douzaine.

— Sur son portable ?

— Sur son portable et chez elle. En laissant message sur message.

Patti songea à Yvette qui avait été alarmée parce que Tonya ne lui répondait pas. Elle éprouva le besoin de se racler la gorge.

— Depuis quand essayez-vous vainement de la joindre ?

— Depuis hier soir. Nous…

Il se tut.

Patti fronça les sourcils.

— Vous quoi ?

— Nous nous sommes disputés et je suis parti de chez elle en claquant la porte.

— Quel était le motif de votre dispute ? demanda Spencer.

Rich parut mal à l'aise.

— Elle travaille trop. Je le lui ai reproché. Elle m'a accusé d'être jaloux de son succès.

— Et c'est le cas ?

— Non ! C'est seulement que… J'ai l'impression qu'elle ne pense qu'à sa peinture et… Nous nous sommes disputés, ça arrive.

— Vous êtes donc parti furieux et ensuite vous avez regretté et vous avez voulu l'appeler ?

— Au début, j'ai pensé que son silence signifiait qu'elle m'en voulait. Puis j'ai commencé à m'inquiéter. Shauna n'est pas rancunière, vous devez le savoir.

En effet. Et elle n'était pas non plus du genre à vouloir effrayer un homme pour le punir de lui avoir fait du mal.

— Jetons un coup d'œil à l'intérieur, proposa Patti.

Il leur ouvrit avec ses clés et ils lui demandèrent d'attendre sur le porche.

— Shauna ! appela Spencer en entrant. C'est moi. Je suis avec tante Patti.

Un simple réflexe. Un flic s'annonçait en entrant chez les gens pour éviter les mauvaises surprises.

Shauna ne répondit pas, comme ils s'y attendaient. Pendant qu'ils faisaient le tour de la maison, Patti remarqua que Shauna paraissait s'être interrompue en plein travail. Ses pinceaux non rincés trempaient dans la térébenthine, elle n'avait pas couvert sa palette. Sur sa table, elle avait laissé son Ipod et un *mochassippi* à moitié bu. Sa blouse de peintre était négligemment jetée sur le dossier d'une chaise.

Patti en eut la chair de poule. Elle se tourna vers Spencer. Lui aussi contemplait fixement ce tableau révélateur.

— On dirait qu'elle s'est interrompue en plein travail, commenta-t-il.

— Pour ouvrir la porte.

— Ou pour sortir faire une course.

Une fouille plus poussée révéla que le sac de Shauna et son porte-monnaie avaient disparu, mais elle n'avait apparemment emporté ni vêtements ni affaires de toilette. Le signal lumineux de son répondeur clignotait. Ils allèrent dans la cuisine pour écouter les messages. La voix rageuse de Rich résonna dans la pièce. Premier appel à 23 h 10. Ensuite il y en avait un toutes les demi-heures et le ton de Rich se transformait peu à peu pour exprimer l'angoisse. Personne d'autre que lui n'avait téléphoné.

— Il a appelé de son portable, fit remarquer Spencer en vérifiant sur l'écran. Il pouvait se trouver n'importe où.

Patti porta la main à sa tempe. C'était exactement ce qu'elle avait dit au sujet des appels d'Yvette chez Tonya.

— Tante Patti ? fit Spencer d'une voix inquiète.

Elle rencontra son regard.

— Ce message de l'Artiste, tu me peux me rappeler ce qu'il disait exactement ? demanda-t-il.

— Il disait : « Vous commencez à regretter de vous être mêlée de ce qui ne vous regardait pas. »

— Tu crois que ça pourrait vouloir dire…

— Je ne veux même pas y penser, Spencer. Pas encore. Pour l'instant, nous ne sommes même pas sûrs qu'elle ait disparu. Fais le tour de la famille, elle s'est peut-être manifestée récemment. Et appelle aussi June et Riley à la galerie.

— Et si personne n'a eu de ses nouvelles ?

— Il restera les amis et les connaissances. Il faudra envoyer une équipe interroger tout le monde et emmener Ruston au commissariat pour lui poser quelques questions.

— Et si tout ça ne donne rien ?

— On pourra envisager l'hypothèse de l'Artiste.

65.

Vendredi 18 mai 2007
12 h 10

Dans la famille, personne n'avait eu de nouvelles de Shauna. Le voisinage n'avait rien vu non plus, à part la voisine la plus proche — une mère célibataire — qui avait confirmé que Shauna et Rich s'étaient effectivement disputés la veille et que celui-ci était parti en claquant la porte.

Rich les avait aidés à dresser la liste des amis et des connaissances de Shauna. Ceux qu'ils avaient réussi à joindre ne l'avaient pas vue récemment.

Spencer n'avait pas encore parlé à Stacy, mais il n'avait pas grand espoir que Shauna soit allée se réfugier auprès d'elle.

Il frappa à la porte du bureau de Patti.

Elle lui fit signe d'entrer.

— Comment ça s'est passé, avec Ruston ?

— Il ne lâche pas son histoire. Il l'a répétée plusieurs fois, sans la moindre variation.

— Tu crois qu'il dit la vérité ?

— Oui. Il n'évitait pas mon regard, il ne transpirait pas. Je n'ai pas eu l'impression qu'il mentait. Il paraît sincèrement angoissé. Bien entendu, ça ne prouve pas qu'il ne cache rien.

Ça prouvait simplement que s'il mentait, il était très doué.

— Je vais faire suivre Ruston. Je veux être au courant de ses moindres faits et gestes.

— Je suis d'accord, fit Spencer.

Il serra les poings de rage impuissante.

— J'en ai marre ! explosa-t-il. Qu'est-ce qu'on fout ici à se tourner les pouces ? On devrait être dehors, en train de la chercher.

— J'ai envoyé un bulletin à toutes les radios, dit-elle avec une voix douce et calme qui visait à l'apaiser. Toutes les voitures de patrouille ont le signalement de Shauna.

— Et le reste de la famille ? Qu'est-ce qu'ils fabriquent ?

— Ils arrivent.

Comme par un fait exprès, John Jr entra sur ces entrefaites, suivi par Percy, puis Mary. Quentin fut le dernier. Il était essoufflé.

— Désolé, dit-il. J'étais au tribunal. Que se passe-t-il ?

— C'est Shauna, expliqua Spencer. Elle a disparu.

— Disparu ? Mais qu'est-ce que ça signifie ?

— Où est Stacy ? demanda Mary.

— Je ne sais pas exactement, répondit Spencer. En train de bosser. Je ne l'ai pas encore prévenue.

Patti décida de se lancer.

— Nous pensons que Shauna a pu être enlevée par un tueur en série qui se fait appeler l'Artiste.

Elle fit circuler la carte qu'elle avait reçue le matin. Pendant qu'il lisait, elle leur expliqua le contexte — leurs soupçons au sujet d'Yvette, les messages de l'Artiste, le lien entre cette affaire et celle du Collectionneur, les meurtres de Maytree et de Messinger.

Spencer intervint.

— Cette gamine ne nous paraissait pas dangereuse, mais certains éléments de son histoire nous ont semblé louches. Nous l'avons convoquée pour l'interroger, puis nous avons perquisitionné son appartement. Et elle a disparu hier soir.

— Depuis sa disparition, l'Artiste a repris du service, poursuivit Patti. Yvette a eu une enfance perturbée et le psychologue du département pense qu'elle met peut-être en scène des fantasmes. Au moment où j'ai cessé de la soutenir et de la croire, elle s'est sentie trahie. Elle a pu chercher à se venger en m'atteignant à travers quelqu'un de ma famille.

— Mais pourquoi Shauna aurait-elle accepté de suivre Borger ? demanda Percy.

— Shauna et Yvette se sont rencontrées à *Pieces*, le jour du vernissage de son exposition, expliqua Patti. Yvette n'est donc pas une étrangère pour elle. Elle a très bien pu se laisser convaincre de la suivre.

Ils se mirent à parler tous ensemble.

— Je n'aime pas ça.

— Moi non plus.

— Rich Ruston est un sale type. Peut-être qu'il ment.

— Possible, convint Patti. Mais nous n'avons pas eu l'impression qu'il mentait.

— Il y a une autre possibilité que vous avez tort d'exclure, fit tranquillement Quentin.

Tout le monde se tourna vers lui.

— Yvette a peut-être dit la vérité au sujet de l'Artiste.

Un lourd silence suivit sa déclaration. Mary s'éclaircit la gorge avant de parler.

— Ce qui signifierait que l'Artiste a enlevé Shauna et Yvette.

Le téléphone de Spencer vibra. Persuadé qu'il s'agissait de Stacy, il répondit aussitôt sans vérifier l'écran.

— Je commençais à m'inquiéter, se plaignit-il. Où es-tu ?

— Malone ?

Il ne s'agissait pas de Stacy.

— Oui. Qui est à l'appareil ?

— Rene Baxter. Je me demandais si Killian était avec toi.

Spencer s'autorisa pendant quelques secondes à douter de ce qu'il avait entendu, puis une peur glacée lui noua le ventre.

Pas Stacy. Non. Pas elle.

Il leva les yeux et croisa le regard de Patti.

— Elle n'est pas dans vos locaux ? fit-il à Baxter.

— Non. Elle est venue ce matin. Et ensuite elle s'est évanouie dans les airs.

— Comment ça, évanouie dans les airs ? Elle n'est pas un fantôme !

Autour de lui, tout le monde se taisait. Un étau lui serrait la poitrine.

— Du calme ! protesta Baxter. Elle était là et puis elle est partie. J'ai pensé que…

— Elle a prévenu Cooper avant de s'en aller ?

— Mais non. Je viens juste de t'expliquer que…

— Sa voiture est dans le parking ?

— Je n'ai pas vérifié. Je croyais que…

— Vérifie, merde ! Et tout de suite. J'arrive.

66.

Vendredi 18 mai 2007
21 heures

La nouvelle était devenue officielle dans l'après-midi : Stacy avait disparu. Personne n'avait plus eu de contacts avec elle depuis le matin et son Explorer était toujours garée dans le parking du commissariat du huitième district.

Spencer était fou d'inquiétude. Le clan Malone s'était réuni chez John Jr. pour tenir une sorte de conseil de guerre. Les femmes avaient pour ordre de ne pas sortir seules. Pareil pour les enfants, même si Patti doutait que l'Artiste s'en prenne à eux.

Vous commencez à regretter de vous être mêlée de ce qui ne vous regardait pas…

On en parlait dans tout le département de police et nombreux étaient ceux qui avaient manifesté leur soutien. On avait affecté un nombre impressionnant d'officiers pour rechercher Stacy et Shauna — et aussi pour protéger les autres femmes Malone. Des équipes qui n'étaient pas en service s'étaient proposées pour patrouiller dans la ville ou pour surveiller le domicile de John Jr.

On s'en prenait directement au clan Malone. A une famille qui avait donné son énergie et parfois son sang à la police. Et aussi à une jeune inspectrice de police qui était restée pendant Katrina — la plus terrible catastrophe naturelle de toute l'histoire des Etats-Unis — pour aider la communauté de La Nouvelle-Orléans, pour sauver ses habitants.

Patti était émue de tant de manifestations de sympathie et elle avait prié pour qu'elles servent à protéger les siens. Mais au fond de son cœur, elle savait que l'Artiste ne s'arrêterait pas tant qu'il ne la jugerait pas suffisamment punie.

Il avait trouvé son point faible. Il avait compris qu'il lui ferait plus de mal en s'en prenant à sa famille qu'en l'attaquant directement.

Après la mort de Sammy, elle avait cru n'avoir plus rien à perdre. Elle s'était lourdement trompée.

Le plus terrible, c'était qu'il ne leur restait plus qu'à attendre que l'Artiste se manifeste de nouveau.

Elle se gara devant sa maison. Aucune lumière ne filtrait à travers ses vitres. Le porche n'était pas éclairé. Quand elle était partie ce matin, son unique priorité était de retrouver Yvette.

Tout pouvait basculer en un jour…

Le commentaire de Quentin lui trottait dans la tête. Et s'il avait raison ? Si Yvette n'avait rien inventé ?

Si elle n'avait pas menti, cela signifiait que l'Artiste l'avait enlevée, elle aussi. Et donc qu'il tenait la vie de trois femmes entre ses mains.

Patti ne savait plus que croire.

Elle se gara dans l'allée et sortit de voiture. Elle avait l'intention de prendre une douche et de se changer, puis de retourner chez John Jr. Spencer aussi était repassé chez lui pour faire un brin de toilette. Ils devaient se retrouver plus tard pour établir un plan d'action.

Au moins, ça les occuperait un peu et ça les empêcherait de se torturer l'esprit avec des suppositions toutes plus atroces les unes que les autres.

Elle allait grimper les marches de son porche quand elle s'arrêta net. Une petite glacière — du genre de celles que l'on pouvait se procurer dans n'importe quelle station essence ou épicerie, juste assez grande pour conserver au frais un pack de bière — était posée devant sa porte. Le couvercle était hermétiquement fermé avec un large ruban de Scotch argenté.

Patti la contempla avec terreur.

Bien sûr, elle avait pu être déposée par un ami qui avait voulu lui offrir du poisson frais, ou des crevettes. Ou par sa voisine, Mme Wonch, qui partageait régulièrement avec elle les bons petits plats qu'elle cuisinait.

Mais elle n'y crut pas une seconde. Elle n'avait pas besoin d'ouvrir pour savoir ce qu'il y avait dans cette glacière de malheur.

Vous commencez à regretter de vous être mêlée de ce qui ne vous regardait pas.

Au bout de quelques instants, elle se secoua et retourna vers sa voiture pour prendre une lampe torche et un kit pour scène de crime dans la boîte à gants. Tout en retournant d'un pas décidé vers le porche, le cœur battant, elle enfila les gants en latex du kit — difficilement parce qu'elle avait les mains moites.

Elle s'accroupit devant la glacière et sortit le petit couteau du kit pour couper proprement le ruban adhésif. Puis elle souleva le couvercle et regarda à l'intérieur.

Elle ne s'était pas trompée.

Une main… Nichée au milieu de packs de glace.

Elle se redressa et se détourna en luttant contre la nausée. Elle ferma les yeux. Bien sûr… Elle aurait dû s'y attendre. Il s'agissait bien là d'une manœuvre de psychopathe, une manœuvre qui s'inscrivait dans la suite logique des événements.

Elle inspira profondément.

Reprends-toi, O'Shay. Concentre-toi. Fais ton travail.

De nouveau, elle se baissa pour s'accroupir près de la glacière, alluma la lampe et s'obligea à observer la main en s'efforçant de ne pas penser à Shauna et à Stacy.

Il s'agissait d'une main de femme. Une main droite. Grossièrement détachée du poignet.

Elle avala péniblement sa salive. A en juger par son état de conservation, on l'avait tout de suite congelée ou mise dans la glace. Mais à qui appartenait-elle ?

Seigneur ! Pas à Shauna ! Pas à Stacy !

Yvette !

Est-ce que cette main pouvait être celle d'Yvette ?

Patti replaça soigneusement le couvercle. Elle avait maintenant des coups de fil à passer. Il fallait prévenir le labo. Elizabeth Walker. Spencer.

Mon Dieu ! Comment allait-elle annoncer ça à Spencer ? Au reste de la famille ? Qu'allait-elle leur dire ?

Le cœur serré, elle prit son téléphone.

67.

Vendredi 18 mai 2007
22 h 20

Spencer avait du mal à respirer. Son cœur battait si fort contre ses côtes qu'il avait l'impression que sa poitrine allait exploser. Il fixait la glacière sans oser s'en approcher. Il avait peur de ce qu'il trouverait à l'intérieur.

Sa sœur était peut-être morte. Ou bien la femme qu'il aimait.

Parce qu'il aimait Stacy. Il l'avait compris à l'instant où il avait dû admettre sa disparition. Admettre qu'elle était prisonnière d'un fou.

Il s'était conduit comme un imbécile… Il avait eu si peur d'aimer et de souffrir qu'il avait nié ses sentiments.

Comme si ça avait pu changer quoi que ce soit au fait qu'il était profondément amoureux d'elle… Et à présent, il ne lui restait que le regret de s'être privé de ce qu'il aurait pu partager avec elle. Et d'en avoir privé Stacy.

Le coup de fil de Patti avait semé la panique chez les Malone, et Spencer avait bien du mal à contrôler la sienne. Quentin et Percy l'entouraient. Eux aussi devaient lutter pour conserver leur calme. John Jr et Mary étaient restés pour protéger les femmes et les enfants.

La morgue était étrangement silencieuse. Spencer sursauta quand Patti s'adressa à lui.

— Tu es prêt ? lui demanda-t-elle.

Il acquiesça, même si toutes les fibres de son être auraient voulu hurler que non, non, il n'était pas prêt.

Quentin posa une main sur son épaule et il entendit Percy inspirer. Patti souleva le couvercle.

Il fut tellement soulagé qu'il en eut le vertige.

— Ce n'est pas la main de Stacy, dit-il.

— Et celle de Shauna ?

Percy et Quentin se penchèrent au-dessus de la glacière pour jeter un coup d'œil.

Percy souffla l'air qu'il avait retenu jusque-là.

— Non. Pas du tout. Regardez les ongles.

Shauna était peintre. Elle manipulait tous les jours de la peinture et de la térébenthine. Elle se coupait les ongles très court.

Ceux de la main qu'ils avaient sous les yeux étaient longs, sans vernis, avec des traces rougeâtres sur le pourtour.

Spencer détailla cette main aux longs ongles carrés. Elle était de taille moyenne et elle n'appartenait pas à une femme petite. Il lui sembla aussi que la propriétaire avait dépassé les trente ans, peut-être même les quarante.

Donc il ne s'agissait pas non plus de celle d'Yvette.

Patti se tourna vers lui.

— On dirait que tu penses la même chose que moi, dit-elle.

— Messinger, fit-il.

Il se tourna vers le technicien du labo.

— Le corps de Messinger est toujours ici ?

— Non. On a terminé l'autopsie cet après-midi et les proches sont venus le récupérer.

— Vous avez des photos ?

— Oui. Vous voulez les tirages sur papier ou des images digitales vous suffiront ?

— Les digitales, ça ira. Je veux voir des clichés de sa main.

Le technicien chercha le dossier de Messinger sur son ordinateur. Quelques instants plus tard, il affichait à l'écran une photo de la main de Tonya.

— C'est bien la main de Messinger, fit Spencer. Sauf qu'elle avait les ongles peints. C'est pour ça qu'on ne l'a pas reconnue tout de suite.

— Ce salaud savait exactement ce qu'il faisait, renchérit Patti. Des ongles rouges, ça nous aurait sauté aux yeux, donc il a pris le temps d'enlever le vernis avant de nous livrer son trophée.

— Ce fils de pute voulait nous effrayer, commenta Quentin.

— C'est moi qu'il voulait effrayer, corrigea Patti. C'est après moi qu'il en a. C'est ma faute. Je me sens responsable.

Percy lui pressa le bras.

— Nous sommes solidaires, tante Patti. Et nous aussi nous avons peur.

— Elles sont toujours vivantes, intervint Spencer. Sinon, il nous aurait envoyé une de leurs mains. Pas celle de Messinger.

— Je suis d'accord, fit Patti.

— Il faut tout de même qu'Elizabeth nous le confirme.

— Je l'ai déjà contactée. Elle sera là demain matin à la première heure.

— Que faisons-nous, maintenant ? demanda Percy.

Spencer parcourut du regard le cercle qu'ils formaient.

— On coince cette ordure. Et le plus vite possible.

68.

Samedi 19 mai 2007
Minuit

Yvette prit d'abord conscience d'une douleur lancinante à la tête. Elle gémit et ouvrit un œil — mais il faisait trop noir et elle ne distingua rien, pas la moindre lueur, pas même la lumière d'une pendule ou d'un réveil.

Elle cligna des paupières et se laissa rouler sur le côté. La literie sentait la poussière et le moisi.

Elle n'était pas chez elle.

Tout lui revint brusquement à la mémoire. Elle avait pris ses vêtements et elle s'était précipitée dans l'allée du *Hustle.*

Elle ignorait combien de temps s'était écoulé depuis.

Le clochard. Celui qui l'avait une fois suivie jusque chez elle.

Yvette fit un effort pour reconstituer la scène. Elle avait roulé son chemisier en boule, enfilé son pantacourt et ses tongs.

Et puis elle avait levé les yeux et elle l'avait vu qui l'observait avec un regard… un regard qui lui donnait encore la chair de poule. Le cœur battant, elle lui avait dit d'aller se faire foutre et elle s'était précipitée vers le bout de l'allée pour rejoindre la rue.

Il l'avait attaquée par-derrière. Il l'avait frappée avec un objet, puis tirée dans l'ombre.

Et ensuite, que lui avait-il fait ? Est-ce qu'elle se trouvait encore dans cette allée ?

L'Artiste... Le clochard... Voilà comment il avait su où elle habitait. Il l'avait suivie jusque chez elle.

Seigneur... Elle comprenait aussi comment il avait pu lui remettre le montant exact de la somme que lui devait Marcus. Il les avait épiés dans l'allée le soir où ils s'étaient disputés au sujet de l'argent. Il les avait vus et entendus.

J'ai fait ça pour toi.

Il avait tué Marcus parce que Marcus l'avait agressée physiquement. Elle en eut la nausée. Elle devait fuir. Maintenant. Tout de suite. Avant qu'il soit trop tard.

Elle se leva en titubant et se laissa aussitôt retomber sur le lit de camp. Ses jambes ne la soutenaient pas. La tête lui tournait. Elle inspira profondément en attendant que ça passe. Elle avait faim. Soif. Quelle heure était-il ? Combien de temps était-elle restée inconsciente ?

Elle s'était réveillée à plusieurs reprises de son évanouissement, cela lui revenait, avant de sombrer de nouveau. Elle se souvint d'une voix. D'une voix de femme qui la suppliait de s'enfuir.

Il va te tuer. Fuis. Vite.

Une vague de panique la submergea et elle lutta pour la contrôler. Elle devait garder la tête froide. On la cherchait, elle n'en doutait pas. Patti avait sûrement compris que l'Artiste l'avait coincée et elle...

Est-ce que Patti allait vraiment s'inquiéter ?

La police la soupçonnait de meurtre et elle disparaissait en emportant son argent et en laissant un message à son propriétaire.

Un comportement de coupable.

Riley avait dû sonner l'alarme. Mais les flics penseraient peut-être à une manœuvre supplémentaire.

Elle avait des ennuis. De sérieux ennuis.

Yvette prit sa tête dans ses mains. La voix de femme l'avait suppliée de partir.

Ça signifiait qu'il y avait un moyen de sortir d'ici.

Elle se leva de nouveau, cette fois plus lentement. Ses jambes étaient encore faibles et elle avança d'un pas mal assuré, avec précaution, en cherchant à tâtons une fenêtre ou une porte.

Une sortie.

Elle atteignit un mur qui lui parut rêche et délabré. Duveteux par endroits. Duveteux ?

Elle le longea, toujours à l'aveugle, et atteignit enfin ce qu'elle identifia comme une fenêtre. Une fenêtre calfeutrée par des planches depuis l'extérieur.

Elle l'explora du bout des doigts et tenta de pousser les planches, mais son bras droit rencontra un tesson de verre et elle poussa un cri de douleur. Elle toucha l'endroit où elle s'était blessée. Il était humide et poisseux.

Elle inspira pour lutter contre le vertige qui la prenait de nouveau. Le sang battait dans sa tête. Elle ne voulait pas abandonner.

Puisque cette issue ne donnait rien, elle devait en chercher une autre. Elle continua à avancer, en scrutant les ténèbres pour tenter d'y voir quelque chose. Elle trébucha, se rattrapa de justesse, trébucha une seconde fois et tomba à quatre pattes. Sur quelque chose qui sentait mauvais.

Une charogne.

Elle se releva précipitamment, l'estomac au bord des lèvres et s'essuya les mains à son pantacourt. Elle ne sentait plus que cette odeur infecte qui lui emplissait les narines.

Sortir. Il fallait qu'elle sorte de là.

Elle entendit des voix lointaines. Une portière de voiture claqua. Etait-ce l'Artiste ou quelqu'un qui venait pour la sauver ?

Elle avança, toujours à l'aveugle.

Aidez-moi, Seigneur, aidez-moi. Je promets d'être meilleure. De changer.

Elle avait murmuré la même prière au moment du cyclone Katrina. Et le Seigneur l'avait entendue. Accepterait-Il de l'entendre cette fois encore ?

Sa main rencontra une porte. Le cœur battant, elle glissa vers l'endroit où elle espérait trouver une poignée. Elle la trouva, referma ses doigts dessus, tourna.

La porte s'ouvrait.

Une bouffée d'air frais l'enveloppa en même temps que la douce lueur de la lune. En pleurant de soulagement — et en prenant conscience des voix qui s'approchaient —, elle se précipita. Puis elle s'arrêta net en s'agrippant à la rambarde qui venait de lui sauver la vie.

Elle se trouvait sur un escalier de secours, au deuxième étage. Et cet escalier se balançait dangereusement sous l'effet du vent et de son poids.

Mais où était-elle ?

Elle balaya du regard le paysage éclairé par le clair de lune. Il était désert, envahi par les décombres, avec de temps en temps un immeuble aux ouvertures calfeutrées par des planches resté debout comme par miracle, des voitures désossées, abandonnées.

Un paysage apocalyptique.

L'espace d'un instant, elle se demanda si une bombe atomique n'avait pas ravagé son pays entre le moment où l'homme l'avait agressée dans l'allée et celui où elle s'était réveillée ici.

Non. Elle voyait des arbres, des herbes folles. Une végétation sauvage et abondante.

Ce n'était donc pas une bombe atomique, mais le cyclone Katrina qui était responsable de ce paysage cauchemardesque. Elle devait se trouver dans la neuvième circonscription, la plus touchée. Dans St Bernard probablement.

Encore ces voix. L'une d'elles appelait doucement son nom.

Ou bien était-ce le vent ?

Elle ravala les sanglots de peur qui lui montaient à la gorge et entreprit de descendre l'escalier, marche après marche, en se cramponnant à la rambarde rouillée. Le métal émit un grincement de protestation et elle eut la sensation qu'il pouvait se désagréger sous ses pieds d'un instant à l'autre.

Mais il tint bon et elle finit par atteindre le sol. Et là, le cœur battant, elle se mit à courir aussi vite qu'elle le pouvait.

69.

Samedi 19 mai 2007
7 heures

Patti se tenait sur le seuil de la porte de son bureau, un gobelet de café dans chaque main. Elle contemplait Spencer. Il s'était installé dans un fauteuil, devant une pile de dossiers, mais il avait le regard dans le vide. Il paraissait perdu.

Il pensait à Stacy. Il aimait Shauna, bien sûr, mais son cœur souffrait surtout pour Stacy, elle le savait.

— Elle va s'en tirer, dit-elle.

Il la regarda par-dessus son épaule.

— C'est une battante, murmura-t-il.

— Oui. Une battante et un bon flic entraîné à se défendre.

Elle entra et lui tendit un gobelet.

— Tu aurais besoin de dormir un peu, suggéra-t-elle.

— Je ne dormirai pas tant qu'on n'aura pas retrouvé ma sœur et Stacy.

— On va te les ramener. Toi, tu dois te reposer.

Ils avaient sorti tous les dossiers en rapport avec Yvette Borger. Ceux des meurtres de Messinger et de Maytree. Celui de Marcus Gabrielle. Les notes de Stacy. Celui du Collectionneur aussi, bien entendu. Ils cherchaient un lien, le détail qui leur avait échappé.

Ils y avaient passé plusieurs heures, mais ils se posaient toujours les mêmes questions.

— La veille du jour où Katrina a frappé, le Collectionneur a tué

Jessica Skye, une stripteaseuse du *Hustle* et enterré son corps dans une tombe creusée à la hâte, dans City Park.

Spencer prit le relais.

— Ce même jour, il a également tué Sammy, avec son revolver de service, il a jeté son badge dans la tombe de Skye et s'est débarrassé de l'arme compromettante un peu plus loin.

— Mais on retrouve le corps de Sammy dans une résidence chic, à l'autre bout de la ville, près de sa voiture de patrouille, compléta Patti.

— Une danseuse du *Hustle* prétend qu'elle est harcelée par un homme qui lui envoie des messages signés l'Artiste. Elle vient nous demander de l'aide. Elle affirme que la directrice artistique du *Hustle* reconnaît Jessica Skye dans le visage reconstitué de l'inconnue du parc…

— Ce qui s'avère exact.

— Et elle assure que Jessica Skye était également harcelée par le dingue qui se fait appeler l'Artiste.

— La directrice artistique du *Hustle* qui aurait pu identifier l'Artiste disparaît. La danseuse craint que l'Artiste ne l'ait tuée, mais elle n'apporte aucune preuve de ce qu'elle avance.

— Pourtant on retrouve le corps de la directrice en question avec la main droite en moins.

— La vieille voisine de la danseuse est assassinée, la nuit où l'on empoisonne le chien d'un couple de voisins. Cette même nuit, la danseuse affirme que l'Artiste s'est introduit chez elle pendant son sommeil pour y déposer un message.

— Tu décides de la protéger et l'Artiste ne se manifeste plus. Elle disparaît, il est de retour.

— De retour pour me punir.

— Pour te punir, il s'en prend à Shauna et Stacy et dépose la main de Tonya devant ta porte. Donc… La question est, Borger est-elle l'Artiste ?

Patti jura entre ses dents. Elle ne pouvait pas répondre. Tout accusait Yvette, mais son instinct lui disait qu'elle était innocente.

L'ennui, c'était qu'elle n'osait plus se fier à son instinct.

— Je n'en sais rien, dit-elle.

— Tu doutes encore ? s'étonna Spencer en fronçant les sourcils d'un air incrédule. Mais qu'est-ce que tu lui trouves ?

— Je n'en sais rien, répéta-t-elle.

— Tout semble la désigner comme coupable.

— Non, nous n'avons pas de preuves matérielles, rétorqua-t-elle.

Il se remit à tourner les pages du dossier Maytree, puis s'arrêta net et leva les yeux vers Patti.

— C'était quelle race de chien ?

— Pardon ?

— Les deux poils sur la robe de la victime… Le labo devait nous dire à quelle race de chien ils appartenaient, mais…

Il feuilleta de nouveau le dossier.

— Je n'ai pas l'impression qu'ils nous aient communiqué un rapport à ce sujet.

Patti se leva d'un bond. Elle paraissait avoir repris espoir.

— Est-ce que quelqu'un a pensé à vérifier la liste des clients du salon de toilettage de Ray ?

Elle vit à l'expression de Spencer qu'il comprenait où elle voulait en venir. Si la race du chien correspondait à celle d'un animal qui fréquentait le salon de Ray… Pourquoi pas ?

— Je ne crois pas, répondit-il.

— Voici le petit déjeuner…

Quentin et John Jr. s'encadraient dans la porte, l'un portait un sac *McDonald's*, l'autre un plateau de boissons.

L'estomac de Spencer en gargouilla. Patti sourit.

— On dirait que vous arrivez à point, commenta-t-elle.

Ils déposèrent le sac et le plateau sur le bureau et approchèrent des fauteuils. Tout le monde se servit un *Egg McMuffin*.

Pendant qu'ils se restauraient, Spencer leur parla des poils de chien et du salon de toilettage.

— On finit de manger et on appelle le labo, conclut-il. Ils ont dû oublier, avec tout ce remue-ménage.

— Seigneur ! s'écria Patti.

Elle aussi avait oublié quelque chose…

L'Artiste s'en prenait aux femmes de son entourage et elle n'avait pas pensé une seconde à June.

Ils la contemplaient tous d'un air surpris.

— June, murmura-t-elle en se levant. Personne ne s'occupe de June.

70.

Samedi 19 mai 2007
8 h 10

June ne répondait ni chez elle ni sur son portable et quand Patti appela *Pieces*, elle tomba sur le répondeur. Elle essaya de se rassurer en se disant qu'il était encore tôt et qu'on était samedi. June dormait encore ou elle prenait sa douche. Ou bien elle était sortie promener Max.

Mais elle n'y croyait pas vraiment.

Elle envoya une voiture de patrouille à *Pieces* et prit la direction de la maison de June, dans Garden District, accompagnée de Spencer, Quentin et John Jr.

Elle arriva avec Spencer en dix minutes. Quentin et John Jr. freinèrent derrière eux. Elle sortit en courant de la Camaro pour aller sonner à la porte, puis tambouriner. De l'autre côté, Max se mit à aboyer et à gratter contre le battant.

— Elle n'ouvre pas, j'entre, cria-t-elle de loin à Spencer.

Elle chercha sur son trousseau la clé que June lui avait confiée, puis ouvrit et poussa la porte. Max en profita pour filer en courant.

— Rattrapez-le ! cria-t-elle.

John Jr. partit à la poursuite du chien pendant qu'elle entrait.

— June ! appela-t-elle. Riley !

Personne ne lui répondit. Spencer et Quentin la rejoignirent dans l'entrée.

— Partageons-nous le travail, dit-elle. Je m'occupe de l'étage.

Quentin proposa d'inspecter le jardin et Spencer de se charger du rez-de-chaussée.

Patti grimpa l'escalier et entreprit de passer les chambres en revue, une à une, en s'obligeant à aller lentement et à les inspecter comme des scènes de crime. Mais tout lui parut en ordre et elle ne détecta pas de signes de lutte. La chambre de June était impeccable. Celle de Riley dans une pagaille monstre. Même chose pour leurs salles de bains respectives.

Les chambres d'amis ressemblaient à des chambres d'amis : impersonnelles, mais prêtes à accueillir d'éventuels invités.

— Vous avez trouvé quelque chose ? demanda-t-elle en rejoignant ses neveux.

— Rien de particulier dans le jardin ou la cabane à outils, fit Quentin. Et dans le garage, il y a une Mercedes.

Le cœur de Patti sursauta.

— C'est celle de June, répondit-elle en se tournant vers Spencer pour écouter son compte rendu.

— Une assiette cassée dans l'évier, dit-il. A part ça, rien de spécial.

Patti fronça les sourcils. *Une assiette cassée ?*

— Elle s'est peut-être coupée et Riley l'a emmenée à l'hôpital pour des points de suture.

— C'est possible, mais il n'y a pas de sang dans la cuisine.

— June est parfois maniaque. Elle a pu nettoyer le sang.

— Nettoyer le sang avant d'aller aux urgences ?

Patti eut la nausée. Pourquoi June était-elle sortie si tôt un samedi matin ? Sans sa voiture et sans Max.

Ça lui rappelait Messinger, Shauna et Stacy.

John Jr. revint, essoufflé, avec le chien dans ses bras.

— Ce petit vaurien était presque sur St Charles Avenue quand je l'ai rattrapé, se plaignit-il.

Patti contempla fixement le shih tzu. Il n'était pas couleur champagne, comme la plupart de ceux de cette race, mais noir et blanc.

Un chien noir et blanc.

Elle se tourna vers Spencer.

— Appelle tout de suite le labo. Je veux absolument connaître la race du chien.

Pendant que Spencer contactait le labo, elle appela *Ray's Perfect Pups*. Ray lui répondit aussitôt. Il paraissait surmené. Le samedi matin était sûrement un jour particulièrement chargé pour lui.

— Ray, c'est le capitaine Patti O'Shay à l'appareil. L'amie d'Yvette, vous vous souvenez ?

— Oui, bien sûr, le capitaine O'Shay. Que puis-je faire pour vous ?

— J'ai une question à vous poser. Auriez-vous une cliente nommée June Benson ?

— Benson… Oui. Elle possède un shih tzu, Max, c'est ça ?

— C'est ça.

Elle le remercia et se tourna vers Spencer qui venait juste de raccrocher.

— Alors ? demanda-t-elle.

— Ce sont des poils de shih tzu, fit-il.

— Et je viens d'apprendre que June est une cliente de Ray.

Ils se tournèrent vers John Jr. qui tenait toujours le chien dans ses bras.

Tout prenait brusquement un sens. Riley était venu au *Hustle* le soir où Yvette avait disparu. Yvette lui avait fait confiance, elle lui avait demandé de l'emmener hors de la ville et elle lui avait confié pourquoi.

Elle était allée se fourrer dans la gueule du loup.

Riley était venu au *Hustle* en feignant d'être inquiet parce qu'elle ne s'était pas présentée à leur rendez-vous, sans doute pour se couvrir au cas où ils s'apercevraient en pistant les appels passés depuis le portable d'Yvette qu'ils s'étaient parlé la veille au soir.

Patti réfléchissait intensément. June lui avait avoué qu'elle se faisait du souci au sujet de Riley. Elle fit un effort pour se souvenir de ce qu'elle lui avait dit exactement. Riley s'entichait de la première femme venue et quand ça ne marchait pas il restait prostré pendant des semaines, le cœur brisé.

Il restait prostré quand elles l'avaient trahi. Quand il les avait tuées.

June avait peut-être fini par soupçonner son frère d'être un meurtrier… Elle avait peut-être établi un lien entre lui et l'une des victimes… Et elle avait voulu aborder le sujet avec lui…

Seigneur… Si Riley était… Ça voulait dire que…

Riley avait tué Sammy.

Patti porta une main à sa bouche pour étouffer un cri. Non, c'était impossible. Pas le frère de sa meilleure amie. Elle le considérait comme faisant partie de la famille. Elle l'aimait autant que ses propres neveux.

— Tante Patti ?

Elle se secoua et fit un effort pour revenir à la réalité.

— C'est Riley, murmura-t-elle. Riley est le Collectionneur.

Ils la contemplèrent comme si elle avait perdu l'esprit. Quentin se racla la gorge.

— Tante Patti… Tu ne te rends pas compte de ce que tu dis. Riley est de la famille…

— Tu crois que je ne le sais pas ?

Elle se rendit compte que ses mains tremblaient et serra les poings.

— Tu crois que je ne vois pas ce que ça implique ? poursuivit-elle.

Son téléphone portable vibra et elle l'ouvrit d'un coup sec.

— O'Shay, fit-elle.

C'était l'équipe qu'elle avait envoyée devant *Pieces*. Elle entendait en fond une sorte de ronflement.

— Capitaine, il se passe quelque chose ici. La galerie d'art est en feu.

71.

Samedi 19 mai 2007
12 heures

Patti aperçut la fumée de loin. Elle avait demandé à l'officier de répéter ce qu'il venait de dire pour être sûre d'avoir bien entendu, puis elle avait attrapé le bras de Spencer et ils avaient roulé en trombe jusqu'à *Pieces*.

June et Riley demeuraient introuvables. Leur galerie brûlait et il ne s'agissait sûrement pas d'un accident. Elle se demandait ce qu'ils trouveraient à l'intérieur.

Spencer conduisait agrippé au volant. Elle savait qu'il craignait la même chose qu'elle et qu'il priait pour que leurs craintes se révèlent infondées. Il priait pour que ceux qu'ils aimaient ne soient pas dans le bâtiment en flammes.

Les pompiers avaient bouclé le pâté de maisons. Patti montra son badge et on les laissa passer. Ils avancèrent. L'odeur de brûlé était de plus en plus insoutenable.

Quand elle aperçut *Pieces,* elle ne put retenir un cri d'horreur.

June était peut-être à l'intérieur. Ou Stacy. Ou Shauna. Seigneur… Non !

Ils se garèrent et descendirent de voiture. Puis ils rejoignirent aussitôt l'homme qui dirigeait l'intervention.

— Que savez-vous pour l'instant ? demanda Patti.

— Pas grand-chose. Un enquêteur est en route. Mais il lui faut le temps, il vient de Baton Rouge.

— Il y a quelqu'un à l'intérieur ?

— Aucune idée. Quand nous sommes arrivés, il était déjà trop tard pour entrer. Le feu s'est propagé très vite.

Patti eut une bouffée de tristesse en pensant aux œuvres qui brûlaient.

— Quand pourrons-nous jeter un coup d'œil ?

— Dès que le feu sera maîtrisé. Mais il faudra vous habiller.

— Bien sûr. Prévenez-moi.

L'un des officiers de l'équipe de patrouille la vit et vint vers elle.

— J'ai trouvé la voiture de Benson, annonça-t-il.

— Où ?

— Dans un parking privé. De l'autre côté de la rue.

— Très bien. Spencer ?

Ils se rendirent dans le parking. L'officier leur expliqua qu'il avait obtenu la commande à distance permettant d'ouvrir la porte par une femme qui travaillait près de *Pieces*. Il l'activa pour entrer.

La berline Infiniti de Riley était garée dans le fond. Patti et Spencer collèrent leur nez aux vitres pour regarder à l'intérieur.

— Elle est vide, fit l'officier comme pour confirmer ce qu'ils voyaient.

— Vous avez vérifié le numéro d'immatriculation ? demanda Patti.

— Oui. Cette voiture appartient bien à Riley Benson.

Elle se tourna vers Spencer.

— Qu'en penses-tu ?

— Il est peut-être dans la galerie.

Et peut-être pas seul.

Elle passa mentalement en revue toutes les options. Elles étaient toutes horribles et impliquaient toutes des femmes qu'elle aimait.

— Ouvrez cette voiture, ordonna-t-elle à l'officier.

— Capitaine O'Shay, appela la voix du capitaine des pompiers. Le feu est maîtrisé.

Elle acquiesça, puis se tourna vers l'officier.

— Fouillez la voiture et tenez-moi au courant.

Elle retourna avec Spencer vers la galerie. Elle connaissait la procédure. Les pompiers chercheraient d'abord l'origine de l'incendie pour déterminer s'il était accidentel. S'il n'était pas accidentel, l'affaire deviendrait du ressort de la police.

Et il n'était sûrement pas accidentel.

Elle se tourna vers Spencer.

— Tu devrais peut-être m'attendre dehors, suggéra-t-elle.

— Tu plaisantes…

— Nous ne savons pas ce que nous allons…

— Trouver ? acheva-t-il pour elle d'une voix tendue. Tu crois que je ne le sais pas ?

Elle hésita. Elle pouvait lui ordonner de rester dehors, mais il était capable de lui désobéir.

— Allons-y, soupira-t-elle.

Ils enfilèrent une combinaison, des bottes, un masque et un casque. Leur tenue était lourde et gênante, mais Patti ne regretta pas de la porter quand ils entrèrent et que la chaleur et l'odeur la frappèrent de plein fouet.

Elle balaya l'intérieur du regard. Le feu n'avait pas tout réduit en cendres, mais il n'avait rien laissé intact. Le magnifique travail de Shauna était fichu. Certaines toiles n'étaient qu'en partie brûlées, mais elles n'en étaient pas moins irrécupérables.

Elle eut la sensation que ça faisait partie de la vengeance de l'Artiste.

A en juger par les toiles posées contre les murs, sous les espaces vides où elles auraient dû être accrochées, June et Riley étaient sur le point d'installer une nouvelle exposition. Patti se demanda si les acheteurs avaient déjà emporté les acquisitions de la précédente exposition. Elle espéra que oui.

— Capitaine O'Shay ? appela un pompier depuis la porte calcinée donnant sur l'entrepôt de la galerie. Il y a une victime.

Le cœur de Patti se serra. Elle n'avait pas envie de s'approcher.

Rien ne l'y obligeait. Elle pouvait encore faire demi-tour et laisser ça au coroner. Personne ne songerait à le lui reprocher.

Elle n'était pas certaine de supporter ce qu'il y avait derrière cette porte.

Elle jeta un coup d'œil du côté de Spencer. Il était tétanisé et fixait d'un œil hébété le battant noirci par le feu.

Elle allait devoir s'en charger.

Mettre un pied devant l'autre pour avancer en direction de la porte lui demanda un effort surhumain. Elle arriva enfin à la hauteur du pompier. Il la fit entrer dans la pièce.

La victime gisait à quelques mètres, le corps calciné, comme momifié, mais reconnaissable. Patti songea qu'il était étrange que le feu puisse consumer un corps et laisser une partie parfaitement intacte. Et dans ce cas, cette partie se trouvait être un visage. Le visage de Riley.

Riley ? Elle n'y comprenait plus rien.

Elle se tourna vers le pompier.

— Il n'y en a qu'un ?

— Oui.

— Vous en êtes sûr ? Vous avez déjà fouillé toute la galerie ?

— Oui.

Spencer les rejoignit.

— Mon Dieu ! s'exclama-t-il.

Il avait les larmes aux yeux.

— J'avais de l'estime pour lui, murmura-t-il.

— Si Riley était notre assas…

— Où sont les femmes ? coupa Spencer.

Patti ne répondit pas et se tourna vers le pompier.

— Vous croyez qu'il a pu se suicider ?

— C'est possible, mais peu probable. Peu de gens ont le courage de s'immoler par le feu. Le plus souvent, on met le feu pour masquer un crime.

C'était la vérité. Peu de criminels savaient qu'une maison ne brûlait pas suffisamment pour faire disparaître un corps. Pour incinérer un corps, il fallait un four spécial qui grimpait à mille deux cents degrés. Un incendie dégageait une chaleur de cinq cent trente-sept degrés qui détruisait les vêtements, les cheveux, la chair. La peau fondait, mais il n'était pas exceptionnel de trouver des lambeaux intacts. On pouvait encore pratiquer une autopsie et déterminer la cause de la mort.

Patti s'accroupit près du corps et l'examina sans le toucher.

— Nous avons besoin de savoir s'il est mort dans l'incendie où s'il était déjà mort avant.

Pour répondre, l'expert chercherait des traces de suie ou de fumée dans les poumons.

— On a prévenu le bureau du coroner, fit Spencer.

Il pensait la même chose qu'elle. Si Riley était mort avant l'incendie, si on l'avait assassiné, cela signifiait qu'il n'était pas leur tueur en série.

Mais, dans ce cas, qui était le coupable ? Et où avait-il emmené les quatre disparues ?

Une fois sur le trottoir, Patti se rendit compte qu'elle avait eu un appel. Elle vérifia la provenance et fronça les sourcils en reconnaissant le numéro. Elle le connaissait par cœur.

Parce que c'était son numéro personnel.

72.

Samedi 19 mai 2007
13 h 20

Patti laissa Spencer sur place pour accueillir le coroner et l'expert en incendie. Elle ne lui avait pas parlé du mystérieux coup de fil émanant de chez elle.

L'Artiste... Il venait encore d'avancer un pion dans la partie d'échecs qu'il avait engagée avec elle.

Riley était mort. Il ne restait donc plus qu'un seul suspect.

Yvette.

Et pourtant... Patti aurait tant voulu qu'Yvette soit innocente, qu'elle soit la victime qu'elle prétendait être.

En la côtoyant, elle avait appris à l'apprécier et à respecter son esprit de battante. Les sarcasmes et la colère cachaient une jeune femme blessée qui avait besoin d'attention et d'amour.

Patti arrêta la voiture de patrouille dans son allée. Yvette était sans doute une jeune femme qui avait souffert, mais elle, elle devait faire son boulot. Elle arrêta le moteur, vérifia que son arme était bien chargée — oui, le chargeur était plein — et ouvrit la boîte à gants pour en sortir une paire de menottes qu'elle accrocha à sa ceinture. Ensuite elle descendit de voiture et avança jusqu'à la porte d'entrée en se demandant si Yvette la surveillait, si elle ferait l'étonnée quand elle lui dirait qu'elle savait tout.

A moins qu'elle ne soit pas là et qu'elle ait simplement laissé encore une vilaine surprise dans une glacière ? Le cœur de Patti se serra.

La porte était fermée. Aussi doucement que possible, elle introduisit la clé dans la serrure et tourna. Le verrou glissa sans bruit. Tout en poussant la porte, elle sortit son Glock de son fourreau.

Pas de vilaine surprise pour l'instant.

Elle entra revolver au poing et tendit l'oreille. Il y avait du bruit dans la cuisine. Son cœur s'accéléra. Elle serra plus fort son Glock et avança en silence. Elle connaissait la maison par cœur et n'eut aucun mal à éviter les endroits du plancher qui craquaient.

Arrivée devant la porte de la cuisine, elle s'arrêta net, saisie. Jusque-là, elle avait encore espéré s'être trompée.

Mais elle ne s'était pas trompée. Yvette n'était pas une innocente victime comme elle le criait haut et fort.

Elle se tenait dos à la porte, devant l'évier. Elle portait un T-shirt et un pantalon de survêtement que Patti reconnut comme les siens.

— Bonjour, Yvette.

Yvette sursauta en poussant un cri et fit volte-face en lâchant la canette de Coca qu'elle tenait à la main.

— Patti. Merci, vous êtes enfin…

Son regard se posa sur le revolver et elle écarquilla les yeux.

— Qu'est-ce que vous faites ? demanda-t-elle.

— Ce serait plutôt à moi de poser cette question. Qu'est-ce que vous faites chez moi ?

— Je suis venue pour vous aider. Pourquoi me visez-vous avec votre arme ?

— Je crois que vous le savez.

— Non ! Je ne le sais pas ! Vous avez perdu la tête ou quoi ?

Elle recula jusqu'au comptoir et Patti remarqua qu'elle s'était préparé un sandwich au beurre de cacahuètes.

— Où sont-elles ? demanda-t-elle.

— Qui ? Stacy…

— Oui, Stacy. Stacy, Shauna et June.

— La sœur de Riley ? Mais comment voulez-vous que je sa…

— Je vous crois, comme vous pouvez l'imaginer, coupa Patti d'un ton sarcastique.

Yvette leva une main. Son visage était suppliant.

— Je suis revenue pour vous aider à retrouver Stacy et Shauna. J'aurais pu être déjà à Houston à l'heure qu'il est.

— Oh… Et il s'agirait d'un acte totalement désintéressé ? Voilà qui correspond tout à fait à l'Yvette Borger que je connais.

Les yeux d'Yvette se remplirent de larmes. Patti ne se laissa pas attendrir et sourit d'un air sombre.

— Je suppose que vous allez me dire que l'Artiste vous avait séquestrée, mais que vous vous êtes enfuie ?

— Oui. Je m'apprêtais à quitter la ville quand j'ai lu un article de journal qui parlait de Stacy et Shauna. Et…

— Vous êtes revenue pour aider à les sauver ? fit Patti en levant un sourcil. Ça vous a pris comme ça ?

— Oui.

Patti éclata d'un rire mauvais.

— Nous savons toutes les deux que vous dites n'importe quoi. Je vais vous dire ce qui s'est réellement passé. Vous avez filé en douce du *Hustle* jeudi soir. Vous aviez tout préparé. Vous étiez furieuse parce que je vous avais interrogée et que je doutais de votre histoire. Vous aviez décidé de me punir en vous en prenant aux gens que j'aime. A Shauna. A Stacy. A June.

— Mais c'est de la folie ! protesta Yvette. Pourquoi dites-vous ça ?

— Vous avez utilisé Riley pour faire croire que vous aviez été enlevée. Il s'en est douté, Yvette ? Il vous a prise sur le fait ?

— Je ne vois pas de quoi vous parlez.

— C'est pour ça que vous l'avez tué ?

Yvette devint blanche comme un linge.

— Vous avez tué Riley et ensuite vous avez mis le feu à la galerie pour masquer votre crime, poursuivit Patti.

Yvette s'agrippa au comptoir pour ne pas défaillir.

— Je vous en prie, non… Riley n'est pas…

— C'est pour ça que vous vous êtes changée en arrivant ici et que vous portez mes vêtements ? Les vôtres étaient couverts de sang ?

— Non ! Seigneur ! Je serais incapable de…

— N'aggravez pas votre cas. Dites-moi où sont Stacy, Shauna et June.

Les jambes d'Yvette ne la soutenaient plus. Elle s'écroula à terre.

— Jeudi, quand j'ai compris que vous vouliez me coller des meurtres sur le dos, j'ai appelé Riley pour qu'il m'aide à sortir de la ville. Nous avions rendez-vous.

— Poursuivez…

— J'avais tout prévu. J'avais laissé mes vêtements et mon portefeuille cachés près de la sortie des artistes. Je savais que personne ne s'attendrait à ce que je prenne la fuite en sortant de scène.

Elle avait les joues trempées de larmes et les essuya du revers de la main.

— Mais quand je suis sortie dans l'allée, il était là. L'Artiste. Il me guettait.

Patti poussa un soupir de déception. Elle s'était attendue à des aveux.

— Au début, je ne me suis pas méfiée. C'était un clochard. Il m'avait suivie une fois jusque chez moi et il me faisait un peu peur mais…

Elle se racla la gorge avant de poursuivre.

— Il me regardait fixement et je lui ai crié de partir. C'est là qu'il m'a attaquée.

Patti dut reconnaître qu'elle était convaincante. Mais elle était toujours convaincante.

— Que s'est-il passé ensuite ? demanda-t-elle.

— Je ne sais pas… Je…

— Ah… Vous hésitez et moi je recommence à douter au moment où j'étais sur le point de gober vos salades.

— Non ! Je dis la vérité. Je me suis réveillée dans cet endroit horrible et… Je ne savais pas où j'étais… C'est là que je me suis brusquement souvenue de ce qui s'était passé.

— Quand vous êtes-vous réveillée ?

— Hier, en pleine nuit.

— Entre le moment de l'agression et celui où vous dites vous être réveillée, vous ne vous souvenez de rien ?

— Ce n'est pas tout à fait exact. Je suis vaguement sortie plusieurs fois de mon évanouissement. Peut-être qu'il me droguait, je ne sais pas.

Elle enfouit son visage entre ses genoux et Patti se demanda si elle essayait de se remettre d'aplomb ou si elle dissimulait un sourire.

— Quelqu'un m'a parlé. Une femme, je crois. Elle me disait de fuir.

Patti se souvint de sa conversation avec la psychologue.

Quelquefois, dans les cas extrêmes, le sujet se construit plusieurs identités pour lutter contre ses pénibles souvenirs. Ces identités peuvent varier en âge et en sexe. Il existe de nombreuses études de cas sur ces sujets.

— Et comment avez-vous fait pour vous sauver ?

— Je me trouvais dans une pièce calfeutrée par des planches. Il faisait complètement noir. J'ai trébuché et je suis tombée. Je me suis blessée au genou et je me suis coupée contre le carreau brisé d'une fenêtre.

— Le carreau de la fenêtre murée ? fit Patti d'un ton incrédule.

Yvette parut désespérée.

— Oui. Regardez !

Elle défit un bandage et montra une coupure sur son bras.

— Et ici…

Elle remonta avec précaution la jambe du pantalon de survêtement. Son genou exhibait en effet une vilaine égratignure qu'elle n'avait pas pris la peine de nettoyer.

— Vous devriez désinfecter ça, fit Patti.

Les yeux d'Yvette se remplirent une fois de plus de larmes et toutes les bonnes résolutions de Patti s'envolèrent. Elle se le reprocha intérieurement… tout en se dirigeant vers le placard contenant sa trousse de secours.

— Vous trouverez là-dedans tout ce dont vous aurez besoin, dit-elle en la lui tendant.

Yvette acquiesça et ouvrit la trousse. Patti l'observa pendant qu'elle soignait son genou.

— Donc, comment avez-vous fait pour vous échapper ? demanda-t-elle au bout de quelques minutes.

— Je me suis dit que si cette femme me conseillait de fuir, ça voulait dire qu'il existait une issue, expliqua Yvette qui en était maintenant à étaler de la pommade sur l'entaille de son bras. Et, effectivement, j'ai trouvé la porte ouverte.

Elle recouvrit la blessure avec une large bande.

Décidément, elle avait eu de la « chance ». Une femme lui disait de s'enfuir : elle trouvait tout bonnement une porte ouverte.

Patti ne lui demanda même pas qui était cette femme. Elle savait bien qu'il ne pouvait s'agir que d'Yvette elle-même.

— Si j'étais coupable, poursuivit Yvette, pourquoi serais-je revenue ?

Patti ne répondit pas.

— Je peux vous montrer les vêtements que je portais et vous verrez que…

— Montrez-les-moi, coupa Patti en lui faisant signe d'avancer devant elle.

Elle ne se décidait toujours pas à lâcher son revolver.

Yvette avait abandonné ses vêtements en tas dans un coin, dans la chambre de Patti. Elle les ramassa et les lui tendit. Ils étaient sales et froissés. Son pantacourt était déchiré au genou et il y avait des taches de sang sur son T-shirt rose.

— Vous voyez bien que je dis la vérité, fit Yvette en lâchant les vêtements. Je peux vous ramener là-bas. Stacy y est peut-être encore. Shauna… Je ne sais pas… J'avais si peur… Je n'ai pensé qu'à m'enfuir.

Et si elle disait vrai ?

Le téléphone de Patti vibra. Avant de répondre, elle défit les menottes accrochées à sa ceinture.

— Qu'est-ce que… ?

Elle referma une boucle sur le poignet droit d'Yvette, la deuxième sur gauche.

— Patti, je vous en prie !

— C'est juste par précaution, pendant que je réponds… O'Shay…

C'était Spencer.

— Tante Patti, je suis avec Ray Hollister. Il vient de me confirmer que Riley a reçu deux balles.

— On peut envisager un suicide ?

— Non, d'après les points d'impacts, c'est très peu probable. L'autopsie le confirmera, mais il est pratiquement sûr que Riley était déjà mort au moment de l'incendie.

— Ce qui signifie qu'il n'était pas notre homme.

Mais qu'il avait sans doute démasqué le coupable.

— Bingo. Il ne reste plus maintenant qu'à découvrir s'il a été tué à la galerie ou transporté là-bas après sa mort.

— Compris.

Il marqua un temps d'arrêt.

— Où es-tu ?

— Chez moi.

— Chez toi ? Mais…

— Il faut que j'y aille. Tiens-moi au courant.

— Vous parliez de Riley, n'est-ce pas ? fit Yvette quand Patti raccrocha.

Patti lui jeta un coup d'œil. Elle paraissait réellement dévastée par la nouvelle.

Riley était mort, on avait trouvé son corps dans les décombres de la galerie carbonisée.

Trois femmes étaient encore portées disparues : Shauna, Stacy, June.

Riley. La galerie.

Patti eut brusquement une illumination.

Elle venait de tout comprendre. De comprendre l'incompréhensible. L'incroyable. L'invraisemblable. Elle retint un cri d'incrédulité et de désespoir.

Riley était mort parce qu'il avait découvert l'identité du tueur, cela ne faisait aucun doute. Ce tueur avait un lien avec les trois femmes disparues, avec Riley et la galerie, avec un shih tzu noir et blanc et *Ray's Perfect Pups*. Ce tueur, personne n'avait songé à le soupçonner. Tout le monde lui avait fait confiance. Et elle la première.

Ce tueur était bien une femme, mais pas Yvette Borger.

Ce tueur, c'était June Benson.

73.

Samedi 19 mai 2007
14 h 35

Spencer entra la Camaro dans l'allée de Patti et écrasa la pédale des freins. Il n'arrêta pas le moteur, sortit, courut vers l'entrée de la maison. Elle lui avait paru bizarre au téléphone et en raccrochant il s'était demandé ce qu'elle foutait chez elle avec tout le boulot qu'ils avaient.

Il l'avait appelée pour lui poser la question. Plusieurs fois. Mais elle n'avait pas répondu.

Patti avait quitté *Pieces* avec une voiture de patrouille pour rentrer au commissariat. Pourquoi avait-elle changé d'avis ?

Il fit un effort pour se souvenir de ce qu'elle avait fait juste avant de partir.

Elle avait vérifié son portable.

Il frappa à la porte.

— Tante Patti, c'est Spencer ! Ouvre !

Elle ne répondit pas, il essaya donc la porte qu'il trouva fermée et décida de faire le tour par-derrière. Une vitre était brisée. De toute évidence, quelqu'un avait cassé un carreau pour s'introduire dans la maison. Ce quelqu'un s'était coupé au passage. Il y avait du sang sur le carreau et le rebord intérieur.

Il essaya la porte de derrière, mais elle était fermée, alors il recula et l'ouvrit d'un coup de pied.

— Désolé, tante Patti, murmura-t-il en se glissant à l'intérieur.

La cuisine lui parut rangée à part le pain, le beurre de cacahuètes, un couteau et une canette de Coca, qui traînaient sur le comptoir — du Coca avait été renversé à terre.

Il passa dans le salon, puis dans la chambre.

Là, il trouva une pile de vêtements sales et tachés de sang.

Il contempla ces inquiétantes traînées rouges, la peur au ventre. Pas tante Patti. Pas elle. Il ferma les yeux et inspira profondément en s'efforçant de mettre ses idées en ordre. De réfléchir.

Il prit un mouchoir en papier et ramassa l'un des vêtements. Un pantacourt. Une taille 36 ou 34. Tante Patti était fine, mais pas à ce point-là.

Yvette.

Le pantacourt puait. Il plissa le nez. Mais qu'est-ce que… ?

Il comprit en un éclair. Ça sentait la terre mouillée et le moisi. Comme après une inondation. La ville entière avait pué comme ça pendant un an après Katrina. Et dans certains quartiers…

Le bas de la neuvième circonscription… Des poches dans St Bernard. Putain…

Il sortit son portable de son étui et composa le numéro de Tony.

— Je sais où elles sont, dit-il. Neuvième circonscription. Rassemble une équipe pour fouiller…

— Et le capitaine ?

— Volatilisée. Elle doit être avec Yvette. Ou le Collectionneur.

— Ça n'a pas de sens.

— Ne cherche pas à comprendre et fais ce que je te dis. Envoie des hommes sur la neuvième.

— Attends ! C'est immense, la neuvième, gros malin. Tu veux commencer par où ?

— Par l'endroit où on a découvert le corps de Messinger. Je vous rejoins.

74.

Samedi 19 mai 2007
14 h 50

Patti s'engagea dans une longue allée de gravier qui circulait au milieu d'un harmonieux paysage de collines douces, d'herbe verte, de grands chênes, d'érables et de cornouillers.

Folsum. Une campagne jalonnée de fermes d'élevage de chevaux pur-sang, le pays du polo, celui des maisons de campagne des riches familles de Louisiane.

— Ce n'était pas du tout dans ce coin, protesta Yvette. Pas du tout. Rien à voir.

Patti ignora ses protestations. Elle les avait d'ailleurs ignorées pendant tout le trajet au point qu'Yvette avait fini par se résigner et par somnoler un peu.

Elles apercevaient maintenant la maison, une vaste demeure dans le style typique du Sud, blanche avec des volets noirs, une véranda qui circulait autour du bâtiment, des chaises blanches à bascule installées sur le porche. Mimosa.

Arriver à Mimosa, c'était un peu faire un saut en arrière dans le temps, revenir à une époque où tout était plus lent et plus doux.

Pour Patti, Mimosa avait toujours fait figure de paradis sur terre.

Jusqu'à aujourd'hui.

— Je ne comprends pas ce qu'on vient faire ici, protesta Yvette.

Patti non plus n'était pas certaine de comprendre car ce qu'elle croyait comprendre défiait toute logique et remettait en question ce qu'elle savait de sa plus fidèle amie.

— Nous sommes chez June Benson, murmura-t-elle tout en s'arrêtant devant le porche d'entrée. Je tenais à vérifier une intuition.

Plus qu'une intuition.

Yvette leva les mains et secoua ses menottes.

— Vous allez enfin m'enlever ça ?

— Pas tant que je ne suis pas sûre de pouvoir vous faire confiance.

— Non ! Je vous en…

Patti ouvrit la portière et descendit de voiture.

— Attendez-moi ici, ordonna-t-elle.

Et elle claqua la portière sans lui laisser le temps de répondre.

Le gravier crissait sous ses pieds. Son cœur battait fort contre sa cage thoracique.

C'était impossible. Pas June.

Elle se demanda si elle n'était pas en train de perdre la tête. Si la mort de Sammy et Katrina ne l'avaient pas rendue folle.

Mais elle sortit tout de même son Glock de son étui.

Parce que toutes les pistes convergeaient vers June. Riley. La galerie. Max.

Et June était aussi la dernière à avoir disparu.

Elle poussa la porte et traversa l'entrée, puis le grand salon. La maison était merveilleusement entretenue, comme toujours. Elle sentait les fleurs et la cire. Les rayons du soleil baignaient les pièces d'une lumière chaude et accueillante.

June passait le seuil de la porte donnant sur la terrasse. Elle s'arrêta net en apercevant Patti. Elle portait un grand panier de fleurs fraîchement coupées. Elle avait les joues rosies de chaleur.

— Patti ! Mais qu'est-ce que tu fais là ?

— Je te cherchais.

— Tu me cherchais ? Pourquoi ?

— J'ai appelé plusieurs fois sur ton portable, mais tu ne répondais pas.

— J'avais besoin de m'isoler un peu… J'ai eu beaucoup de stress ces derniers temps et je me sentais un peu dépassée. Riley me rend complètement dingue.

Elle fronça les sourcils.

— Patti, mais qu'est-ce que tu fais avec ton revolver ?

— Je croyais qu'on t'avait enlevée, répondit Patti en faisant plusieurs pas dans sa direction.

— Enlevée ? s'exclama June en éclatant de rire. Quelle drôle d'idée !

— Tu as laissé Max seul en ville.

— Jamais de la vie. Riley s'en occupe.

Sauf que Riley était mort. Assassiné.

June secoua la tête, referma la porte donnant sur la terrasse et entra dans la pièce.

— Ça te dirait un thé glacé ? Tu n'es pas obligée de rentrer tout de suite en ville, n'est-ce pas ?

Etait-ce possible qu'elle ne sache pas, pour Riley ?

— Patti ? Qu'est-ce que tu as ? Je te trouve bizarre.

— Je dois fouiller ta maison, June.

— Fouiller ma… Mais c'est dingue ! Je ne comprends pas.

— Je suis désolée, mais il y a eu un problème à la galerie.

— Un problème ? répéta June d'un air hébété.

Elle s'agrippa à son panier.

— Qu'est-ce que tu essayes de me dire, Patti ? demanda-t-elle d'un ton angoissé.

— Riley est mort. La galerie a…

Le regard de June se fixa derrière Patti et ses yeux s'agrandirent de surprise.

— Vous ! s'écria-t-elle. Patti ! Attention !

Patti fit volte-face. Yvette se tenait sur le seuil de la porte. Son visage exprima la surprise, puis l'horreur.

Patti comprit trop tard son erreur. June fonçait déjà sur elle en brandissant ses ciseaux qu'elle lui planta dans le dos. Une violente douleur la transperça.

Elle entendit un hurlement — celui d'Yvette —, et tomba à genoux, puis face contre terre. Sa tête heurta violemment le coin de la table basse.

Et tout devint noir.

75.

Samedi 19 mai 2007
16 h 55

Spencer luttait contre le découragement. Tony avait rassemblé une nombreuse équipe et des volontaires étaient venus la renforcer. Ils s'étaient partagé le territoire à explorer en partant de l'endroit où le corps de Messinger avait été découvert.

C'était du sale boulot. Il faisait une chaleur insupportable et le terrain autour des bâtiments était humide et encombré de déchets de toutes sortes. L'idée que Stacy et Shauna se trouvaient prisonnières quelque part dans ce lieu infâme lui était insupportable.

Cela faisait plus d'une heure qu'ils cherchaient. Il ne leur restait plus beaucoup de temps. Une fois la nuit tombée, ça deviendrait difficile de fouiller les décombres.

Spencer commençait à craindre d'avoir eu une mauvaise intuition. Stacy et Shauna pouvaient être séquestrées dans d'autres quartiers durement touchés par l'inondation comme Chalmette ou Plaquemines. Elles pouvaient être n'importe où dans le golfe. Merde… Elles pouvaient aussi être quelque part dans la ville haute, dans un endroit qui n'avait pas vu une goutte d'eau.

La ville était trop grande. Il ne fallait pas espérer la passer au peigne fin. Même en mobilisant toute la police de La Nouvelle-Orléans.

— Inspecteur ! On a trouvé quelque chose !

— John Jr., hurla Spencer en se mettant à courir.

Le cœur battant, il rejoignit l'immeuble d'où était venu l'appel et qui avait autrefois abrité une épicerie au rez-de-chaussée et des appartements aux étages. Le propriétaire de l'épicerie avait sans doute habité au-dessus de son magasin. Un quartier convivial...

L'officier qui avait appelé lui fit signe d'approcher et montra du doigt le mur, près de la porte marquée d'une croix orange.

Spencer eut si peur que la tête lui tourna.

Il y avait là une large tache de sang, probablement due à un blessé par balle. Il baissa les yeux. Une traînée menait à la chaussée, puis s'arrêtait net, comme si l'on avait chargé le corps dans une voiture.

Spencer entendit John Jr. qui arrivait derrière lui, hors d'haleine. Il soufflait comme un bœuf.

Une victime. Qui ?

— Il n'y a rien au rez-de-chaussée, expliqua l'officier. Et pas moyen d'accéder aux étages.

Bien sûr qu'il y avait un moyen. Par les deux escaliers de secours qui grimpaient de chaque côté de l'immeuble.

Il fonça vers celui de droite et John Jr. prit le gauche.

— Stacy ! hurla-t-il en grimpant les marches. Shauna !

Le métal grinça sous l'effet de son poids, mais l'escalier tint bon.

Il cria de nouveau leurs noms et entendit que son frère en faisait autant. Des hommes attirés par le bruit arrivaient en courant.

En apercevant la porte du premier étage, Spencer fut saisi d'horreur : elle était fermée par un verrou flambant neuf.

Pourquoi avait-on pris la peine de boucler un immeuble en ruines ? Qu'est-ce qu'il pouvait bien y avoir de si précieux à l'intérieur ?

— Elles sont là, hurla-t-il en sortant son arme. Stacy ! Shauna ! Si vous m'entendez, reculez !

John Jr. avait changé d'escalier et montait à présent les marches pour rejoindre Spencer. Spencer tira trois balles dans le verrou pour le faire sauter et donna un coup de pied dans la porte. La lumière du jour se répandit dans la pièce, éclairant Shauna et Stacy — bâillonnées, ligotées, mais vivantes. Vivantes.

Spencer poussa un soupir de soulagement et se précipita vers elles, John Jr. sur ses talons. Il s'agenouilla auprès de Stacy et lui ôta son bâillon. Elle poussa un petit cri en ouvrant la bouche pour respirer, puis toussa.

— A l'aide ! appela-t-il en s'activant pour défaire le Scotch qui attachait les poignets de Stacy.

Près de lui, John Jr. en faisait autant pour Shauna.

— Il nous faut de l'eau.

Quelques minutes plus tard, quelqu'un lui tendit une bouteille d'eau fraîche qu'il porta aux lèvres de Stacy.

Il la laissa boire, puis vérifia qu'elle n'était pas blessée en passant ses mains sur son visage, sur ses bras, sur son buste.

— Il t'a fait du mal ? demanda-t-il.

— N… Non.

— Merci, Seigneur… Merci… J'ai cru t'avoir perdue… Je…

Sa voix se brisa.

— Il faut que je…, bredouilla Stacy dans un murmure rauque. Il faut que je te dise…

— Moi aussi, je t'aime, Stacy, coupa-t-il. Je me suis comporté comme un idiot et…

Elle posa un doigt sur ses lèvres pour le faire taire.

— Je t'aime aussi. Mais ce n'est pas… C'est June. C'est June Benson le Collectionneur.

76.

Samedi 19 mai 2007
17 h 10

Patti revint lentement à elle. Elle était allongée sur le côté. Elle souffrait. Elle tenta de remuer, mais une violente douleur lui arracha un gémissement.

— Merci, Seigneur… Je croyais que vous étiez mourante.

Yvette. Patti entrouvrit les yeux et il lui fallut quelques secondes avant d'ajuster sa vision. Elle parcourut la pièce du regard.

Elles se trouvaient dans une luxueuse salle de bains. En marbre.

Elle s'arrêta sur Yvette qui portait toujours les menottes qu'elle lui avait passées. June lui avait aussi attaché les chevilles avec un large Scotch.

— Où… Où est-elle ?

— Je n'en sais rien, fit Yvette en poussant un soupir qui se transforma en sanglot. Quand elle vous a planté ses ciseaux dans le dos, j'ai voulu vous venir en aide. Mais je ne suis pas allée bien loin. Je suis tombée et avec ces menottes…

Elle n'avait pas pu se relever assez vite.

— Elle a pris votre arme. Elle a dit qu'elle s'en servirait pour me tuer.

June. Sa meilleure amie. Sa confidente. Comment était-ce possible ?

Elle repassa dans sa tête le moment où June l'avait agressée : elle s'était tournée juste à temps pour la voir se jeter sur elle en brandissant des ciseaux. Ensuite, elle avait senti une violente douleur et elle était tombée en avant, la tête la première contre la table basse du salon. Et elle s'était évanouie.

— Ma blessure est grave ? demanda-t-elle.

Les yeux d'Yvette se remplirent de larmes.

— Oui, il me semble. Les ciseaux sont toujours…

— Plantés dans mon dos ?

Yvette acquiesça d'un air désolé.

— Profondément ?

— J'en ai bien l'impression, oui.

Patti inspira pour lutter contre le vertige. June n'avait touché aucun organe vital, mais son état aurait pu s'aggraver si Yvette avait tenté de lui enlever les ciseaux.

Yvette se pencha vers elle.

— Qu'est-ce que je peux faire ?

Patti pinça les lèvres.

— Je suis désolée de vous avoir soupçonnée, dit-elle enfin.

— Je me suis conduite comme une gamine et… Je ne vous en veux pas, je comprends.

— Il faut que nous partions d'ici.

— J'ai essayé. Il n'y a pas d'issues.

— La fenêtre.

— Des briques de verre. Il n'y a qu'une porte et elle est fermée de l'extérieur.

— Vous avez essayé de l'enfoncer à coups de pied ?

— Je n'ai pas osé. Je craignais qu'elle entende et que ça la mette en colère.

Mettre June en colère n'était effectivement pas une bonne idée. Elle avait le Glock et probablement aussi l'arme qui lui avait servi à tuer Riley, Messinger, et peut-être même Gabrielle. Elle avait aussi certainement quelques scies en état de marche dans la maison.

Yvette se mit à pleurer.

— Je ne veux pas mourir, gémit-elle.

— Vous ne mourrez pas tant que j'aurai mon mot à dire, répondit Patti.

— Mais tu n'as pas ton mot à dire, Patti, fit June en ouvrant la porte.

Patti vit tout de suite qu'elle tenait, bien entendu, le Glock dans sa main.

Le chargeur était plein.

— Je suis désolée, murmura June. Je le suis vraiment. Parce que tu es mon amie.

— Ton amie ? Tu as une drôle de conception de l'amitié.

— Tu t'es mêlée de mes affaires. De ma vie privée.

— Vous avez tué Riley ! hurla Yvette. Comment avez-vous pu… ?

— Lui aussi s'était mis en travers de ma route, à fouiner dans mes affaires. Il vous a laissée vous enfuir, ça a été la goutte d'eau qui a fait déborder le vase.

— Il m'a laissée m'enfuir ? C'est lui qui…

— Qui a déverrouillé la porte, oui…

— C'est donc lui qui me disait de m'enfuir, murmura Yvette. Lui qui disait que vous alliez me tuer.

Elle éclata en sanglots.

— Riley était ton complice ? demanda Patti.

— Riley ? Ce mollasson ? Pas du tout. Mais il s'est mis à me soupçonner. Je me demande bien d'ailleurs comment il a deviné. Ensuite il est sorti avec Yvette. Ma muse. Celle que j'avais choisie.

— C'était ton frère. Tu as tué ton propre frère.

June les contempla avec une expression affreuse. A la limite du grotesque.

— Riley n'était pas mon frère, mais mon fils.

Cette révélation était tellement inattendue que Patti en eut le souffle coupé.

— Ton fils… ? Mais…

— Mes parents m'ont envoyée soi-disant en internat pour que je puisse accoucher dans le plus grand secret. Bien entendu, un avortement n'était pas envisageable. Ils étaient de bons catholiques, tu comprends.

» Et puis ma mère avait envie d'un deuxième enfant. Elle a donc fait semblant d'être enceinte et personne ne s'est douté de rien. Normal. Tout le monde pense que les gens qui vivent dans Garden District sont des citoyens au-dessus de tout soupçons.

Une leçon qu'elle avait retenue, apparemment.

— J'avais quinze ans quand il est né. Et j'ai dû me plier. Il m'était interdit de m'adresser à lui autrement que comme à un frère.

— Est-ce que Riley…

— Savait ?

Elle secoua la tête.

— Je lui ai tout donné, j'ai sacrifié ma vie pour lui. Et voilà comment il m'a remerciée.

Patti dévisagea son amie avec horreur. June avait tué Riley, mais elle considérait visiblement que c'était lui qui lui avait fait du tort.

— Et son père ? demanda-t-elle.

— Tu veux dire, *notre* père.

Patti en eut la nausée.

— Nous avions le même père. Eh oui… Ce salaud me violait. Régulièrement.

Patti comprenait maintenant pourquoi June méprisait tant les hommes.

— Maman s'en était aperçue, mais elle avait préféré détourner le regard. Après tout, elle avait ce qu'elle voulait. Papa la libérait de son devoir conjugal et moi je lui avais donné un fils.

Patti regretta de n'avoir pas su tout cela plus tôt. Pour aider June.

— Je suis désolée, June… Tu aurais dû en parler à quelqu'un. On t'aurait aidée. Comprise.

June eut un rire dur.

— Dans ton milieu, peut-être. Pas dans le mien.

Patti tenta de se redresser et faillit s'évanouir de douleur.

— Tu as besoin d'aide, parvint-elle à articuler. Le tribunal en tiendra compte, je te le promets.

— Non, c'est à quatorze ans que j'aurais eu besoin d'aide. A présent je vais bien. Je sais ce que je fais. Je maîtrise la situation. C'est moi qui ai le pouvoir.

— Assassiner des gens te donne du pouvoir ?

— Ceux qui m'ont trahie méritaient de mourir. Toi aussi, Patti, tu m'as trahie. Tu étais de son côté.

— Et Shauna et Stacy ?

June eut quelques secondes d'absence, puis elle se reprit et secoua la tête.

— Ça a été tellement facile. J'ai appelé Shauna pour lui dire qu'un client voulait la rencontrer à la galerie et que j'étais tout près de chez elle et que je l'y emmenais. Et pour Stacy...

Elle sourit, comme si elle était fière d'elle.

— Ça va te plaire, ça, Patti. Je lui ai dit que tu avais craqué, que tu la réclamais et que surtout tu voulais la voir seule. Je savais que je pouvais compter sur sa discrétion, qu'elle ferait de son mieux pour te protéger. Brillante idée, tu ne trouves pas ?

— Risquée, si tu veux mon avis. Elle aurait pu en parler à son capitaine ou prévenir Spencer.

— Mais elle ne l'a pas fait. C'est là mon secret. Je comprends les gens, j'anticipe leur comportement, leurs réactions.

— Tu es intelligente, c'est ça ?

Son autosatisfaction en disait long sur l'opinion qu'elle avait d'elle-même.

— Tu sais ce que c'est, Patti, ton problème ?

— Là ? Tout de suite ? Je dirais que c'est toi.

— Tu as un esprit étriqué. Moi je peux devenir qui je veux. Je peux être une vieille femme ou une gamine. Une bourgeoise ou un clochard. Un homme qui envoie des lettres d'amour à une stripteaseuse.

— Et comment fais-tu pour te transformer à volonté ? Tu mets une perruque ? Des vêtements d'homme ?

— Voilà bien la preuve de ce que je viens de dire. Tu as l'esprit étriqué. Les accessoires, c'est secondaire. Il suffit de se laisser aller et de devenir ce qu'on voudrait être.

Patti songea à ce que lui avait dit Lucia au sujet de certains traumatismes infantiles qui fracturaient la psyché de l'individu et l'incitaient à se créer plusieurs personnalités.

Mais ce n'était pas tout à fait le cas de June. June changeait volontairement de personnage, elle n'était pas victime d'un mécanisme de défense inconscient.

L'être humain est capable de tout ce qu'on peut imaginer.

— Pourquoi, June ? Pourquoi avoir tué ces filles ? Pourquoi avoir pris leur main droite ?

— Ces filles étaient faibles. Elles ne méritaient pas mon amour. Elles avaient perdu espoir, perdu confiance en l'avenir.

Le père de June lui avait volé son enfance. Son espoir. Son avenir.

Le visage de June s'était radouci.

— Elles étaient mes muses. Elles m'inspiraient. Elles m'élevaient vers de nouvelles hauteurs. Grâce à elles je croyais de nouveau à l'amour éternel.

Du coin de l'œil, Patti vit qu'Yvette avait rampé vers un placard qu'elle ouvrait sans bruit, probablement pour chercher un objet pouvant servir à se défendre.

Brave petite.

Il fallait qu'elle occupe June pendant ce temps-là, qu'elle la fasse parler.

— Et ensuite elles te trahissaient, enchaîna-t-elle précipitamment.

L'expression de June se durcit.

— Oui, elles me trahissaient. Et je me rendais compte qu'elles étaient faibles et sottes.

— Faibles comme toi quand ton père abusait de toi, murmura Patti.

Le visage de June se décomposa sous l'effet de la surprise, puis elle rougit violemment.

— Non ! protesta-t-elle. Pas comme moi. Et moi je les aimais.

— Et Sammy ?

— Sammy, ça a été un terrible coup de malchance. Une tragédie. Il est venu chez moi pour voir si des pillards étaient entrés dans ma maison. Quand il est arrivé, je partais en voiture avec ma Jessica. Et il m'a suivie, cet idiot.

Elle soupira.

— J'étais furieuse. J'espérais qu'il me laisserait tranquille en voyant que je n'avais pas besoin de lui. Mais non… Il m'a fait signe de me garer. Et figure-toi…

Elle se pencha vers Patti, avec des yeux écarquillés, comme si elle n'en revenait toujours pas.

— Que c'était pour me dire que mon coffre était mal fermé.

— Tu t'es arrêtée dans Audubon Place et il n'y avait personne.

— Exactement. Il faisait presque nuit. Tout le monde avait fui. Je suis sortie de ma voiture en cachant derrière mon dos la barre antivol du volant de ma voiture. Quand il s'est approché, je l'ai frappé de toutes mes forces.

Patti imagina la surprise de Sammy. A quoi avait-il pensé avant de perdre conscience ? Elle eut le cœur serré.

— Je n'avais pas le choix, poursuivit June. Je ne voulais pas le tuer, Patti, crois-moi. Je l'aimais beaucoup.

Patti eut envie de hurler qu'elle mentait, qu'elle n'avait pas aimé Sammy. On ne tuait pas quelqu'un qu'on aimait.

Mais June était folle et la contredire n'aurait fait que l'énerver. Ce n'était pas le moment.

— Et Tonya ? demanda Yvette d'une voix soudain affermie.

Patti vit qu'elle avait refermé le placard et qu'elle tenait ses mains d'une façon étrange.

June se tourna vers elle.

— Tonya n'était pas ton amie. Elle avait tout découvert et elle a essayé de me faire chanter. Elle se fichait pas mal de toi, tout ce qui l'intéressait, c'était l'argent. Tonya n'était qu'une putain sans cervelle.

— Donc tu l'as tuée et tu lui as coupé la main.

— Oui. Je suis allée au *Hustle* après le vernissage de Shauna et Tonya est venue me parler. J'étais furieuse parce que tu avais flirté avec Ruston. Et parce que Riley t'avait raccompagnée chez toi.

Patti essaya de remuer et ne put retenir une grimace de douleur.

— Tu t'es servie de ta main gauche pour l'amputer, dit-elle. Tu voulais brouiller les pistes.

June parut surprise.

— Pas du tout. Tonya ne méritait pas de traitement de faveur, elle ne méritait pas ma douceur, l'attention que je réserve à mes filles adorées. J'ai pris sa main parce que je me suis dit qu'elle pouvait me servir. Et comme d'habitude, j'avais vu juste.

Patti avait du mal à dissimuler sa peur et son dégoût.

— C'était donc toi, la brune aux cheveux longs qui est venue chercher Tonya en voiture ?

— Oui. Je te l'ai dit. Je peux jouer n'importe quel rôle.

Elle sourit et se tourna vers Yvette.

— J'ai tué Marcus parce qu'il avait levé la main sur toi. C'était pour toi, ma douce. Rien que pour toi.

— Je l'ignorais, murmura Yvette d'une voix chevrotante. Je croyais que tu étais comme les autres. Comme tous les autres. Ceux qui m'ont fait du mal.

Patti ne savait pas ce qu'elle mijotait, mais elle pria pour que ça marche parce que le temps jouait contre elles.

— Nous sommes pareilles, toi et moi, poursuivit Yvette en posant sur June un regard humide de larmes. Je ne l'avais pas compris jusque-là, mais nous sommes pareilles. Ceux qui auraient dû nous protéger et nous aimer nous ont fait souffrir.

— Oui, acquiesça June. Je le savais depuis toujours, mais toi…

— Moi je ne l'avais pas compris, c'est vrai, avoua Yvette. Est-ce que tu me pardonnes ?

— Tu as couché avec Riley.

— C'était une erreur. Je cherchais quelqu'un comme toi et…

Sa voix se brisa en un sanglot.

— Tu étais là, juste devant moi, et je ne t'avais pas vue.

Le revolver trembla dans la main de June et elle l'abaissa légèrement.

Une larme roula sur la joue d'Yvette.

— Prends-moi dans tes bras, supplia-t-elle. Je t'en prie, serre-moi.

June l'aida à se relever et referma ses bras sur elle. Yvette poussa un soupir et leva les mains comme pour lui caresser le visage.

Puis elle poussa un cri atroce et jeta quelque chose aux yeux de June, une sorte de poudre.

June hurla et tomba en arrière, contre le meuble sous le lavabo, en se griffant les yeux de douleur.

Le revolver tomba. Yvette plongea pour l'attraper. Elle atterrit sur ses coudes qui heurtèrent bruyamment le sol.

Mais elle referma tout de même les mains sur l'arme et la pointa sur June. Elle tremblait tellement que le canon oscillait.

— Donne-moi le revolver, cria Patti. Laisse-moi me charger de ça.

Yvette secoua la tête.

— Non.

— Donne-le-moi, répéta Patti d'un ton plus ferme.

— Elle a tué Riley, protesta Yvette d'une voix tremblante. Elle a tué Mlle Alma et Tonya qui ne lui avaient rien fait.

— C'était pour toi, répéta June en laissant retomber ses mains.

Ses yeux pleuraient, ses paupières étaient rouges et marbrées.

— C'est à cause de toi qu'elles sont mortes.

— Non ! Ce n'est pas vrai !

Il se produisit un subtil changement dans la posture et l'attitude de June.

— Si tu n'avais pas allumé Riley, petite pute, il serait toujours vivant, fit-elle d'une voix masculine.

— Tais-toi ! cria Yvette.

Le revolver s'agita.

— Ce n'est pas vrai.

June se jeta en avant. Patti hurla à Yvette de faire attention. Le bruit de la déflagration fut assourdissant.

June recula en portant la main à la poitrine. Une expression incrédule se peignit sur son visage. Puis elle s'effondra.

Au loin, elles entendirent des sirènes.

La cavalerie. Merci, mon Dieu.

Yvette lâcha le revolver en laissant échapper un sanglot. Elle se recroquevilla et se mit à pleurer sans retenue.

Patti rampa jusqu'à elle.

— C'est fini, murmura-t-elle d'une voix brisée. C'est fini. On s'en est sorties. Grâce à toi.

Yvette pleura de plus belle. Patti lui prit la main.

— Tu nous as sauvé la vie. Tu…

— Je ne serais pas… si catégorique… à ta place…

Patti se figea d'horreur. Elle tourna la tête avec la sensation de visionner une scène au ralenti. June avait repris le revolver et l'élevait lentement pour le pointer sur Yvette.

Non !

Le cri résonna dans sa tête au moment où elle se jetait sur Yvette.

Le coup partit.

Une douleur intense et incandescente la transperça. Elle entendit les hurlements d'Yvette, des voix, Spencer.

Et puis plus rien.

77.

Dimanche 20 mai 2007
9 h 15

Patti ouvrit les yeux. Elle se trouvait dans une chambre d'hôpital. Spencer était assis auprès de son lit. Il souriait.

— Bonjour, paresseuse, dit-il.

Elle lui rendit son sourire. Faiblement. Elle se sentait assommée. Sans doute les médicaments.

— Les médecins disent que tu vas t'en sortir, murmura Spencer. La balle a atteint un endroit charnu, mais pas d'organes vitaux. Quant aux ciseaux, ils te laisseront seulement une affreuse cicatrice.

— On n'élimine pas aisément la mauvaise herbe comme moi, plaisanta-t-elle.

Elle attrapa la commande du lit et, aidée de Spencer, le redressa jusqu'à obtenir une position assise.

— C'est mieux comme ça, dit-elle. Comment vont Stacy et Shauna ?

— Elles sont déshydratées et malades à cause de l'humidité, mais rien de grave.

Elle lui prit la main.

— Vous en êtes où, toi et Stacy ?

— Ça va bien, tante Patti. Très bien.

Il s'éclaircit la gorge.

— Tu avais raison à propos d'Yvette. Et aussi de Franklin. Et moi, je me trompais sur toute la ligne. Si tu n'avais pas été aussi têtue, Yvette serait probablement morte et Franklin aurait sur le dos un meurtre qu'il n'a pas commis.

Elle avait démasqué le meurtrier de Sammy. Elle avait arrêté le Collectionneur. Il ne ferait plus de mal à personne.

Mais elle n'arrivait pas à se réjouir. Sa meilleure amie l'avait trahie.

Spencer avait compris. Il lui pressa la main.

— Je suis désolé, Patti. Je n'arrive pas à croire que June... Je... C'est invraisemblable...

Elle non plus n'arrivait pas à le croire. Et elle n'arriverait probablement jamais à l'accepter tout à fait.

— Au moins, je sais ce qui est arrivé à Sammy.

Elle allait passer à autre chose, maintenant. Tourner la page.

Yvette frappa à la porte.

— Je peux entrer ?

Spencer sourit et se leva.

— Bonjour, Yvette. J'étais sur le point de partir.

Il se pencha pour embrasser Patti sur la joue, puis se redressa. Avant de sortir, il s'arrêta à la hauteur d'Yvette.

— Au fait, pas mal le coup du gommage exfoliant à la menthe dans les yeux.

Quand la porte se referma derrière lui, Yvette se tourna vers Patti.

— J'ai quelque chose pour toi, dit-elle en souriant.

Elle avait l'air ravie.

— Quoi ?

Elle marcha jusqu'au lit, se laissa tomber dans un fauteuil, et tendit un chèque à Patti.

— Un chèque ? Qu'est-ce que ça signifie ?

— Prends-le et regarde.

Le chèque était à l'ordre de Patti O'Shay. Le montant était de dix mille dollars.

L'avance...

Patti posa sur Yvette un regard interrogateur.

— Quand j'ai accepté ton offre, je pensais que ça m'aiderait à repartir de zéro, à commencer une nouvelle vie, expliqua Yvette. Je voulais m'inscrire à l'université. Ouvrir un magasin.

— Tu peux toujours.

— J'ai déjà commencé une nouvelle vie, répondit-elle en se penchant vers Patti. Ce n'était pas une question d'argent, il fallait que ça vienne de l'intérieur.

Elle sourit.

— Tu t'es jetée sur moi pour me protéger, simplement parce qu'il te semblait que c'était la seule chose à faire.

Elle allongea le bras et referma les doigts de Patti sur le chèque.

— Voilà. Je suis restée avec toi parce que c'était la seule chose à faire.

— Je ne sais pas quoi dire.

— Et si tu disais simplement que nous sommes amies ? J'aurais besoin d'une amie. D'une vraie.

Patti lui rendit son sourire.

— D'accord. Ça me va. Amies.

NOTE DE L'AUTEUR

Le jour où le cyclone Katrina a frappé le golfe[2], mon livre *Killer Takes All*[3] venait tout juste de paraître en grand format. L'intrigue se déroulait dans La Nouvelle-Orléans d'avant le cyclone ; à peine publié, pourtant, le livre m'a paru dépassé. Anachronique. Tout avait radicalement changé. Rien ne serait plus jamais comme avant.

Une amie psychologue me disait qu'elle avait eu la sensation d'être une blessée soignant d'autres blessés. Nous autres, gens de la région du golfe du Mexique, ne sommes plus les mêmes depuis le passage de Katrina — y compris ceux d'entre nous qui n'ont pas eu à souffrir de disparitions ou de la destruction de leurs biens.

J'ai ressenti le besoin de remettre en scène les détectives Stacy Killian, Spencer Malone, et tout le clan Malone qui étaient apparus pour la première fois dans *Bone Cold*[4], publié en 2001. Il m'est apparu comme une évidence de situer l'action dans l'après-Katrina et de montrer à quel point cette catastrophe avait affecté mes personnages.

J'ai pris un grand plaisir à travailler sur ce roman. Sans doute m'a-t-il aidée à cicatriser mes blessures, à reprendre pied dans cet univers nouveau, différent, à y retrouver ma place. La vie continue…

En écrivant *Last Known Victim*[5], je me suis basée sur des pronostics quant à la reconstruction de la ville ; j'ai supposé qu'au bout de deux ans la police aurait réintégré ses quartiers de Perdido Street, que les rouages de la justice se seraient remis à fonctionner comme avant.

2. le 29 août 2005 (*Note de l'Editeur*)

3. *Killer Takes All* — publié en France sous le titre *Jeux macabres* (MIRA, juillet 2006)

4. *Bone Cold* — publié en France sous le titre *Rapt* (MIRA, mars 2004)

5. *Last Known Victim* — publié en France sous le titre *Collection macabre* (MIRA, juillet 2008)

Je me suis trompée. Au moment où j'écris ces lignes, les forces de police se trouvent encore dispersées dans plusieurs locaux provisoires, l'ISD n'existe plus et rien ne fonctionne plus comme avant — à part notre héroïque équipe des *Saints*.

Je tiens à remercier tous ceux qui m'ont aidée pour ce roman : mon agent Evan Marshall, Beth Jackson, Diane Moggy mon éditrice et toute l'équipe de MIRA Books. Donald Martin du *LSU Fire & Emergency Institute* pour ses informations sur les incendies et Bob Becker, directeur du City Park de La Nouvelle-Orléans. Merci également à Scott Greenbaum de GlockFaQ.com, Barrett Brockhage de LockPiks.com et Russ à Lockpicksonline.com.

Je me dois d'achever en exprimant ma gratitude envers ma famille — il paraît qu'il n'est pas toujours facile de vivre avec un écrivain —, et envers le Seigneur, pour les bienfaits qu'Il m'accorde.

DANS LA MÊME COLLECTION

Par ordre alphabétique d'auteur

OLGA BICOS	*Nuit d'orage*
OLGA BICOS	*La mort dans le miroir*
LAURIE BRETON	*Ne vois-tu pas la mort venir ?*
BARBARA BRETTON	*Le lien brisé*
JAN COFFEY	*La dernière victime*
JASMINE CRESSWELL	*La Manipulatrice*
JASMINE CRESSWELL	*Le secret brisé*
JASMINE CRESSWELL	*La mort pour héritage*
JASMINE CRESSWELL	*Soupçons mortels*
JASMINE CRESSWELL	*Je saurai te retrouver*
CAMERON CRUISE	*La perle de sang*
MARGOT DALTON	*Amnésie*
MARGOT DALTON	*Kidnapping*
MARGOT DALTON	*Le sceau du mal*
MARGOT DALTON	*Crimes inavoués*
WINSLOW ELIOT	*L'innocence du mal*
LYNN ERICKSON	*Le Prédateur*
SUSANNE FORSTER	*Le cercle secret*
TESS GERRITSEN	*Présumée coupable*
TESS GERRITSEN	*Crimes masqués*
HEATHER GRAHAM	*L'invitation*
HEATHER GRAHAM	*L'ennemi sans visage*
HEATHER GRAHAM	*Le complot*
HEATHER GRAHAM	*Soupçons*
HEATHER GRAHAM	*La griffe de l'assassin*
HEATHER GRAHAM	*Prémonition*
HEATHER GRAHAM	*L'ombre de la mort*
HEATHER GRAHAM	*Danse avec la mort*
HEATHER GRAHAM	*Noires visions*
GINNA GRAY	*Le voile du secret*
GINNA GRAY	*La cavale*
GINNA GRAY	*Les bois meurtriers*
KAREN HARPER	*Testament mortel*
KAREN HARPER	*Le saut du diable*
KAREN HARPER	*L'œuvre du mal*
KAREN HARPER	*Les portes du mal*
KAREN HARPER	*Une femme dans la nuit*
KATHRYN HARVEY	*La clé du passé*
BONNIE HEARN HILL	*La disparue de Sacramento*
BONNIE HEARN HILL	*Mortelle perfection*
CHRISTIANE HEGGAN	*Miami Confidential*
CHRISTIANE HEGGAN	*L'Alibi*
CHRISTIANE HEGGAN	*Intime conviction*
CHRISTIANE HEGGAN	*Labyrinthe meurtrier*
CHRISTIANE HEGGAN	*Par une nuit d'hiver*

.../...

DANS LA MÊME COLLECTION

Par ordre alphabétique d'auteur

CHRISTIANE HEGGAN	*Troublantes révélations*
CHRISTIANE HEGGAN	*Intention de tuer*
CHRISTIANE HEGGAN	*Meurtre à New York*
METSY HINGLE	*Le masque de la mort*
METSY HINGLE	*La fille de l'assassin*
GWEN HUNTER	*Faux diagnostic*
GWEN HUNTER	*Virus*
GWEN HUNTER	*Les mains du diable*
GWEN HUNTER	*Le triangle du mal*
GWEN HUNTER	*La piste du mal*
LISA JACKSON	*Noire était la nuit*
LISA JACKSON	*Dans l'ombre du bayou*
CHRIS JORDAN	*L'étau*
PENNY JORDAN	*De mémoire de femme*
PENNY JORDAN	*La femme bafouée*
R.J. KAISER	*Qui a tué Jane Doe ?*
ALEX KAVA	*Sang Froid*
ALEX KAVA	*Le collectionneur*
ALEX KAVA	*Les âmes piégées*
ALEX KAVA	*Obsession meurtrière*
ALEX KAVA	*Le Pacte*
RACHEL LEE	*Neige de sang*
RACHEL LEE	*Le lien du mal*
RACHEL LEE	*Secret meurtrier*
DINAH McCALL	*Le silence des anges*
HELEN R. MYERS	*Mortelle impasse*
HELEN R. MYERS	*Les ombres du doute*
HELEN R. MYERS	*Mort suspecte*
HELEN R. MYERS	*Suspicion*
HELEN R. MYERS	*La marque du diable*
CARLA NEGGERS	*L'énigme de Cold Spring*
CARLA NEGGERS	*Piège invisible*
CARLA NEGGERS	*La dernière preuve*
BRENDA NOVAK	*L'étrangleur de Sandpoint*
BRENDA NOVAK	*Noir secret*
MEG O'BRIEN	*Le piège*
MEG O'BRIEN	*En lettres de sang*
MEG O'BRIEN	*Pluie de sang*
MEG O'BRIEN	*La déchirure*
MEG O'BRIEN	*Spirale meurtrière*
SHIRLEY PALMER	*Zone d'ombre*
SHIRLEY PALMER	*Le bûcher des innocents*

.../...

DANS LA MÊME COLLECTION
Par ordre alphabétique d'auteur

EMILIE RICHARDS	*Le refuge irlandais*
EMILIE RICHARDS	*Mémoires de Louisiane*
EMILIE RICHARDS	*Le testament des Gerritsen*
EMILIE RICHARDS	*L'héritage des Robeson*
EMILIE RICHARDS	*L'écho de la rivière*
EMILIE RICHARDS	*Promesse d'Irlande*
EMILIE RICHARDS	*Du côté de Georgetown*
NORA ROBERTS	*Possession*
NORA ROBERTS	*Le cercle brisé*
NORA ROBERTS	*Et vos péchés seront pardonnés*
NORA ROBERTS	*Tabous*
NORA ROBERTS	*Coupable innocence*
NORA ROBERTS	*Maléfice*
NORA ROBERTS	*Enquêtes à Denver*
NORA ROBERTS	*Crimes à Denver*
NORA ROBERTS	*L'ultime refuge*
NORA ROBERTS	*Une femme dans la tourmente*
FRANCIS ROE	*L'engrenage*
FRANCIS ROE	*Soins intensifs*
M. J. ROSE	*Rédemption*
M. J. ROSE	*Le cercle écarlate*
M. J. ROSE	*La cinquième victime*
JOANN ROSS	*La femme de l'ombre*
SHARON SALA	*Sang de glace*
SHARON SALA	*Le soupir des roses*
SHARON SALA	*Meurtre en eaux troubles*
SHARON SALA	*L'œil du témoin*
SHARON SALA	*Expiation*
MAGGIE SHAYNE	*Noir paradis*
MAGGIE SHAYNE	*Un parfait coupable*
TAYLOR SMITH	*Le carnet noir*
TAYLOR SMITH	*La mémoire assassinée*
TAYLOR SMITH	*Morts en série*
ERICA SPINDLER	*Rapt*
ERICA SPINDLER	*Black Rose*
ERICA SPINDLER	*Le venin*
ERICA SPINDLER	*La griffe du mal*
ERICA SPINDLER	*Trahison*
ERICA SPINDLER	*Cauchemar*
ERICA SPINDLER	*Pulsion meurtrière*
ERICA SPINDLER	*Le silence du mal*
ERICA SPINDLER	*Jeux macabres*
ERICA SPINDLER	*Le tueur d'anges*
ERICA SPINDLER	*Collection macabre*

…/…

DANS LA MÊME COLLECTION
Par ordre alphabétique d'auteur

AMANDA STEVENS	*N'oublie pas que je t'attends*
AMANDA STEVENS	*La poupée brisée*
TARA TAYLOR QUINN	*Enlèvement*
ELISE TITLE	*Obsession*
CHARLOTTE VALE ALLEN	*L'enfance volée*
LAURA VAN WORMER	*La proie du tueur*
KAREN YOUNG	*Passé meurtrier*

6 TITRES À PARAÎTRE EN SEPTEMBRE 2008

Composé et édité par les
éditions **Harlequin**
Achevé d'imprimer en juin 2008

par

LIBERDÚPLEX

Dépôt légal : juillet 2008
N° d'éditeur : 13677

Imprimé en Espagne